Holly's inbox

Holly Denham

Holly's inbox

Vertaald door Carolien Metaal

ARENA

Oorspronkelijke titel: *Holly's Inbox*
© Oorspronkelijke uitgave: 2007 Hollysinbox Ltd
© Nederlandse uitgave: Arena Amsterdam, 2008
© Vertaling uit het Engels: Carolien Metaal
Omslagontwerp: DPS, Amsterdam
Illustratie omslag: www.dianaheemskerk.nl
Typografie en zetwerk: CeevanWee, Amsterdam
ISBN 978-90-6974-952-5
NUR 302

Lieve lezer,

Mijn naam is Holly Denham. Allereerst wil ik je enorm bedanken voor het kopen van dit boek. Ik vind dat ik ook even moet uitleggen hoe het is gekomen dat mijn persoonlijke e-mails zijn uitgegeven! Het is allemaal begonnen met een website. Vóór die tijd was ik een doodgewone, saaie receptioniste in Londen, maakte ik afspraken met mijn vrienden Jason en Aisha, had ik verschillende rampzalige relaties, kortom: ik leidde mijn eigen leventje. Toen mijn inbox op het web was verschenen, kreeg ik te horen dat er elke dag duizenden mensen uit 120 landen (!!!) inlogden om mijn mails te lezen - bizar, toch? Eerlijk gezegd: het was ongelooflijk. Ik heb zakken vol post van de meest geweldige mensen gekregen om me te vertellen hoe leuk ze de site vonden. En het was die overweldigende respons van fans die tot een uitgeefcontract heeft geleid!

Hoe dan ook, ik hoop echt dat je geniet van dit boek én dat je een bezoek brengt aan de site www.hollysinbox.nl.

Nogmaals bedankt voor al je steun!!!

Veel liefs,

Holly x x x

Maand 1, week 1

MAANDAG

Van: Mam en Pap
Aan: Holly
Onderwerp: Voor Holly – Nieuwe baan

Holly
Spannend nieuws over die baan. Vind je het leuk?
Je zus heeft een pakketje (boeken of zoiets) dat je mee moet nemen als je bij ons op bezoek komt. Alice zegt dat het erg belangrijk is en 'Ferret', een vriend van haar, komt volgende week bij jou in Maida Vale langs om het af te geven.
Liefs Mam
PS Stuur ons je vluchtgegevens!

Van: Holly
Aan: Mam en Pap

Baan – weet ik nog niet, ben hier pas een uur, erg druk.
Ferret – hè? Hoe kun je nou bevriend raken met iemand die Ferret heet?
Pakketje – geen probleem, zolang het maar niet te zwaar is.
xxxx

Van: Roger Lipton
Aan: Holly
Onderwerp: Welkom

Beste Holly
Fijn om jou erbij te hebben.
Ik hoor dat alles goed is gegaan bij je introductie afgelopen vrijdag en dat je nu wegwijs probeert te raken in onze systemen en regels.
Het is jammer dat de receptie zo afgescheiden is van de rest van ons, maar je weet waar we zitten als je iets nodig hebt.
Ik hoop dat je het hier erg naar je zin zult hebben.

Roger Lipton, Hoofd Personeelszaken, H&W, High Holborn WC2 6NP

Beste meneer Lipton

Bedankt voor uw e-mail. Ik weet zeker dat ik het hier erg naar mijn zin zal hebben; iedereen is heel gastvrij.

Met vriendelijke groeten

Holly

Receptioniste, H&W, High Holborn WC2 6NP

Van: Patricia Gillot
Aan: Holly
Onderwerp: Receptie-ervaring

Holly

Ik heb ze nog zo gevraagd een receptionist te zoeken waarmee ik kan werken, net als die ik hiervoor had, met enorm veel ervaring. Ik wil niet vervelend tegen je doen op je eerste dag, maar de moed zakt me in de schoenen, echt waar. Waar had je ook alweer gewerkt?

Trish

Patricia Gillot, Hoofd Receptie, H&W, High Holborn WC2 6NP

Van: Holly
Aan: Patricia Gillot

Hai Patricia

In vijfsterrenhotels – op de receptie.

Holly

Van: Patricia Gillot
Aan: Holly

Geweldig.

Van: Holly
Aan: Patricia Gillot

Het was daar echt heel druk.

Van: Patricia Gillot
Aan: Holly

Dat is fijn voor je liefje. Blijf de rest van de dag maar lief lachen naar mensen, dan doe ik de rest wel. Hopelijk kijk je aan het eind van de maand iets verstandiger uit je ogen.

Trish

PS Probeer alsjeblieft niet meer tegen me te praten, dit is een bank. Als je wil kletsen had je een baantje bij een kapper moeten nemen. Stuur me een e-mail als er problemen zijn.

Van: Alice en Matt
Aan: Holly
Onderwerp: Succes!

Holls

Heerlijk dat het allemaal weer zo goed met je gaat. Het klinkt geweldig daar en je hebt een nieuwe start gemaakt. Precies wat je wilde.

Liefs

Alice & Matt

Van: Holly
Aan: Alice en Matt

Ik haat dit werk en iedereen is afschuwelijk.

Van: Alice en Matt
Aan: Holly

Ach jee, trouwens, bedankt dat je ons pakketje wilt meenemen, dat is erg aardig van je.

xxxxxx

Van: Holly
Aan: Alice en Matt

Geen punt, wat zit erin?

Van: Alice en Matt
Aan: Holly

O niks bijzonders, gewoon een doos met noodzakelijke spullen.

Van: Holly
Aan: Alice en Matt

Hoezo – boeken en zo?

Van: Alice en Matt
Aan: Holly

Ja, van die dingen. Ik heb Ferret je nummer gegeven.
xxx

Van: Holly
Aan: Alice en Matt

O prima

DINSDAG

Van: Mam en Pap
Aan: Holly
Onderwerp: Adviesje van je moeder

Holly
Sorry dat ik je weer lastigval schat. Leuk om te horen dat je Jennie van school tegen het lijf bent gelopen, je was altijd erg dol op haar, het klinkt alsof ze het daar goed doet.
Ik heb er even over nagedacht en de enige manier waarop je zo ver kunt komen als zij is door gebruik te maken van alle contacten die je tegenkomt. Mijn raad is: neem haar zo snel mogelijk mee uit lunchen. Je weet nooit welke deuren ze voor jou kan openen.
Wat doe je daar nu ook alweer, secretaressewerk?
Mam xxx

Van: Holly
Aan: Mam en Pap

Mam
Jennie was de paar keer dat ik haar gezien heb best aardig, maar ik ben tevreden met wat ik doe, en dat is RECEPTIEWERK.
x
Holly

Van: Mam en Pap
Aan: Holly

Dat zei ik toch schat, dat is hetzelfde.
Zorg alleen wel dat je goed eet, vooral als je al die mensen moet ontvangen, voor je het weet loop je van een van hen een infectie op.
Mam

Van: Patricia Gillot
Aan: Holly
Onderwerp: Een paar dingen

Sta alsjeblieft niet meer op als er mensen naar de balie komen!

Ik ben weg om een peuk te roken, ik sta aan de andere kant van de glazen deur en hou je in de gaten.

Ga bij problemen alsjeblieft niet schreeuwen, doe maar net alsof je in een bibliotheek werkt, dan kom je al een heel eind.

Van: Holly
Aan: Patricia Gillot

Oké Patricia, wanneer zijn de plaspauzes?

Van: Patricia Gillot
Aan: Holly

Ga als je het niet meer op kunt houden liefje – en het is gewoon Trish, niemand noemt me Patricia.

Van: Jennie Pithwait
Aan: Holly
Onderwerp: Schoolvriendin!

Hai Holly

Jij bent een paar jaar uit beeld geweest! Waar heb je gezeten?

Geweldig dat je hier werkt, sorry voor dat misverstand gisteren. Ik had je moeten vertellen hoe meneer Huerst eruitzag, gelukkig dat hij zo vergevingsgezind was, zelfs toen je hem vertelde dat hij een afspraak moest maken.

Jennie

Jennie Pithwait, Vennoot, Bedrijfsfinanciën, H&W, High Holborn WC2 6NP

Van: Holly
Aan: Jennie Pithwait

Hai Jennie

Ik voelde me echt voor aap staan, ik ben zelfs achter hem aan gerend met zijn veiligheidspasje.

Holly

Van: Jennie Pithwait
Aan: Holly

Hij zat er niet mee, ik heb gezegd dat het je eerste dag was.
Hoe is het om naast Trisha te zitten?

Van: Holly
Aan: Jennie Pithwait

Verschrikkelijk, afschuwelijk, ik kan haar niet uitstaan.

Van: Jennie Pithwait
Aan: Holly

Ouwe taaie, krijgt waarschijnlijk niet vaak een beurt, geweldig met cliënten, maar dat is het dan ook wel.
Jennie

Van: Holly
Aan: Jennie Pithwait

xxxx
Bedankt Jennie.

Van: Jason GrangerRM
Aan: Holly
Onderwerp: Hoi Holly

Hoihoi,
Hoe is het op je werk? Mag ik je e-mailen?

Jason Granger, Receptiemanager, LHS Hotels, Londen, W1V 6TT

Van: Holly
Aan: Jason GrangerRM

E-mailen mag, het werk is klote en ik sta op het punt iemand uit de weg te laten ruimen: mijn moeder.
Hoe is het met jou?
xx

Van: Jason GrangerRM
Aan: Holly

Prima.
Hé, weet je welke stinkende beroemdheid hier verblijft?

Van: Holly
Aan: Jason GrangerRM

Stinkend?

Van: Jason GrangerRM
Aan: Holly

(De kamermeisjes zeggen dat ze een paar probleempjes qua persoonlijke hygiëne heeft.)
Maar wat maakt het uit – ze is beroemd!!!

Van: Holly
Aan: Jason GrangerRM

O, is het dan niet erg meer?

Van: Jason GrangerRM
Aan: Holly

Natuurlijk. Maar je mag haar vast niet (ze is een beetje een echtbreekster) – mag je niet vertellen wie het is. Wel als je hier nog zou werken, maar nu niet, is een vertrouwenskwestie.
Veel plezier op je rotbank.

Van: Holly
Aan: Jason GrangerRM

JASON!!!

Van: Jennie Pithwait
Aan: Holly
Onderwerp: Lekker ding

Mogge. Geef me even een seintje als er een knappe kerel naar boven komt, dan kan ik me daarop verheugen.
Jen

Van: Holly
Aan: Jennie Pithwait

Doe ik.
Holly

Van: Ferret
Aan: Holly
Onderwerp: Ferret

Hai Holsie
Hier Ferret, kreeg je e-mail van Alice.
Het is me gelukt er nog meer te pakken te krijgen dan ze wilde, zorg alleen wel dat je het tot je vertrek in de vriezer bewaart.
Voorzitter Mao heeft ooit gezegd: 'voel het ritme'.

Van: Patricia Gillot
Aan: Holly
Onderwerp: Beetje traag

Holly
Beetje meer tempo liefje. Je moet nu ondertussen wel in staat zijn om twee stapels door de printer te jagen en ondertussen de gastheer te bellen om hem te laten weten dat zijn gasten gearriveerd zijn.
Het moet allemaal tegelijk gebeuren, anders gaat het er hier net zo uitzien als op het station Piccadilly, waar mensen nergens kunnen zitten.
Sorry dat ik je hiermee lastigval, maar je pikt de dingen niet snel genoeg op.
Trish

Van: Holly
Aan: Ferret
Onderwerp: PAKKETJE

Vriezer?
Hoe bedoel je?

Van: Jennie Pithwait
Aan: Holly
Onderwerp: Lekker ding

Bedankt voor je alertheid. Niet echt mijn type, ik heb ze liever een beetje langer, zonder plotselinge slingerbewegingen, ribbroeken, rottende tanden en zweetlucht.

En laat ze in het vervolg svp oefenen wat betreft eerste indrukken; ik hou van mensen die nog in staat zijn zonder consumptie te spreken, dat kletsverhaal werkte niet bij mij.

PS ik krijg je nog wel

Jen

Van: Holly
Aan: Jennie Pithwait

Oeps sorry (ik vond hem eerlijk gezegd niet zó erg).
En nog wat, waar kun je hier lekker eten?

xx

Holly

Van: Jennie Pithwait
Aan: Holly

Als je de deur uitgaat links is aan de overkant een goede broodjeszaak, of je loopt naar het stoplicht en dan rechtsaf... mooie winkelgalerij daar.
... o, en wat betreft de vraag die je eerder stelde: er is hier niemand die de moeite van het achternazitten waard is.
Trouwens, kijk uit met wat je in huis haalt.
Nou, vertel, wat heeft Holly sinds school gedaan, ik wil álles weten. Ik heb gehoord dat je verloofd bent, of getrouwd?

Jen

Van: Holly
Aan: Jennie Pithwait

Niks, nooit getrouwd, liefdesleven is tamelijk nietszeggend. En jij?

Van: Jennie Pithwait
Aan: Holly

Een paar zeldzame gevallen, kwaliteitskerels, eersteklas vlees.
Xx

Van: Holly
Aan: Jennie Pithwait

Bofkont!
Holls

Van: Jennie Pithwait
Aan: Holly

Zullen we lunchen? Geef ik je een toeristische rondleiding. Bel je later.

Van: Holly
Aan: Jennie Pithwait

Bedankt.
Holls

Van: Holly
Aan: Jason GrangerRM
Onderwerp: Hoi Jason – maak me zorgen – Holly hier

Jennie wil van alles weten.
Holly

Van: Jason GrangerRM
Aan: Holly

Laat je niet opnaaien, en hou je met je eigen zaken bezig (nou ja, in zoverre dat kan op de receptie).
xxx Bel je vanavond

Van: Judy Perkins
Aan: Holly
Onderwerp: Avondje uit met team

Beste Holly
Omdat je nieuw bent, leek het me leuk om je welkom te heten in het team door met een paar van ons binnenkort een borrel te gaan drinken.
Laat me weten welke avond je zou kunnen.
Groeten
Judy

Judy Perkins, Hoofd Faciliteiten, H&W, High Holborn WC2 6NP

Van: Holly
Aan: Judy Perkins

Ha Judy
Bedankt voor de uitnodiging, ik kan volgende week elke avond.
Groeten Holly

Van: Shella Hamilton-Jones
Aan: Holly
Onderwerp: Shella Hamilton-Jones – privéassistente van Jane Jenkins

Beste Holly

Ik zie op het schema dat je voor as vrijdag vergaderzaal 7 hebt gereserveerd voor Jane Jenkins. Na mijn vorige telefoontje weet je dat deze vergadering erg belangrijk is en dat Jane altijd het liefst ZAAL 12 heeft.

Ik begrijp dat je nieuw bent en dat het moeilijk is als je nog niet van alles op de hoogte bent; maar je moet wel weten dat Jane Jenkins voorrang heeft boven de andere stafleden.

Wil je deze zaal alsjeblieft ZSM bemachtigen en als je dat gelukt is, het mij per e-mail bevestigen? Je kunt ook een aantekening maken dat Jane Jenkins deze zaal voortaan altijd krijgt.

Hoogachtend

Shella Hamilton-Jones, Privéassistente van Jane Jenkins, Directeur Bedrijfsfinanciën, H&W, High Holborn WC2 6NP

DONDERDAG

Van: Holly
Aan: Ferret
Onderwerp: Ferret

Ferret,
Je hebt mijn mail nog niet beantwoord... Je zei dat ik het in de vriezer moest zetten, waarom de vriezer???
Holly

Van: Holly
Aan: Shella Hamilton-Jones
Onderwerp: Voor Shella – Betr: verzoek vergaderzaal

Beste Shella,

Ik kan alleen maar mijn verontschuldigingen aanbieden voor het feit dat ik zaal 12 niet voor je gereserveerd heb. Ik zal een aantekening maken van Jane Jenkins' voorkeur en de vergadering van James Lawrence nu verplaatsen.

Hoogachtend Holly

Holly
Ik heb je oma een laptop gegeven, zodat ze je kan mailen. Volgens mij voelt ze zich al aardig thuis in het bejaardenhuis.
Liefs Mam

O prima, maar ik dacht dat oma het daar niet leuk vond?
Holly

Holly
Ze mist de regen, maar verder lijkt ze erg tevreden.
Liefs Mam

Alice
Ik heb twee keer ingesproken op je antwoordapparaat, ik wil weten wat er in dat pakketje zit – als het drugs zijn kun je het wel schudden!?
Holly

Hai Holly,
Doe niet zo gek, waar zie je me voor aan, ik ben toch je zus! Ik zou je toch niet vragen om drugs mee te nemen?????? GOD NEE!! Nee, het zijn gewoon ratten.
Hou van je.
Alice xx

Van: Holly
Aan: Alice en Matt

Wat???????

Van: James Lawrence
Aan: Holly
Onderwerp: Verplaatsen van mijn vergadering

Beste Holly
Hoorde net je voicemail. Ik begrijp het veranderen van de vergaderplek,
geen enkel probleem en sorry dat ik me nog niet even ben komen voorstel-
len, het is hierboven de laatste dagen nogal hectisch.
Hartelijke groeten
James
PS Je klonk ontdaan, laat je niet kisten, mensen raken hier gewoon soms
gestrest.

James Lawrence, Vice President Bedrijfsfinanciën, H&W, High Holborn WC2 6NP

Van: Holly
Aan: James Lawrence

Beste James
Dank voor je mail, dat is aardig van je. Fijne dag.
Holly

Van: Holly
Aan: Jennie Pithwait
Onderwerp: Een vraagje voor je Jennie...

Wie is James Lawrence?
Hols

Van: Jennie Pithwait
Aan: Holly

– Waarom?

Van: Holly
Aan: Alice en Matt
Onderwerp: Ratten

Alice

Toen ik schreef 'Wat?' bedoelde ik – wat, ben je gek geworden??? Ratten??
Mail me terug, anders kun je het wel vergeten!

Van: Alice en Matt
Aan: Holly
Onderwerp: Zag net pas je mail

Sorry Holly,
Ik heb je niets gezegd omdat ik niet wilde dat je je daar druk over zou maken. Het zijn ratten, maar Engelse, en je hoeft ze niet aan te raken, ze zitten helemaal ingeseald.
xxxx
Alice

Van: Holly
Aan: Alice en Matt

O, nou godzijdank zijn het Engelse ratten, die zijn een stuk beschaafder????

Van: Alice en Matt
Aan: Holly

Zeg het maar niet tegen Mam, je weet hoe gevoelig ze voor dit soort dingen is. We moeten een paar ratten het land in krijgen die de pythons kunnen eten. Hier kosten ze drie euro per stuk, het is niet rendabel en de kwaliteit is armzalig.
Alice

Van: Holly
Aan: Alice en Matt

Dus het zijn eersteklas ratten, pak van m'n hart.
NEE, IK DOE HET NIET!!!

Van: Alice en Matt
Aan: Holly

Als we ze geen eten geven, gaan de pythons DOOD en Matt zal daar kapot van zijn. Je hoeft je nergens zorgen over te maken, ze leven niet meer...

Van: Holly
Aan: Alice en Matt

Ze leven niet, o dan is het goed – dus je wilt dat ik mijn koffer volstop met DODE ratten? Super, ik maak gewoon een andere indeling; stop ze lekker tussen mijn zwemspullen en mijn onderbroeken?!

Van: Alice en Matt
Aan: Holly

Denk er alsjeblieft nog even over na. Vergeet niet dat het fokken van slangen onze enige bron van inkomsten is.
Liefs Alice
xx

Van: Patricia Gillot
Aan: Holly
Onderwerp: Het wordt een gekkenhuis vandaag – van Trish

... dus tover die glimlach op je gezicht, meisje!

Van: Aisha
Aan: Holly
Onderwerp: Help! – Aisha heeft Holly nodig

Hols,
Nog steeds niet hersteld van afgelopen weekend, denk dat ik iets verkeerds heb gegeten, voel me afschuuuuuuwelijk. Vertel me iets leuks Hols, pleassssssse, ik ben echt depri.
Xxxxxxx ☹

Van: Holly
Aan: Aisha

Je hebt niets verkeerds gegeten, het was die fles wodka die je leeg hebt gedronken – waar was Shona?

Van: Aisha
Aan: Holly

Mam zorgt voor haar. x

Van: Holly
Aan: Aisha

Kom op liefie, zet je tanden op elkaar, je zei toch dat je deze week op zoek zou gaan naar een baan?

Van: Aisha
Aan: Holly

Ik ben gisteravond wezen stappen, maar ik voelde me niet goed toen ik het huis uitging, echt zwak weet je. Maak me ook zorgen om Henry, heb hem een uur geleden ge-sms't en nog niks teruggekregen.

Van: Holly
Aan: Aisha

Hij heeft het waarschijnlijk gewoon druk, als mensen aan het werk zijn (probeer je dat voor te stellen) – hebben ze geen tijd om elke vijf minuten op hun mobiel te kijken of er een sms'je is.
Voor zover ik gehoord heb ren je op Productie van hot naar her, hij kan buiten de deur zijn. Hou op met piekeren!

Van: Aisha
Aan: Holly

Hij werkt niet op Productie.

Van: Holly
Aan: Aisha

Wel waar, jij vertelde me dat hij tv-producties deed.

Van: Aisha
Aan: Holly

Dat is Jimmy.

Van: Holly
Aan: Aisha

En wie is Henry dan?

Van: Aisha
Aan: Holly

Henry is die gast met wie ik zaterdag was.

Van: Holly
Aan: Aisha

En wie is Jimmy?

Van: Aisha
Aan: Holly

Degene die op Productie werkt.

Van: Holly
Aan: Aisha

Ja, ik weet dat hij op Productie werkt, ik bedoel wat is hij van jou?

Van: Aisha
Aan: Holly

Hij gaat ook met mij. Luister, hier word ik niet vrolijker van.
☹

Van: Holly
Aan: Aisha

Hoeft ook niet. Schei uit met dat zelfmedelijden en zoek een baan.

Van: Aisha
Aan: Holly

Kan ik volgend weekend bij je komen logeren? Blijven we het hele weekend binnen, geen drank geen gefeest???
xxxx

Van: Holly
Aan: Aisha

Tuurlijk, hoewel er misschien ene 'Ferret' langskomt, weet niet zeker.

Van: Aisha
Aan: Holly

Is hij sexy?

Van: Holly
Aan: Aisha

Doei.

/

Van: Patricia Gillot
Aan: Holly
Onderwerp: Je moet mensen die zitten te wachten in de gaten houden!

Ik weet zeker dat die kerel met die gele stropdas hier al 10 minuten zit!?

Van: Holly
Aan: Patricia Gillot

Klopt, ik heb al drie keer naar boven gebeld, maar krijg ze niet te pakken. Sorry, ik wist niet wat ik moest doen.

Van: Patricia Gillot
Aan: Holly

VRAAG het dan, je moet naar boven om de gastheer te zoeken want de vergadering kan al begonnen zijn zonder deze meneer.
Kom op Holly, gebruik je kersenpit.

Van: Jason
Aan: Holly
Onderwerp: Foto's beroemdheden

Vergeet niet die andere receptioniste te vragen naar de map met gegevens over de directie. Dan kan je die het weekend mee naar huis nemen en hun gezichten uit je hoofd leren (hopelijk staat er bij iedereen een foto). Anders vraag je volgende week misschien wel aan de andere oprichter om zijn naam op de gastenlijst te schrijven.

Van: Holly
Aan: Jason

Hoop het niet, hij is dood.
Maar bedankt, ik zal haar aan het eind van de dag naar die map vragen.

Van: Holly
Aan: Alice en Matt
Onderwerp: Je staat bij me in het krijt

Oké, ik doe het, het is vermoedelijk legaal.

Van: Alice en Matt
Aan: Holly

O, je bent de bovenstebeste!!

xxxx

Ik zal dit niet vergeten, duizendmaal dank.

Maand 1, week 2

MAANDAG

Van: Patricia Gillot
Aan: Holly
Onderwerp: Ik heb ze daarboven heus wel tekeer horen gaan!

Omdat ze twee mensen aan de receptie willen als het druk is, meestal tijdens lunchtijd. Ik zal het met je doornemen zodra we het wat rustiger krijgen. Ze maken me razend. Dus, één van ons moet voor 12.00 uur en de ander na 14.00 uur.

Van: Holly
Aan: Patricia Gillot

Sorry Trish, dat wist ik niet, ik zal eraan denken. Ik kan gaan lunchen wanneer jij maar wilt.

Van: Patricia Gillot
Aan: Holly
Onderwerp: Schietpartijen

Al die schietpartijen, het wordt met de dag erger. Nu vertelt zelfs mijn jongste dat de meesten van zijn klasgenoten wapens mee naar school nemen. Ik kan hier echt niet tegen.

Van: Holly
Aan: Patricia Gillot

Wat eng!!? Dat is afschuwelijk.

Van: Jason GrangerRM
Aan: Holly
Onderwerp: Afschuwelijk nieuws!

Britney heeft al haar haar laten afscheren!!!!!!

Van: Holly
Aan: Jason GrangerRM

Inderdaad Jason, bedankt voor dit nieuwtje, fijn dat je me op de hoogte houdt van lopende zaken.

xx

Van: Patricia Gillot
Aan: Holly
Onderwerp: Lunch

Ik moet om twee uur ergens zijn. Moet binnen een uur terug zijn maar kun jij voor me invallen als het langer duurt?

Van: Holly
Aan: Patricia Gillot

Geen punt, ik val voor je in, maar waar moet ik zeggen dat je bent?

Van: Patricia Gillot
Aan: Holly

Bedankt. Zeg maar dat je me hebt zien terugkomen en dat ik volgens jou ergens in de buurt moet zijn.

Van: Holly
Aan: Patricia Gillot

Oké.

Van: Patricia Gillot
Aan: Holly
Onderwerp: Irritante telefoontjes

Ik had net een 'ik ben zó belangrijk' l*lletje aan de lijn, sprak alsof ik moest weten wie hij was, schreeuwde twee keer de naam van degene die hij wilde spreken (kon het beide keren niet verstaan) en had toen het lef om mij te laten hangen om een ander telefoontje aan te nemen – daar word ik dus woest van.

Van: Holly
Aan: Patricia Gillot

Wat doe je als zoiets gebeurt?

Van: Patricia Gillot
Aan: Holly

Meestal hang ik op, of ik vraag of ze terugbellen en naar Holly willen vragen.

Van: Holly
Aan: Patricia Gillot

Bedankt.

Van: Patricia Gillot
Aan: Holly

Graag gedaan liefje.

Van: Patricia Gillot
Aan: Holly
Onderwerp: Hoe heet dat meisje in EastEnders?

Jeweetwel, die de laatste tijd zo in de nesten zit.

Van: Holly
Aan: Patricia Gillot

Geen idee, wie bedoel je?

Van: Patricia Gillot
Aan: Holly

Ja als ik dat wist hoefde ik het jou niet te vragen hè? Kom op meisje, degene die iets gedaan heeft met Phil Mitchell. Nee wacht, ik bedoel The Bill*, PC nog wat?

* Engelse politieserie op ITV die al sinds 1983 wordt uitgezonden

Van: Holly
Aan: Patricia Gillot

Geen flauw idee, sorry.

Van: Patricia Gillot
Aan: Holly

DC June... of zoiets?

Van: Holly
Aan: Patricia Gillot

Waarom wil je dat eigenlijk weten?

Van: Patricia Gillot
Aan: Holly

Sergeant June Ackland!!! Die bedoelde ik. Zie je dat meisje met dat bruine haar op de bank? Laat maar, ze is al weg. Ik ben lunchen, tot zo.

Van: Holly
Aan: Holly
Onderwerp: NIET VERGETEN

SOAPS: niet vergeten naar EastEnders en The Bill te kijken, o, en een wekker te kopen.

Van: Aisha
Aan: Holly
Onderwerp: Sexy mannenporno

Ik zal je wat porno sturen – vind je vast geweldig, foto van een gast met wie ik dit weekend was.

Van: Holly
Aan: Aisha

Doe alsjeblieft niet.

Van: Aisha
Aan: Holly

Ik stuur het.
xx

Van: Holly
Aan: Aisha

Niet doen.

Van: Aisha
Aan: Holly

Je vindt het geweldig. x

Van: Holly
Aan: Rijksdouane
Onderwerp: Toegestane bagage

Geachte heer/mevrouw,
Kunt u mij alstublieft een lijst sturen van dingen die ik wel of niet mag meenemen als ik naar Spanje ga?
Dank u.
Holly.

Van: Rijksdouane
Aan: Holly
REF: 9222287

Geachte Holly
Op onze website kunt u alle details vinden, waaronder de wettelijke regels met betrekking tot de in- en export van goederen uit EU-landen.

C&E

Van: Holly
Aan: Rijksdouane
REF: 9222287

Beste C&E
Ik zie op uw lijst nergens iets over ratten staan en ik wil er een paar meenemen naar Spanje. Kunt u me vertellen waar ik aan toe ben?
Hols x

Van: Rijksdouane
Aan: Holly
REF: 9222287

Beste Holly
De export van levende dieren moet op de lijst staan (ervan uitgaande dat u het serieus meent).

Van: Holly
Aan: Rijksdouane
REF: 9222287

Beste C&E
Ik meen het serieus, maar ik ben van plan om alleen dode ratten mee te

nemen (bevroren – zoiets als ijslolly's denk ik), niet de levende soort. Ik ben echter niet van plan de gevangenis in te gaan vanwege een stel vieze ratten.

Hols

Van: Rijksdouane
Aan: Holly
REF: 9222287

Beste Holly,
Het zal u misschien verbazen, maar er is mij nog nooit gevraagd naar de export van dode ratten. Maar uit wat ik erover heb gevonden, maak ik op dat het de Britse regering niet uitmaakt hoeveel dode ratten u exporteert, u mag de hele ratteplan meenemen.
De Spaanse regering zou echter iets meer belangstelling kunnen tonen voor hun komst. U kunt het beste contact opnemen met de Britse ambassade in Spanje.

Van: Holly
Aan: Jason GrangerRM
Onderwerp: Help Jason Help!

Ik heb nog steeds het gevoel dat iedereen zit te wachten tot ik er een enorme puinhoop van maak. Trish is best aardig tegen me, maar ik denk dat ze stiekem gewoon wacht tot ik het verknal. Weet je wat ik zou moeten doen... een feestje geven en dan iedereen van mijn werk uitnodigen.
Wat vind jij?????

Van: Jason GrangerRM
Aan: Holly

Geef GEEN feestje, slecht plan. Je pikte het allemaal heel snel op toen je hier was, je moet gewoon even geduld hebben.
xxxxx
PS heb je die directiemap al??

Van: Holly
Aan: Jason GrangerRM

Heb de map, maar kreeg problemen met Trish omdat ik die mee naar huis probeerde te nemen (veiligheidsrisico). Probeer gewoon de gezichten te onthouden als ze langskomen...

Van: Charlie Denham
Aan: Holly
Onderwerp: BELANGRIJKE VRAAG

Waar let jij op in een wc?
Charlie

CLUB SUBMISSION, Londen

Van: Holly
Aan: Charlie Denham

Ik let nergens op in een wc Charlie.

Van: Charlie Denham
Aan: Holly

Maar wat is voor jou belangrijk?

Van: Holly
Aan: Charlie Denham

Dat ik geen gesprekken met mijn broer heb over wc's.

Van: Charlie Denham
Aan: Holly

Oké, maar afgezien van een schone bril en genoeg toiletpapier – wat is er nog meer belangrijk voor vrouwen?

Van: Holly
Aan: Charlie Denham

Ga weg Charlie.

Van: Charlie Denham
Aan: Holly

Heb je al aan die hitsige receptionistevriendinnetjes van je verteld dat je broer een nachtclub heeft?

Van: Holly
Aan: Charlie Denham

Nee, want dat is niet zo, je hebt een bouwput.
Holly

PS we gaan niet met zijn allen naar een soort receptionistenclub, behalve ik zit er nog één ander iemand achter de balie. Dat is alles.

Van: Charlie Denham
Aan: Holly

Is zij hitsig?

Van: Charlie Denham
Aan: Holly

Ben je er nog?

Van: Charlie Denham
Aan: Holly

Wat dacht je van een bordje op de deur? En welke tekst? Keuze genoeg...

Van: Holly
Aan: Charlie Denham

Kleinemeisjes-wc – klinkt schattig.

Van: Charlie Denham
Aan: Holly

Ik denk dat de stem van Rubberen Ron doorslaggevend is, en hij is op zoek naar DOMS & SUBS.

Van: Holly
Aan: Charlie Denham

Wat betekent dát nou weer?

Van: Charlie Denham
Aan: Holly

Geen idee. Ik durf het niet te vragen, ik denk iets pervers, dat is in tegenwoordig.

Van: Jennie Pithwait
Aan: Holly
Onderwerp: Lekker ding??? Zie je al wat komen?

Kom op, hoe is het daar beneden, al iets aan de horizon?

Van: Holly
Aan: Jennie Pithwait

Het is een gekkenhuis, een en al vergaderingen... Wat is er voor belangrijks aan de hand?

Van: Jennie Pithwait
Aan: Holly

Wervingsdag afgestudeerden, vers jong bloed, hitsige jongemannen vers van de pers, schatjes in hun nieuwe pakjes, hoera.
Kun je niet wat foto's met je mobiel maken en die naar boven mailen?

Van: Holly
Aan: Jennie Pithwait

Sta niet te springen, wat gebeurt er als ik betrapt word?

Van: Jennie Pithwait
Aan: Holly

Ontslag op staande voet, waarschijnlijk onder escorte het gebouw verlaten.

Van: Holly
Aan: Jennie Pithwait

Mijn mobiel blijft dus in mijn tas. Sommigen hebben absoluut geen sociale vaardigheden, ze zijn verschrikkelijk arrogant.

Van: Jennie Pithwait
Aan: Holly

Arrogant en in pak. Ik wil meer horen!!!!

Van: Holly
Aan: Jennie Pithwait

Oeps, daar komt er weer een, moet gaan.

Van: Jennie Pithwait
Aan: Holly

Wie? Wat? Waar? Laat me niet zo in spanning...???

Van: Holly
Aan: Jennie Pithwait

Sorry, die had je moeten zien. Jaaaaaaaaa inderdadi, moet nu op weg zijn naar de vijfde verdieping. Tweede keer dat ik die gezien heb trouwens.

Van: Jennie Pithwait
Aan: Holly

Ik pak nu de lift, jabadabadoeoeoeoeoeoe.

Van: Jennie Pithwait
Aan: Holly
Onderwerp: Lekker ding??? Zie je al wat komen?

Waar is die naartoe??? Hij moet langs me heen geglipt zijn, de kleine smeerlap. Wat hebben ze hem geleerd op de uni – Ninja-krijgskunst?

Van: Holly
Aan: Jennie Pithwait

Als dat zo is, zit je in de problemen, je zult kantoor in de lift moeten gaan houden.

Van: Jennie Pithwait
Aan: Holly

Prima, ik verhuis naar de lift. Maar laat er wel een paar de trap gebruiken. Ik ben maar in mijn eentje weet je, ik kan niet de hele dag op en neer gaan.

Van: Holly
Aan: Jennie Pithwait

Je hebt het over de lift, neem ik aan?

Van: Jennie Pithwait
Aan: Holly

Niet dus.

Van: Fetisjisme Voor Iedereen SM
Aan: Holly
Onderwerp: Bevestiging Lidmaatschap – Fetisjisme Voor Iedereen!

Beste Holly
Hartelijk dank voor je verzoek. We kunnen nu bevestigen dat je lid bent van Fetisjisme Voor Iedereen SM. Je zult regelmatig de laatste nieuwtjes,

onze nieuwsbrief en evenementenkalender ontvangen.
Admi

Van: Holly
Aan: Fetisjisme Voor Iedereen SM

Nee nee nee, ik wilde helemaal geen lid worden! Ik wilde alleen weten wat een Sub of een Dom was, meer niet. Ik wil GEEN LID worden, haal me alsjeblieft van de mailinglijst.

Van: Fetisjisme Voor Iedereen SM
Aan: Holly

Dit is een automatisch antwoordbericht. We kunnen jouw perverse vraag niet beantwoorden. Stuur geen antwoord naar ons, jij stoute perverseling, want dan ontvang je alleen steeds weer deze boodschap en geen corrigerend tikje (helaas).
Happy spanking!

Van: Holly
Aan: Charlie Denham
Onderwerp: BERICHT VOOR MIJN BROER

Ik ga je binnenkort ergens om vermoorden... Help me eraan herinneren!

Van: Holly
Aan: Patricia Gillot
Onderwerp: Dame met Gucci-tas

Is zij belangrijk?

Van: Patricia Gillot
Aan: Holly

Beetje... dat is de vrouw van meneer Huerst. Ze doet alsof ze nog geen deuk in een pakje boter kan slaan, maar – ik weet wel beter.

Van: Holly
Aan: Patricia Gillot

Hè???

Van: Patricia Gillot
Aan: Holly

Gewoon geroddel, afijn: ik zou uit haar buurt blijven.

Van: Holly
Aan: Patricia Gillot

Ze heeft wel mooie laarzen.

Van: Patricia Gillot
Aan: Holly

En het is allemaal echt, tas ook.

WOENSDAG

Van: Shella Hamilton-Jones
Aan: Holly
Onderwerp: Vergaderzalen WEER verwisseld

Beste Holly
Ach heden... Zou je zo vriendelijk willen zijn om op het schema van de vergaderzalen te kijken en mij te vertellen wat er bij zaal 7 om vijf uur vanmiddag staat?

Van: Aisha
Aan: Holly
Onderwerp: Help Holly – Aisha heeft je nodig!

Mogge
Heb je even?
Ik móét even tegen iemand aan praten... eigenlijk zou wat langer dan 'even' een stuk meer in de richting komen.
Aisha xx

Van: Holly
Aan: Aisha

Nee, ik heb het druk.

Van: Holly
Aan: Shella Hamilton-Jones
Onderwerp: Verwisseling vergaderzalen

Beste Shella

Ja, ik zie dat Jane Jenkins is geboekt voor een vergadering. Is dat goed?
Hartelijke groeten
Holly

Van: Shella Hamilton-Jones
Aan: Holly

Ach jee Holly,
Ben je ons gesprekje vergeten? Ik kan echt niet geloven dat je niet de moeite hebt genomen daar een aantekening van te maken.

Van: Holly
Aan: Shella Hamilton-Jones

Jawel, ik heb er wel een aantekening van gemaakt, Jane Jenkins heeft een voorkeur voor zaal 12.

Van: Shella Hamilton-Jones
Aan: Holly

Maar als ze een voorkeur heeft voor zaal 12, waarom staat Jane Jenkins' naam dan niet bij zaal 12?

Van: Holly
Aan: Shella Hamilton-Jones

Omdat meneer Huerst ook een voorkeur heeft voor zaal 12 en ik heb gehoord dat hij nogal belangrijk is.

Van: Shella Hamilton-Jones
Aan: Holly

WAAROM HEB JE ZIJN NAAM DAN NIET IN DAT VAKJE GENOTEERD!!???

Van: Holly
Aan: Shella Hamilton-Jones

Omdat hij nog steeds voor me staat om me te vertellen welke cateringfaciliteiten hij wil.

Zijn die hoofdletters nodig? (Of was het je bedoeling te schreeuwen?)
Kom gerust naar beneden om te schreeuwen als je dat liever doet.

Van: Shella Hamilton-Jones
Aan: Holly

Automatisch antwoord bij afwezigheid: Verwisseling vergaderzalen
Shella Hamilton-Jones is momenteel afwezig, gelieve voor dringende zaken contact op te nemen met Jeremy Anderson.

Van: Ferret
Aan: Holly
Onderwerp: Hier Ferret weer

Ha die Hollsie,
Wanneer wil je je kleine vriendjes zien?

Van: Holly
Aan: Ferret

Het liefst nooit.

Van: Holly
Aan: Jennie Pithwait
Onderwerp: DRINGEND DRINGEND Snel Jennie – help me alsjeblieft!!!

Ik denk dat ik een stommiteit heb begaan. Een van de PA's van de directie, Shella, was boos op me, dus ik zei dat ze naar beneden moest komen als ze een probleem had, en nu is ze het kantoor uit!? Ze zal toch niet echt naar beneden komen?

Van: Jennie Pithwait
Aan: Holly

Ik weet zeker dat ze naar beneden komt, maar dat wil jij echt niet. Probeer je niet met haar te bemoeien, ze is nogal een rockweiler, of rothweiler (hoe spel je dat?), maar je snapt wel wat ik bedoel. Ze ziet eruit als zo'n grote enge gemene hond met een Duitse naam. Hoe dan ook, heerlijk dat je 'een stommiteit hebt begaan' – moet ik wat vaker gebruiken in plaats van 'heb het verkl**t'. Ik weet zeker dat mijn baas dat zou waarderen.

Van: Holly
Aan: Patricia Gillot
Onderwerp: HELP TRISH – het is dringend

Trish

Moet ik me zorgen maken? Ik denk dat Shella op weg naar beneden is om me uit te schelden.

Van: Patricia Gillot
Aan: Holly

Sh*t!
Wat heb je gedaan? Ik zou me verstoppen als ik jou was.

Van: Ferret
Aan: Holly
Onderwerp: Bier op zondag – bij jou

Wat dacht je van zondag? Dan kunnen we samen relaxen en wat biertjes achteroverslaan (ik heb wat sterke stadse verhalen die ik graag met je wil delen).
Ferret x
Voorzitter Mao heeft ooit gezegd: 'voel de kracht'. ☺

Van: Holly
Aan: Ferret

Klinkt goed.

Van: Jennie Pithwait
Aan: Holly
Onderwerp: Matthew McConaughey of een Mark Ruffalo?

Nog spetters aan de einder?

Van: Holly
Aan: Jennie Pithwait

Ligt eraan Jennie, heb jij iets met het geitenwollensokkentype?

Van: Jennie Pithwait
Aan: Holly

Wat – het overdreven tedere en kleffe type?

Van: Holly
Aan: Jennie Pithwait

Nee, het type met uitgesproken politieke denkbeelden dat houdt van nestjes bouwen.

Van: Jennie Pithwait
Aan: Holly

Klinkt goed, noteer mij maar voor twee.

Van: Holly
Aan: Jennie Pithwait

O trouwens, ik wil zondag misschien een etentje geven. Jeweetwel, gewoon wat vrienden, niets bijzonders. Lijkt je dat wat? Dan kunnen we tenminste weer even herinneringen ophalen.
Holly

Van: Jennie Pithwait
Aan: Holly

Wat je zegt, een etentje in de kringen van 'stommiteitenbegaande' Hols – kan ik niet afslaan.

Van: Shella Hamilton-Jones
Aan: Holly; Roger Lipton
Onderwerp: Receptieproblemen

Geachte Holly Denham & Roger Lipton
Ik schrijf deze mail ook aan jou, Roger, omdat ik het gevoel heb dat onze nieuwe receptioniste niet helemaal begrijpt hoe het hier gaat.
Ik snap dat het voor haar geen makkelijke overstap is naar het bedrijfsleven, maar desondanks zijn er een paar dingen die ze snel onder de knie dient te krijgen.
Holly deelde me mee dat ik misschien beter naar beneden kon komen om haar uit te foeteren als er iets fout ging en ik wil er graag op wijzen dat dit niet de manier is waarop het personeel van Huerst en Wright te werk gaat. Iedereen in dit gebouw probeert zich in te zetten voor het team. Dit is iets wat ze goed moet begrijpen; communicatie is de sleutel tot succes.
Misschien dat Holly iets heeft aan een cursus communicatieve vaardigheden en in het reserveren van vergaderzalen; dat ze daardoor wat sneller werkt. Holly beschikt over een grote potentie, maar heeft nog een lange

weg te gaan. Ik wil graag mijn hulp aanbieden om een snelle progressie van haar kant te bewerkstelligen.

Hoogachtend,
Shella

Van: Holly
Aan: Jennie Pithwait
Onderwerp: Etentje bij mij

Etentje gaat definitief door.
Holly

Van: Holly
Aan: Patricia Gillot
Onderwerp: Korte pauze

Hai,
Het spijt me zeer Trish, maar mag ik nog een keertje naar de wc?
Holly

Van: Patricia Gillot
Aan: Holly

Natuurlijk schat, je ziet zo bleek als een doek – alles oké?

Van: Holly
Aan: Patricia Gillot

Niets aan de hand.
Hols

Van: Patricia Gillot
Aan: Holly

Heeft het te maken met die e-mail?

Van: Holly
Aan: Patricia Gillot

Sorry Trish.

Van: Patricia Gillot
Aan: Holly

Je hoeft je niet te verontschuldigen, het gaat niet zo goed met je, hè? Blijf waar je bent, ik regel iemand voor de telefoon zodat jij je tante Trish er alles over kunt vertellen.

x

Van: Holly
Aan: Aisha
Onderwerp: Aisha

Kom je nog zaterdag?

Van: Aisha
Aan: Holly

Hai liefie, tuurlijk! Ik neem bubbels mee – kook je zelf?
xxxxxx

Van: Holly
Aan: Aisha

Tuurlijk, ik ben de hele week al met de voorbereidingen bezig, dus zorg dat je van tevoren niets eet!
Holly x

Van: Holly
Aan: Meteen Koken
Onderwerp: Recepten alstublieft

Geachte heer/mevrouw
Kunt u me een recept aanbevelen voor een driegangendiner voor 5 mensen?
Beste wensen
Holly

Van: Meteen Koken
Aan: Holly

De suggestie van deze week staat hieronder:
Geroosterde varkensrib met een rijke vulling van cranberry en appel. Dit vlees maakt van elk etentje een geraffineerd gebeuren en uw gasten zullen zich vorstelijk behandeld voelen.
Voor 6 personen

INGREDIËNTEN:
– ruim 2 kilo varkensribstuk
– zout en peper naar smaak
– 2 kopjes gehakte cranberry's
– 125 gram suiker
– 100 gram boter
– 2 uien, gehakt
– 2 kopjes gehakte bleekselderij
– 2 theelepels zout
– snufje zwarte peper, versgemalen
– 8 kopjes witbrood in dobbelsteentjes
– 2 appels – geschild, zonder klokhuis en gehakt
– 125 ml appelsap
– 1 ei
– 1 theelepel kipkruiden

BEREIDING:
1. Verwarm de oven tot 190 °C.
2. Bestrooi het vlees met zout en peper naar smaak en leg het op een rek in een braadslee met de ribben naar beneden.
3. Laat het vlees twee uur in de oven staan (het is dan nog niet helemaal gaar).
4. Meng ondertussen in een kom de cranberry's en suiker goed door elkaar. Smelt de boter in een grote koekenpan op matig vuur. Bak daarin de uien en bleekselderij in circa 10 minuten zacht. Voeg het cranberrymengsel, het zout, de peper, het brood, de appels, de appelsap, het ei en de kipkruiden toe en meng alles goed door elkaar.
5. Haal het vlees uit de oven. Til de ribben op en vul de holte met het cranberry-appelmengsel. Steek een vleesthermometer tussen twee ribben in het dikste stuk van het vlees (zorg dat de punt van de thermometer geen bot raakt).
6. Zet het gevulde vlees weer in de oven en bak het nog ongeveer 1 uur of tot de vleesthermometer 80 °C aanwijst. (NB: bedek de vulling met aluminiumfolie als die te donker wordt.)
7. Leg het vlees op een voorverwarmde schaal en laat het 15 minuten rusten. Snijd de plakken tussen de ribben door en serveer het vlees met de vulling.

Van: Holly
Aan: SmakelijkEtenAanHuis
Onderwerp: Informatie etentje

Hallo

Ik geef een etentje voor 5 personen. Kunnen jullie me vertellen hoeveel het kost om eten bij mij thuis (Maida Vale) te bezorgen?

Vriendelijke groet,

Holly

Van: SmakelijkEtenAanHuis
Aan: Holly

Beste Holly

We zouden je graag van dienst zijn, onze prijzen beginnen bij 400 pond voor 5 mensen. We kunnen je een volledige prijslijst mailen als je ons wat meer details geeft.

Groeten Francis

Smakelijk Eten Aan Huis, Londen

Van: Holly
Aan: Mam en Pap
Onderwerp: Mam – kun je me alsjeblieft wat kookadviezen geven?

Ha Mam,

Weet jij wat ik voor een etentje zaterdag kan koken voor 5 mensen, met een budget van ongeveer 20 pond?

Liefs Holly

Van: Mam en Pap
Aan: Holly

Wat dacht je van hutspot?

Van: Holly
Aan: Mam en Pap

Ik vraag me af of hutspot in dit geval de oplossing is. Maar bedankt.

Holly x

Van: Mam en Pap
Aan: Holly

Waarom maar 20 pond?

Van: Holly
Aan: Mam en Pap

Omdat ik niet op tijd naar de bank kan.

x

Van: Patricia Gillot
Aan: Holly
Onderwerp: Zaterdagavond

Ik heb het net even aan hem gevraagd en we komen graag op je etentje.
Wat moeten we aantrekken?

Van: Holly
Aan: Patricia Gillot

Maakt niet uit – we zijn gewoon onder vrienden.

x

Van: Holly
Aan: Jennie Pithwait
Onderwerp: Wie is James Lawrence?

Hé, ik heb net die James voor het eerst gezien, hij is knap en lijkt echt lief.
Holly

Van: Jennie Pithwait
Aan: Holly

Het schijnt dat hij achter de helft van de meisjes hier aan zit – dus als jij
onder 'lief' een portie platjes verstaat, tja, dan moet hij wel een liefie zijn.
Jennie

Van: Holly
Aan: Jennie Pithwait

Wat jammer. Nou ja, fijne avond.
Holly

Van: Patricia Gillot
Aan: Holly
Onderwerp: Zorg dat je er klaar voor bent, meisje

Het is weer een grote dag vandaag... Blijf kalm, blijf lachen, dan komen we er samen wel doorheen. Laat je door niemand opnaaien, vat het niet persoonlijk op als de hooggeplaatsten gestrest zijn en schreeuwen, blijf gewoon lachen. Hou je roer recht!

Van: Holly
Aan: Patricia Gillot

Surf en turf!

Van: Patricia Gillot
Aan: Holly

Hè?

Van: Holly
Aan: Patricia Gillot

Geen idee, volgens mij komt dat uit Top Gun, sorry. Ik had als tienjarige een beetje een Iceman-obsessie.

Van: Mam en Pap
Aan: Holly
Onderwerp: Het leven op de campo

Holly
Gisteravond zaten we op het terras rustig een glaasje sherry te drinken en hadden het erover dat toen we naar Spanje verhuisden iedereen dacht dat we binnen een maand weer terug zouden zijn, en dat dat niet zo was.
Je vader zei net tegen me hoe goed we het allemaal voor elkaar hadden en hoe mooi de avond was terwijl de zon achter de bomen zakte, toen er een enorme tractor op de wei naast ons opdook, erdoorheen ploegde en achter de heuvel aan de andere kant weer verdween. Toen kwam er nog een, en nog een.
Het schijnt dat ze ons huis hebben gebouwd op een recht overpad: een provinciale weg schijnbaar. Dus er komt straks behoorlijk wat verkeer langs.
Mam x

Van: Patricia Gillot
Aan: Holly
Onderwerp: Wat info over je vriendin

Shella (of Cruella, zoals Mags haar altijd noemde) kan een echt kreng zijn, ze heeft hier al heel wat mensen tegen de haren in gestreken. Petje af dat jij tegen haar in bent gegaan. Ik ken minstens twee mensen tegen wie ze ongelooflijk is uitgevallen. Maar omdat ze de PA van een directeur is komt ze ermee weg.

Van: Holly
Aan: Patricia Gillot

Weet Jane dat ze zo is?

Van: Patricia Gillot
Aan: Holly

Directeuren als Jane willen resultaten en al het andere wordt onder tafel geveegd. Had je ook zulke krengen in dat hotel waar je werkte?

Van: Holly
Aan: Patricia Gillot

Nee, daar waren ze allemaal heel aardig.

Van: Patricia Gillot
Aan: Holly

Ben je in die vier jaar nooit iemand tegengekomen die gewoon puur slecht was?

Van: Holly
Aan: Patricia Gillot

Hoe weet jij dat ik daar vier jaar heb gewerkt?

Van: Patricia Gillot
Aan: Holly

Hoort bij het vak – je krijgt hier zoveel sh*t voor je kiezen, maar wij zijn de oren en de ogen van het bedrijf – dus ja, heb je cv gezien, gelezen en heb er volgens mij zelfs een kopie van op mijn harde schijf.

Van: Holly
Aan: Patricia Gillot

O, geweldig.
Betr. Shella – kan ik PZ vertellen wat er aan de hand is?

Van: Patricia Gillot
Aan: Holly

Kun je doen als je dat wilt, dat hebben de andere twee ook gedaan.

Van: Holly
Aan: Patricia Gillot

Heeft dat geholpen?

Van: Patricia Gillot
Aan: Holly

Dat zou je hun kunnen vragen, als ze hier nog waren.

Van: Holly
Aan: Patricia Gillot

O geweldig.

Van: Patricia Gillot
Aan: Holly

Ze is een fout type. Als ze mij op mijn nek zou zitten, zou ik mijn laarzen aantrekken en naar haar toe gaan.

Van: Holly
Aan: Patricia Gillot

Waarom? Woont ze op een boerderij?

Van: Patricia Gillot
Aan: Holly

Hè?

Van: Holly
Aan: Patricia Gillot

Ik realiseer me ineens dat mijn mannetje daar te laat op zijn vergadering gaat komen, die met die blauwe das.

Van: Patricia Gillot
Aan: Holly

Zijn vergadering begint over twee minuten. Ik breng hem nu wel naar boven, een paar extra punten voor ons scoren, en ga er dan vantussen. Tot na de lunch.

Van: Holly
Aan: Jennie Pithwait
Onderwerp: Ben je daar Jen?

Wat bedoelt Trish als ze zegt dat ze ergens in haar laarzen naartoe gaat? Ze heeft het al een paar keer gezegd...

Van: Jennie Pithwait
Aan: Holly

Ik wist ook niet wat ze daarmee bedoelde tot ik naar een bedrijfsfeestje in Canary Wharf ging. Ik was dronken en we belandden met een stelletje bij haar thuis in de Isle of Dogs. Zij heeft van die laarzen – we hebben het hier over laarzen met stalen neuzen – die ze daar echt aantrekken als ze het aan de stok hebben met de buren.
Eng.

Van: Holly
Aan: Jennie Pithwait

O sh*t.

Van: Jennie Pithwait
Aan: Holly

Waarom?

Van: Holly
Aan: Jennie Pithwait

Ze zei dat ze in die laarzen Shella ging bezoeken. Ik dacht dat dat was omdat Shella op een boerderij woonde (dat het daar misschien modderig was)... O jee.

Van: Jennie Pithwait
Aan: Holly

Een klassieker, ga ik aan iedereen vertellen.
Bedankt!

Van: Holly
Aan: Jennie Pithwait

Hè nee Jennie, doe dat alsjeblieft niet.
x

VRIJDAG

Van: Holly
Aan: Patricia Gillot
Onderwerp: Collectanten in Holborn

Lopen er nou overal in Holborn collectanten?

Van: Patricia Gillot
Aan: Holly

Bij de uitgang van de metro altijd, je moet ze gewoon negeren.

Van: Holly
Aan: Patricia Gillot

Ik vind het moeilijk om gewoon langs ze heen te lopen.

Van: Patricia Gillot
Aan: Holly

Was je daarom zo laat?

Van: Holly
Aan: Patricia Gillot

Zo laat was ik toch niet, paar minuutjes misschien?

Van: Patricia Gillot
Aan: Holly

Ze houden de klok hier in de gaten, ze verwachten dat je er al een tijdje bent voordat je begint.

Van: Holly
Aan: Patricia Gillot

O God! Sorry, sorry, sorry, heeft er al iemand wat van gezegd?

Van: Patricia Gillot
Aan: Holly

Nee, nog niet...

Van: Holly
Aan: Jason GrangerRM
Onderwerp: Chic etentje – Kom je Jason??

Je hebt me nog niet verteld of je kunt komen op mijn chique etentje zaterdagavond. Er komen een paar nieuwe vrienden van mijn werk, ik denk dat je uit je dak gaat. ☺

Van: Jason GrangerRM
Aan: Holly

Ik zei het je toch al. HEEL ERG GEWAAGD, ENORME VERGISSING, GEEF GEEN ETENTJE.
Sorry dat ik niet kan komen, ik heb dienst die avond. Ik werk bij de receptie, weet je nog, en dat is niet alleen een plek om een koffiemok te parkeren (was jij nog maar hier).
Niet te geloven dat je gaat fuiven met collega's, zeg het snel af.

Van: Holly
Aan: Jason GrangerRM

Waarom is het gewaagd, waarom mag ik het niet doen?

Van: Jason GrangerRM
Aan: Holly

REGEL 1
Word nooit dronken met 'werk mensen', VOORAL niet met ex-schoolvriendinnen die nu 'werk mensen' zijn. NOOIT NOOIT NOOIT (behalve onder dwang, bij de kerstviering, maar dan is het nog steeds verkeerd).

Van: Holly
Aan: Jason GrangerRM

Oké, maar ik ben toch niet van plan om te gaan drinken, dus dan is het toch geen probleem?

Van: Jason GrangerRM
Aan: Holly

REGEL 2

Nodig nooit, in welke situatie dan ook, 'werk mensen' thuis uit. Dat is hetzelfde als een stel hongerige kannibalen je naakte lichaam op een bord voorschotelen en ze uit een verzameling vorken laten kiezen.

De mensen van wie je denkt dat ze je vrienden zijn, rennen door je flat op zoek naar bewijs dat ze tegen je kunnen gebruiken. Lijken in de kast... porno op de computer... het is echt eindeloos...

Stop voordat het te laat is...

Van: Holly
Aan: Jason GrangerRM

Ik heb geen lijken en ook geen porno!!?

Van: Jason GrangerRM
Aan: Holly

Lijken... o jawel jawel jawel... en dat weet je...
Porno – en die naakte deerne dan die je in de hal hebt hangen???!

Van: Holly
Aan: Jason GrangerRM

Dat is een olieverfschilderij van mijn oma!?

Van: Jason GrangerRM
Aan: Holly

Echt?? Sappig tantetje...
Hoe dan ook, je bent sowieso een open boek.
Maar, jouw flat is een bibliotheek... en ze hebben na één blik in je toiletkastje hun oordeel klaar – en na even ruiken aan die wasmand in je hal!

Van: Holly
Aan: Jason GrangerRM

Wat is er mis met de wasmand in mijn hal?

Van: Jason GrangerRM
Aan: Holly

Die stinkt, ga in godsnaam een keer wassen, hoe dan ook, moet ervandoor, hou enorm veel van je. MAAR GEEF GEEN ETENTJE!!!

Van: Holly
Aan: Jason GrangerRM

Wacht wacht, ik kan foto's verstoppen, ik kan elke verwijzing naar die tijd verborgen houden. Toch????
Het is een slecht idee, hè, een verschrikkelijk idee, maar ik heb al mensen uitgenodigd en het is al bijna 5 uur. Ik voelde me belazerd, Jason, door die PA, en ik wilde wat vrienden om me heen. Heeeeeeelp help help help help help help help help help help help help help help help help help help help help help help help help help help help help help help help help help help help help help help help help help help help help help help help help help help Help me!!!!!!!

Van: Jason GrangerRM
Aan: Holly

Rustig maar, zeg het af als het kan. Grijp ze bij hun kladden voordat ze vertrekken en vertel dat je huis overstroomd is – dat is wat de mensen hier meestal tegen me zeggen als ze een kater hebben en niet willen komen werken.
Zo niet... geen paniek, ik weet zeker dat jouw chique etentje een succes zal worden.
(Waarschijnlijk overdrijf ik gewoon en maak ik me te veel zorgen omdat ik niet genoeg geslapen heb.)
xx Moet weg, ik heb een 'kamer is te klein'-noodgeval op de vierde etage.

Onderwerp: BESTELLING 2190007 InternetBezorgdiners KAART GEWEIGERD

Bedankt voor uw bestelling. Helaas heeft betaling niet kunnen plaatsvinden. Bestelt u alstublieft opnieuw en gebruik een andere creditcard.
Bedankt dat u gekozen hebt voor InternetBezorgdiners – de makkelijkste manier om boodschappen te doen.

Van: Patricia Gillot
Aan: Holly
Onderwerp: Zaterdagavond

Les belde net en hij klinkt erg enthousiast over morgen, we hebben er allebei zin in.

Dank je Holls.

Van: Holly
Aan: Jason
Onderwerp: Kan niet afzeggen!!!

Het is te laat, ik kan niet afzeggen!

Van: Ferret
Aan: Holly
Onderwerp: Andere plannen

Hollsie

Kan me niet voorstellen dat je nog op je werk bent, maar ik heb geprobeerd je te bellen en kreeg geen gehoor.

Ik kom een dag eerder (niet zondag), dus ik ben zaterdag rond zeven uur 's avonds bij je.

Ik heb er zin in.

Ferret x ☺

Maand 1, week 3

MAANDAG

Van: Jason GrangerRM
Aan: Holly
Onderwerp: Met de duivel op je kussen?

O Holly,

Het enige wat ik wil weten is... met WELKE collega ben je naar bed geweest? (Kreeg je boodschap zondagavond laat.) Een man of een vrouw?

Van: Holly
Aan: Jason GrangerRM

Laat me bij het begin beginnen, want het is niet eerlijk om mij te veroordelen als je niet weet in welke staat ik was!

's Morgens bij de kapper geweest – geen enkel probleem, was er best blij mee, heb ook wat plukjes laten blonderen.

Ik was van plan een pittig kipgerecht te maken en had de ingrediënten op het web besteld: melk, kip, eieren en massa's andere dingen – uiteraard heb ik niets ontvangen, helemaal niets...

Mijn krakkemikkige ouwe wasdroogcombi was stuk en de reparatie was te duur dus had ik geen schone kleren om aan te trekken en ik had een uur om het eten klaar te maken.

Ferret kwam en was weer weg voordat er iemand anders gearriveerd was, hij bleek eigenlijk best grappig. Hij bracht een kaart mee voor Alice en stopte de knaagdieren in de vriezer.

Tijdens het wachten op mijn vrienden wist ik me door een fles wijn heen te werken, terwijl ik piekerde over hoe ik het gebrek aan voedsel zou kunnen uitleggen.

Tegen de tijd dat Jennie en Trish er waren had ik het voedselprobleem opgelost door een grote glazen schaal te vullen met jellybeans die ik er op dat moment zowel kleurrijk als trendy uit vond zien; echt iets voor de moderne gast. Volgens mij dachten zij dat ik een grapje maakte: ik moest een paar 'wanneer komt het echte eten'-vragen ontwijken. Uiteindelijk heb ik een paar bevroren pizza's in de magnetron opgewarmd... Ja, ik weet het, zeg maar niets.

Tegen de tijd dat zij hun pizza's op hadden, was ik erg dronken en blééf ik maar dat rare luchtje ruiken. Het was er alleen als ik me snel omdraaide (ik weet nu dat het uit de wasmand kwam waarvoor jij me gewaarschuwd had – geen enkele hoeveelheid parfum helpt). Ongeveer op dat moment stak iemand zijn hand in de vriezer om nog wat ijsblokjes te pakken en trok er een bevroren rat uit, wat echt een domper op de avond leek te zetten, en op dat moment besloot ik dat de mensen mij moesten horen zingen.

Van: Jason GrangerRM
Aan: Holly

Wat heb je gezongen?

Van: Holly
Aan: Jason GrangerRM

Wat ik altijd zing voordat ik voor pampus ga – 'Over the rainbow'.
De volgende dag werd ik wakker in mijn bed.

Van: Jason GrangerRM
Aan: Holly

Holly
Jij bent de enige die ik ken die mensen voor een etentje kan uitnodigen en hun verdomme niet eens een maaltijd kan voorzetten.
Jij bent zonder twijfel de meest vermakelijke en geraffineerde gastvrouw uit de geschiedenis.
Ik denk dat jouw hoogtepunt dit keer het aanbieden van rattenijsblokjes is geweest – geniaal! Ik ben er behoorlijk kapot van dat ik er niet bij kon zijn. Verdomme.

Van: Holly
Aan: Jason GrangerRM

Heb de hele zondag een gillende kater gehad. Piekerde over wat ik gedaan zou kunnen hebben en wat mensen vandaag van me zouden denken.

Van: Jason GrangerRM
Aan: Holly

Ik zie het voor me – gordijnen dicht, te bang om de flat uit te gaan of de telefoon op te nemen, jezelf volproppend met vettigheid en chocolade, jalapeños, kaas-uienbrood, patat met bijgerechten als Quality Streets, Love

Actually, Bridget 1&2 en waarschijnlijk nog een paar andere met Hugh Grant erin.

Van: Holly
Aan: Jason GrangerRM

Jij denkt dat je me kent.
Wist ik maar wie me in bed heeft gelegd... ik schaam me dood.

Van: ExtreemGewichtBestrijders.com
Aan: Holly
Onderwerp: Extreem Gewicht Bestrijders

Gekozen cursus: Standaard.
Hartelijk dank voor uw inschrijving voor het gratis proeflidmaatschap van ExtreemGewichtBestrijders.com.
U ontvangt vanaf nu al onze speciale aanmoedigingsberichten en dagelijkse dieetadviezen.
Vergeet niet: onze methodes zijn extreem, maar wij zijn ervan overtuigd dat psychologie aan de basis staat van gewichtsverlies.
Dus kom op, laten we er samen tegen vechten!
Uw lidmaatschapsnummer is 7980
Uw wachtwoord is TEGROOT99876

Van: Holly
Aan: Jason GrangerRM
Onderwerp: Beroemdhedennieuws

Heb gezien dat Helen Mirren het goed gedaan heeft bij de Oscars.

Van: Jason GrangerRM
Aan: Holly

Ik doe mijn hele leven al niets anders dan queen spelen en niemand geeft me ooit maar een greintje waardering.

Van: Holly
Aan: Jason GrangerRM

Ach... arme Jason.

Van: Jason GrangerRM
Aan: Holly

Eigenlijk is dat gelogen, ik ben ooit achternagezeten in Camden door een stelletje schurken die me een 'f***ing schop onder mijn kont' wilden geven, godzijdank.

Van: Holly
Aan: Jason GrangerRM

Je hebt weer eens mijn hele dag goedgemaakt.
xxxx
(niet vanwege de gedachte dat je heel Camden door gejaagd bent, hoor – gewoon omdat je grappig bent.)
xx

DINSDAG

Van: Jennie Pithwait
Aan: Holly
Onderwerp: Jouw etentje

Leuk etentje, bedankt voor de uitnodiging.

Van: Holly
Aan: Jennie Pithwait

Hoe laat zullen we lunchen vandaag?

Van: Jennie Pithwait
Aan: Holly

Sorry, dat lukt me vandaag niet.

Van: James Lawrence
Aan: Holly
Onderwerp: Verzoek vergaderzaal

Ik heb voor vandaag om 3 uur een vergadering gepland met een belangrijke cliënt.
Ik zou graag een van de betere zalen hebben (voor de verandering). Het gerucht doet de ronde dat Holly om te kopen is, klopt dat?

James Lawrence, Vice President Bedrijfsfinanciën, H&W, High Holborn WC2 6NP

Van: Holly
Aan: James Lawrence

Beste James
Omkopen is van vitaal belang (we voeren hier een maffia-achtig receptie-beleid).
Als je ons niet betaalt, kunnen we het je erg lastig maken. Geen airco, het verkeerde eten, interrupties en ondeugdelijke apparatuur.
Holly

Van: James Lawrence
Aan: Holly

Holly
Vergeef me mijn onverschilligheid in deze. Ik zal als een brave jongen be-talen.
Mag ik het topmenu voor onze gasten bestellen – en denk je dat je een ka-mer met uitzicht kunt ritselen?
James

Van: Holly
Aan: James Lawrence

Vraag me af wat je verwacht te zien uit een raam in het centrum van Lon-den – de Egyptische piramiden? Of de hangende tuinen van Babylon?
Je hebt zaal 15, hoop dat die aan je eisen voldoet.
Holly

Van: James Lawrence
Aan: Holly

De smog van het centrum van Londen is prima (zitten we nu in een afleve-ring van Fawlty Towers?).
Zaal 15 is perfect, mijn dank is groot. O, mag ik je aanbieden een keer te gaan lunchen?
☺

Van: Holly
Aan: James Lawrence

Dank je, een keer lunchen zou leuk zijn.
Holly

Van: Holly
Aan: Aisha
Onderwerp: Dank je Aish!

Leuk dat je geweest bent.

Van: Aisha
Aan: Holly

Je zult me wel haten en ik ben een waardeloze vriendin en ik begijp het heel goed als je nooit meer met me wilt praten. Maar het was niet mijn schuld, ik heb je verteld dat ik problemen had. Misschien voel je je wat beter als je weet dat ik het hele weekend gehuild heb.

Van: Holly
Aan: Aisha

Ik voel me niet beter. Ik had het gewoon leuk gevonden als je was gekomen.

Van: Aisha
Aan: Holly

Ik zat helemaal stuk zaterdagavond – tot aan maandagmiddag. Hoe is het eigenlijk gegaan?

Van: Holly
Aan: Aisha

Erg goed. Je hebt een topavond gemist.

Van: Holly
Aan: Alice en Matt
Onderwerp: Holborn vandaag
Foto's: Spitsuur

Superweer (zie bijgaande foto's). Paraplu vergeten, kreeg een paar boze blikken van mensen vanwege mijn woeste haardos.
Dùh.

Van: Alice en Matt
Aan: Holly
Foto's: Spitsuur

Spitsuur in de campo – zie bijgaand.
Alice
xxx

Van: Maxi Hazier
Aan: Holly
Onderwerp: Klacht

Holly
Heb je vorige week de hoorn op de haak gegooid omdat iemand brutaal tegen je was?

Maxi Hazier, Vice President Bedrijfsfinanciën, H&W, High Holborn WC2 6NP

Van: Holly
Aan: Patricia Gillot
Onderwerp: Niet grappig – weer in de problemen

Deze keer omdat ik een cliënt heb opgehangen. Suggesties?

Van: Patricia Gillot
Aan: Holly

Waarom heb je dat gedaan?

Van: Holly
Aan: Patricia Gillot

Omdat die aan het ratelen was en nogal koel deed.

Van: Patricia Gillot
Aan: Holly

Nogal koel? En toen heb jij opgehangen? Dat kun je niet maken!

Van: Holly
Aan: Patricia Gillot

Maar jij zei me pas nog dat ik dat moest doen!

Van: Patricia Gillot
Aan: Holly

Dat was grappig bedoeld!
Je mag cliënten echt niet ophangen, er kunnen miljoenen met dat tele-

foontje gemoeid zijn. Ja, ze kunnen soms bot zijn, maar je weet nooit wat er aan hun kant gaande is, dus je moet doen of je neus bloedt en het over je heen laten komen.

Je hebt er een rotzooitje van gemaakt, meid. En niet zo'n klein beetje ook.

Trish

Van: Aisha
Aan: Holly
Onderwerp: Kreeg jouw dringende voicemail!
Foto's: HULP-VOOR-HOL

HOLLY
IK KREEG JOUW DRINGENDE VOICEMAIL over het ophangen van een cliënt. Misschien heb je wat aan bijgaande foto's...

Van: Holly
Aan: Aisha

Geweldig, dank daarvoor Aisha, heb ik echt wat aan in mijn huidige situatie.
PS – wat doet hij daar eigenlijk?

Van: Aisha
Aan: Holly

Wat denk je – ik lig op bed.

Van: Holly
Aan: Aisha

Hoe bedoel je? Onderop?

Van: Aisha
Aan: Holly

Ja, onderop.

Van: Holly
Aan: Aisha

En je maakt foto's????

Van: Aisha
Aan: Holly

Eerlijk gezegd was het uitzicht beter dan de uitvoering.
Hoe dan ook, hij vond het niet erg om even te poseren voor een paar foto's, hield zijn hoed ook nog op. Jammie.

xxx

Van: Holly
Aan: Aisha

Ik zou je de foto's kunnen sturen die ik vandaag met mijn mobiel gemaakt heb, maar die zijn waarschijnlijk te ruig en nat voor je.

xxx

Van: Holly
Aan: Jason GrangerRM
Onderwerp: Ellendig

Jason
Heb jij vrienden die je er, onopzettelijk, voortdurend aan herinneren hoe ongelooflijk nietszeggend jouw liefdesleven is?

x

Van: Jason GrangerRM
Aan: Holly

Heb je er de pest in vandaag? Maak je niet druk, sommige mensen hebben altijd massa's vriendjes, terwijl de rest van ons gewoon genoegen neemt met eentje. Er staat er waarschijnlijk al een om de hoek te gluren.

Van: Holly
Aan: Jason GrangerRM

Ik heb liever geduldig wachtende types (ben niet zo dol op gluurders).

xxx

WOENSDAG

Van: Holly
Aan: Patricia Gillot
Onderwerp: Kun je me helpen Trisha?

Help, wat moet ik nou met Maxi?
Ik heb haar nog steeds niet teruggemaild over dat opgelegde telefoontje.
Wat moet ik zeggen?

Van: Patricia Gillot
Aan: Holly

Sorry, maar dat is jouw probleem, los het zelf maar op.

Van: Holly
Aan: Mam en Pap
Onderwerp: Heb goede raad nodig, Mam

Ik weet het niet zeker, maar volgens mij zijn de mensen sinds het etentje
niet meer zo blij met me. Ik heb mezelf denk ik voor gek gezet.
Trish, de andere receptioniste, is absoluut boos op me. Ik durf haar alleen
niet te vragen waarom.
O, en ik denk dat ik er hier ook weer een rotzooitje van heb gemaakt.
Niet zo'n beste week tot dusver Mam. x

Van: Mam en Pap
Aan: Holly

Holly
Maak je er maar niet druk over dat ze niet meer tegen je praten.
Je vader heeft er een levenstaak van gemaakt mij op feestjes voor schut te
zetten, maar dat is allemaal vergeten en vergeven. Hoewel de Petersons
nooit meer met ons hebben gepraat sinds hij zijn kleren heeft geruild voor
hun kerstversieringen en ik daarna in de supermarkt vreemde blikken
toegeworpen kreeg, maar uiteindelijk lijkt het zich allemaal vanzelf te
hebben opgelost.
Liefs, Mam

Van: Holly
Aan: Mam en Pap

Mam, jij bent geëmigreerd, ik wil me niet verplicht voelen te emigreren.

Van: Mam en Pap
Aan: Holly

Dat hoeft ook niet, het komt allemaal goed. Ik raad je aan gewoon vriendelijk te blijven, door te ploeteren, te blijven lachen en je kleren aan te hou-

den. Die raad heb ik je vader ook gegeven. Lijkt effect te hebben gehad.
Laat het me weten als ze weer tegen je praten.
Liefs, Mam.

x

Van: Holly
Aan: Jason GrangerRM
Onderwerp: Problemen op het werk

Niemand praat tegen me vandaag. Misschien was het zaterdagavond erger dan ik dacht, maar het probleem is dat ik me niet kan herinneren wat ik gedaan heb waardoor iedereen zo boos is.

Van: Jason GrangerRM
Aan: Holly

Vraag hun wat er aan de hand is. Dat zou ik doen, anders kom je er nooit achter.
Misschien blijkt het gewoon een misverstand te zijn – dat zij dachten naar een etentje in Maida Vale te gaan, terwijl jij in de veronderstelling verkeerde dat ze jouw toneeldebuut in de Albert Hall kwamen bijwonen. Dat gebeurt weet je.

Van: Holly
Aan: Jason GrangerRM

Ik zou erom kunnen lachen... als ik er weer niet zo'n rotzooi van gemaakt had. Ik heb de verbinding verbroken met iemand terwijl die nog aan het praten was en nu zijn de poppen aan het dansen.
Het ergste is – ik heb toegegeven dat ik het expres heb gedaan omdat ik dacht dat het gewoon zo'n raaskallende gek was; blijkt het een privécliënt te zijn die het over derivatieven had !? (wat dat ook zijn moge)

Van: Aisha
Aan: Holly
Onderwerp: Sorry dat ik je stoor, Holly

Ben je daar?

Van: Holly
Aan: Aisha

Ja, maar ik heb het nogal druk. Alles oké?

Van: Aisha
Aan: Holly

Ja, ik weet alleen niet zeker of ik de juiste beslissing heb genomen en ik wilde jouw mening horen.

xxxxxxxxxxxxxxx

Van: Holly
Aan: Aisha

Je kunt niet met al die mannen tegelijk blijven rommelen en je hebt zelf gezegd dat Alex nou ook weer niet ZO geweldig in bed was – en je had in ieder geval niets met hem vanwege zijn karakter!! Geloof me, je hebt de juiste beslissing genomen, hij is passé.
xxx
moet aan het werk.
Holly

Van: Aisha
Aan: Holly

Hij ligt in de andere kamer te slapen.
Sorry.
?

Van: Holly
Aan: Aisha

O, dus jullie zijn weer bij elkaar, dan bedoelde ik het niet zo, dat hij zo slecht was, ik weet zeker dat hij diep vanbinnen een leuke, interessante kerel is.

Van: Aisha
Aan: Holly

Ik ging het uitmaken, maar in plaats daarvan belandde ik uiteindelijk met hem in bed.

Van: Holly
Aan: Aisha

Logisch foutje; heb je al geslapen?

Van: Aisha
Aan: Holly

Nee

Van: Holly
Aan: Aisha

Ga dan slapen.

x

ben ontzettend dol op je en je hoeft je nergens zorgen over te maken, je bent een leuke gekke meid en iedereen is gek op je.

Van: Aisha
Aan: Holly

Bedankt, daar had ik behoefte aan, ik zou je echt moeten gaan betalen voor al dat opbeurende werk.

xxxx

DONDERDAG

Van: Elizabethopreis
Aan: Holly
Onderwerp: TEST TEST TEST

Test

Van: Holly
Aan: Elizabethopreis

Bent u dat Oma?

x

Van: Holly
Aan: Mam en Pap
Onderwerp: Oma online

Mam, heb jij oma onder de naam 'Eilzabethopreis' aangemeld – zo ja, dan is dat erg lief, ik geloof dat ze me net gemaild heeft.

Van: Mam en Pap
Aan: Holly

Holly
Ja, ik heb haar afgelopen maandag aangemeld.
Ze is zo gelukkig in Spanje, ze blijft maar lachen sinds ze hier is. We zijn trouwens wel zo slim om water bij haar drank te gieten.
Ander nieuws: het blijkt dat de grens van ons land rond de finca is gemarkeerd door witgeverfde stenen. Dat is de enige manier waarop het gemeentehuis kan zien welke grond van ons is en welke niet.
Leuk leuk.
Veel liefs, Mam & Pap

Van: Holly
Aan: Jason GrangerRM
Onderwerp: Jason – jouw mening graag

Ik heb vandaag een positiever gevoel over Trisha. Moet volgens mij gewoon wat meer mijn best doen.

Van: Holly
Aan: Patricia Gillot
Onderwerp: Soaps kijken

Heb je EastEnders gezien dinsdagavond? Het was geweldig!!

Van: Patricia Gillot
Aan: Holly

Nee, daar kijk ik niet meer naar.

Van: Holly
Aan: Oma
Onderwerp: Eerst een mobiele telefoon – en nu ook al op internet?

Ha Oma,
Ik realiseerde me niet dat dat mailtje van u was.
Hoe gaat het met u?
Ik hoorde dat het nieuwe land u bevalt?
Liefs Holls
xx

Van: Oma
Aan: Holly

Lieve Holly

Ze hebben me in een tehuis gestopt; alsof ik daar behoefte aan heb!

Het eten staat me niet aan, het weer staat me niet aan en de mensen staan me niet aan. Ik wil het best aan je moeder vertellen, maar ik ben mijn kunstgebit tijdens de verhuizing kwijtgeraakt en ik praat pas weer als ik er fatsoenlijk uitzie, dus ik glimlach en knik alleen maar. Maar zodra ik een nieuw gebit heb, zal ik hun zeggen waar ze hun sangria kunnen stoppen. Trouwens, ze gieten tegenwoordig water bij mijn gin, ze denken zeker dat ik gek ben.

Ik ben zo blij dat je een nieuwe start hebt gemaakt. Ik ben zo trots op je Holly.

Ik mis je, zoals altijd.

Liefs, Oma xxxx

Van: Roger Lipton
Aan: Holly
Onderwerp: Update

Beste Holly,

Hoewel je hier nog geen drie weken bent, denk ik dat het tijd wordt voor een evaluatiegesprek. Kun je een vergaderzaal boeken voor volgende week woensdag rond tien uur?

Hoogachtend

Roger

Van: ExtreemGewichtBestrijders.com
Aan: Holly
Onderwerp: Extreem Gewicht Bestrijders

Standaard cursus.

Vergeet de aloude vergelijking niet: overeten = overgewicht = geen vrienden of partner.

Menu van vandaag:

Ontbijt – Geroosterde boterham en thee

Lunch – Magere yoghurt en fruitsalade

Avondeten – Sushi & groene sla

Avondsnack – Salade

Van: Jennie Pithwait
Aan: Holly
Onderwerp: Lunch

Ben je te porren voor de lunch; ik heb rond twee uur vrij?

Van: Holly
Aan: Jennie Pithwait

Lijkt me geweldig, maar Trish gaat altijd rond twee uur, ze moet elke dag rond die tijd ergens zijn.

Van: Jennie Pithwait
Aan: Holly

Waar MOET Trisha rond die tijd zijn???

Van: Holly
Aan: Jennie Pithwait

Geen idee.

Van: Jennie Pithwait
Aan: Holly

Zeer verdacht. Wat denk je dat ze in haar schild voert?

Van: Holly
Aan: Jennie Pithwait

Weet ik niet, maar dat zijn haar eigen zaken dus ik bemoei me er niet mee.

Van: Jennie Pithwait
Aan: Holly

Ja dahag, we moeten het haar vragen.

Van: Holly
Aan: Jennie Pithwait

Ik denk dat ik dat maar niet doe.

Van: Jennie Pithwait
Aan: Holly

Nou ik wel, er is iets gaande.

Van: Mam en Pap
Aan: Holly
Onderwerp: Verhuizing moeder

Holly
Dus volgens jou heeft oma het hier erg naar haar zin?
Mam

Van: Holly
Aan: Mam en Pap

Natuurlijk, geef haar gewoon wat tijd en dan zal ze het daar enig vinden.
xxx

Van: Holly
Aan: Oma
Onderwerp: Onze mails

Ha Oma.
Kunt u snel uw e-mails deleten, ik wil niet dat Mam van streek raakt over wat u me verteld heeft.
Liefs, Hols
xxxx

Van: Oma
Aan: Holly

Lieve Holly,
Ik keek net naar The Last of the Summer Wine.
Je moeder heeft die serie voor me gekocht, ik kan hier in deze rimboe namelijk geen Britse televisie ontvangen; dat is nog een reden waarom ik Engeland mis.
Wat bedoel je met het deleten van onze e-mails?
Liefs, Oma
xxx

Van: Holly
Aan: Oma

Als u de e-mail markeert en dan op de deleteknop van het toetsenbord

drukt – dan moet het lukken. Ik heb Mam gewoon nog niet verteld dat wij elkaar gesproken hebben, ziet u?
Holls

Van: Oma
Aan: Holly

Dat hebben we niet, dit is toch e-mail?

Van: Holly
Aan: Oma

Weet ik, maar kunt u ze deleten en ook uit de prullenbak deleten?

Van: Oma
Aan: Holly

Hoe kan ik ze deleten als ze gedeletet zijn, en wat delete ik dan?

Van: Holly
Aan: Oma

Geen zorgen Oma, ik hou heel erg veel van u. Ik verzin wel een manier om hieruit te komen. Een fijne dag.
Liefs Hols
Xxx

Van: ExtreemGewichtBestrijders.com
Aan: Holly
Onderwerp: Extreem Gewicht Bestrijders

Standaard cursus.
Onthoud:
Als de berg niet naar Mohammed komt, kan dat komen omdat bergen groot en zwaar zijn en niet veel bewegen.
Menu van vandaag:
Ontbijt – Niets
Lunch – Kipfilet op rijstwafels
Avondeten – Een van onze speciale 'Ik ben een dikzak'-vetvrije drankjes (online verkrijgbaar)
Avondsnack – Banaan

Van: ExtreemGewichtBestrijders.com
Aan: Holly
Onderwerp: Extreem Gewicht Bestrijders

Het spijt ons dat u uw gratis proeflidmaatschap van ExtreemGewichtBe-strijders.com heeft opgezegd.

We wensen u in de toekomst alle succes met uw gewichtsprobleem.

Van: Patricia Gillot
Aan: Holly
Onderwerp: Zaalcontrole

Zalen 6 & 8 moeten gecontroleerd worden, ik zie je in 5.

Van: Holly
Aan: Patricia Gillot

Ben je boos op mij – heb ik iets verkeerd gedaan?

Van: Patricia Gillot
Aan: Holly

Maak je niet druk.

Van: Charlie Denham
Aan: Holly
Onderwerp: CLUB SUBMISSION

Het geld om de club te bouwen is bijna op, dus ik heb de werklui ontsla-gen en ga met Rubberen Ron alles zelf doen.
Charlie

Van: Holly
Aan: Charlie Denham

Jij weet helemaal niet hoe je moet bouwen. Je bent waardeloos in doehet-zelven. Je kunt niet eens een plank ophangen!!

Van: Charlie Denham
Aan: Holly

Ja oké, als het om iets technisch gaat, zoals het bouwen van de bar of het leggen van leidingen in de club, ja, dat zou waarschijnlijk niet gaan, maar

muren bouwen – dat zijn gewoon stenen en cement. Tenzij jij mensen
kent die het voor niets willen doen?

Van: Holly
Aan: Charlie Denham

Sorry.

Van: Jason GrangerRM
Aan: Holly
Onderwerp: Jouw grote fout

En, ben je er al achter wie jou zaterdag in bed heeft gelegd?

Van: Holly
Aan: Jason GrangerRM

Trish praat nog steeds niet tegen me... Misschien heeft ze iets schokkends
gezien...

Van: Jason GrangerRM
Aan: Holly

Waarschijnlijk verbeeld je het je allemaal.

Van: Holly
Aan: Patricia Gillot
Onderwerp: Gekke telefoontjes!

Trish
Moet je horen – ken je dat, dat als je mensen vraagt waar ze vandaan bellen en ze dan iets zeggen als 'Putney' in plaats van de bedrijfsnaam...

Van: Patricia Gillot
Aan: Holly

Ja.

Van: Holly
Aan: Patricia Gillot

Nou, ik had net iemand die een blunder maakte – hij klonk verward en zei
'het bad?' Grappig hè?

Van: Patricia Gillot
Aan: Holly

Hilarisch.

Van: Holly
Aan: Jason GrangerRM
Onderwerp: Jason – betr: Trish

Weet bijna zeker dat ik het me niet verbeeld.
De sfeer is om te snijden en nu schaam ik me ook nog eens kapot... Ik probeerde haar aan het lachen te maken, maar ze gaf geen krimp.

Van: Jason GrangerRM
Aan: Holly

Niks aan de hand, die reactie krijg jij altijd als je een mop vertelt.

Van: Holly
Aan: Jason GrangerRM

Krijg wat.

Van: Holly
Aan: Jason GrangerRM
Onderwerp: Hallo, mijn allerbeste vriend

Wil je iets voor me doen...?

Van: Jason GrangerRM
Aan: Holly

Automatisch antwoord bij afwezigheid
Helaas is er momenteel niemand om uw boeking in behandeling te nemen. Wanneer u contact opneemt met het reserveringsteam, kan iemand u wellicht een kamer garanderen.

Van: Holly
Aan: Jason GrangerRM

Lieg niet, ik weet dat je er bent!!!
Het is maar iets kleins...

Van: Jason GrangerRM
Aan: Holly

Ik heb één oog open, en een vinger gevaarlijk dicht bij de deleteknop.

Van: Holly
Aan: Jason GrangerRM

Wil je iemand met wie ik bevriend ben aannemen... als receptionist?

Van: Jason GrangerRM
Aan: Holly

Automatisch antwoord bij afwezigheid
Helaas is er momenteel niemand om uw boeking in behandeling te nemen. Wanneer u contact opneemt met het reserveringsteam, kan iemand u wellicht een kamer garanderen.

Van: Holly
Aan: Jason GrangerRM

Hou daarmee op.

Van: Jason GrangerRM
Aan: Holly

Oké, wie is hij/zij, hoe is hij/zij, wat betekent hij/zij voor jou? Waarom ik? Waarom zit ik hier kinderen in de gaten te houden?

Van: Holly
Aan: Jason GrangerRM

Oké
Antwoorden:
1: ZIJ is een goede vriendin
2: Geweldig
3: Een goede vriendin
4: Omdat jij een goede vriend bent
6: Het zijn geen kinderen, je vindt het leuk, dus schei uit met je als een slapjanes (weet niet zeker hoe je dat spelt) te gedragen
En nog wat – je moet medelijden met mij hebben, ik raak volgende week waarschijnlijk mijn baan kwijt – jij niet... ☹

Van: Jason GrangerRM
Aan: Holly

Het is slapjanus, en oké, laat haar maandag maar komen voor een sollicitatiegesprek. Tussen 1 en 2 is het rustig, dus zeg maar dat ze om 1 uur
komt en naar mij moet vragen.
En ik beloof je niets.

x

Van: Holly
Aan: Jason GrangerRM

Je bent de bovenstebeste! Ze zal je niet teleurstellen. En als ze dat wel doet,
heb ik daar niets mee te maken.

Van: Jason GrangerRM
Aan: Holly

Hè...?

Van: Holly
Aan: Jason GrangerRM

Automatisch antwoord bij afwezigheid

☺

Van: Holly
Aan: Aisha
Onderwerp: Bofkontje

Hij zei... ja...

Van: Aisha
Aan: Holly

Je liegt.

Van: Holly
Aan: Aisha

MAAR je moet me BELOVEN dat je zaterdagavond niet gaat stappen, anders vermoord ik je. Echt.

Van: Aisha
Aan: Holly

Dat beloof ik, dat beloof ik...

Van: Holly
Aan: Aisha

En trek een beetje passende kleren aan, ik bel je straks om wat sollicitatie-vragen door te nemen.

Van: Aisha
Aan: Holly

Dank je liefie, ik kom op tijd, maak je geen zorgen, zal je niet teleurstellen. Wat bedoel je met 'passend' – iets sletterigs, maar niet té bloot?

Van: Holly
Aan: Aisha

Zwart mantelpakje, witte blouse, panty, make-up (niet te veel), geen hangers; alleen oorknopjes, pumps.

Van: Aisha
Aan: Holly

Panty – getver. En mijn nagels?

Van: Holly
Aan: Aisha

Schoon. NIET lang, rood en sletterig.

Van: Aisha
Aan: Holly

Begrepen. Bedankt hiervoor, ik sta bij je in het krijt. Enne die Jason, is die hetero?

Van: Holly
Aan: Aisha

Dat is niet relevant voor je sollicitatiegesprek.
Zorg alsjeblieft dat je er bent...
xx

MAANDAG

Van: Aisha
Aan: Holly
Onderwerp: Beetje in de war

Hai Holly

Ben nog steeds op, niet nar bed geggaan, maar denk datk dat gesprek nog wel haal. Wil je niet telrurstellen,

Waar is het ook alweer?

Aisha

Van: Mam en Pap
Aan: Holly
Onderwerp: Wat is de wereld toch klein

Lieve Holly

Gisteren zei ik nog tegen je vader 'wat is de wereld toch klein' en nu blijkt maar weer eens hoe dicht ik bij de waarheid zat.

Een boer uit de buurt is elke nacht stiekem op ons land geweest en heeft die witgeverfde stenen een meter dichter bij ons huis gelegd. Als dat nog langer door was gegaan hadden we nu rood gestaan. (Mammagrapje)

We hebben de stenen teruggelegd en aan de andere kant daarvan gaat het steil naar beneden. Dus er komen geen tractors meer op ons land, zeer plezierig.

Hoewel je vader zich een beetje zorgen maakt omdat ik bijna iedereen boos heb gemaakt sinds we hier zijn. Misschien moet ik de boeren uit de omgeving uitnodigen op een wijn-en-kaasfeestje, wat denk jij?

xxx Mam

Van: Holly
Aan: Mam en Pap

Denk je dat ik op jou lijk, of op Pap?

Van: Mam en Pap
Aan: Holly

Op mij schat, wij zijn als twee druppels water. Mam.

Van: Holly
Aan: Mam en Pap

Dat is geweldig nieuws.

Van: Aisha
Aan: Holly
Onderwerp: Beetje in de war

Holly
Hier ben ik weer, oké, als je niet reageert of tegen me praat, zal ik nu dus maar bekennen dat ik gelogen heb. Ik ben zaterdag niet wezen stappen, ik ben een saaie tut.
Aisha

Van: Holly
Aan: Aisha

Als er iemand niet saai is, ben jij het wel. xxx

Van: Aisha
Aan: Holly

Omdat ik niet mocht stappen probeerde ik je te bellen zaterdag, maar ik kon je niet bereiken? (Ik dacht dat we samen zielige huismusjes konden zijn.)

Van: Holly
Aan: Aisha

Ja, ik ga in het weekend echt niet zitten wachten tot jij me dronken vanuit het huis van een of andere gast opbelt, ik heb een eigen leven.

Van: Aisha
Aan: Holly

Trut! Waar heb je dat leven vandaan, had je een date?

Van: Holly
Aan: Aisha

Nee.

Van: Aisha
Aan: Holly

O.

Van: Holly
Aan: Aisha

Wat niet wil zeggen dat ik het niet geweldig naar mijn zin heb gehad.

Van: Aisha
Aan: Holly

Is dat zo.

Van: Holly
Aan: Aisha

Inderdaad, ik had een afspraak met zwangere Pam en heb de hele dag in Guildford bij de rivier gezeten.
Naar mijn school geweest, vroeg me toen af waarom en werd ongelooflijk bang dat ik oude klasgenoten tegen zou komen die het veel verder geschopt hebben dan ik. Ben snel weggerend met het vaste voornemen pas terug te gaan als ik beroemd, dun en in het bezit van de zwarte band ben.
Dan ga ik daar waarschijnlijk best vaak heen, lekker de hele dag in een grote roze Rolls cabrio voor het donkere hek naar kinderen snauwen.

Van: Aisha
Aan: Holly

Voor dat soort dingen kun je gearresteerd worden, lieverd (het is mij al eens overkomen).

Van: Holly
Aan: Aisha

Nou ja, hoe dan ook, jammer dat je dat hebt moeten missen.

Van: Aisha
Aan: Holly

Lol met zwangere Pam, mij niet gezien.
xxx
Gewoon even katten, ik heb ontzettend gelachen met Shona, we gedroegen ons als kinderen (ik meer dan zij) en we deden sowieso nogal kinderachtig en hebben Mam de hele dag/avond voor de gek gehouden.

Van: HetStaatInDeSterren
Aan: Holly
Onderwerp: Toekomstvoorspellingen

Beste Holly

Deze week doet zich een overvloed aan kansen voor. Het is belangrijk om te weten wie de puppy met de roze strik en wie de wolf in schaapskleren is. En waarom zou je niet ingaan op onze Maffe-Maartaanbieding? Ontdek of je deze maand voorbestemd bent voor de liefde voor slechts $ 2,99 voor 3 min.

De Sterren

Van: James Lawrence
Aan: Holly
Onderwerp: HOLLY DENHAM – BELANGRIJK

Mijn lunchaanbod – ik heb het gevoel dat dit belangrijk is, jou behoorlijk welkom heten... Wat dacht je van vandaag?

Van: Holly
Aan: James Lawrence

James,
Bedankt voor je vriendelijke aanbod, ik zou graag meegaan, maar lunchen is een beetje lastig – wij van de receptie kunnen die heerlijke lange lunch-pauzes van jullie niet nemen,
sorry.
Holly

Van: James Lawrence
Aan: Holly

Wat jammer.
J

Van: Holly
Aan: Holly
Onderwerp: NIET VERGETEN James Lawrence...

James – wolf of puppy?

Van: Jason GrangerRM
Aan: Holly
Onderwerp: Werkgelegenheid Hotel/Baan

Oké, net je vriendin Aisha ontmoet. Voordat ik verderga, heb jij geen vriendin die Aisha heet en volgens jou nogal een kluns is??
Jason

Van: Holly
Aan: Jason GrangerRM

O, ik weet wie je bedoelt, nee dat is zij niet (ik heb trouwens nooit gezegd dat ze een kluns was, gewoon een beetje raar). Maar dat is Teesha.

Van: Jason GrangerRM
Aan: Holly

Oké. Hoe dan ook, volgens mij heeft ze wel wat in haar mars. Ze was sprankelend, charmant, charismatisch en stijlvol (hoewel ze geneigd was veel te praten, over zichzelf, ongevraagd).

Van: Holly
Aan: Jason GrangerRM

Charismatisch?
Stijlvol?
Waarom, wat had ze aan?

Van: Jason GrangerRM
Aan: Holly

Zwart pakje, witte blouse, zeer professioneel, gepoetst, knap.

Van: Holly
Aan: Jason GrangerRM

Dat droeg ik ook toen ik voor jou werkte en je hebt nooit tegen mij gezegd dat ik er 'stijlvol' uitzag!! NOCH Charmant noch Charismatisch, ik kan best Charismatisch zijn.

Van: Jason GrangerRM
Aan: Holly

Ik weet dat jij charismatisch EN charmant kunt zijn.

Van: Holly
Aan: Jason GrangerRM

Je zou me hier moeten zien, je straalde nou niet bepaald charme uit als je op iedereen boos was.

Van: Jason GrangerRM
Aan: Holly

Jij weet niet welke complimenten ik je allemaal achter je rug heb gegeven! Zit niet te pruilen als een groot kind, ik dacht dat je wilde dat ik je vriendin aardig vond??

Van: Holly
Aan: Jason GrangerRM

Wilde ik ook.

Van: Jason GrangerRM
Aan: Holly

Nou dan?
Trouwens, ik had helemaal geen zin om een sollicitatiegesprek met jouw klunzige vriendin te voeren.
DAG!

Van: Aisha
Aan: Holly
Onderwerp: Ontzettend bedankt

Ben net thuis. Ik hoop echt dat ik het goed gedaan heb, heb een paar vragen niet beantwoord.
Aardige man, knap ook! Laat het me weten als je wat hoort.
xxx je bent super.
Aisha

Van: Holly
Aan: Jason GrangerRM
Onderwerp: Vrouwenproblemen

Sorry

Beetje gestrest nu...

Sorry...

vergeeeeeeeeeeeeeeeeeef me

Heel erg alsjeblieft???

(en... heeft ze de baan? xxxxx??)

☺

Holly houdt van jou.

Van: Jason GrangerRM
Aan: Holly

Je hebt problemen

en je stinkt

En je hebt geen vrienden

behalve mij, omdat ik weet dat het je hormonen zijn

Ze kan dus maandag beginnen.

Van: Holly
Aan: Jason GrangerRM

Hou van je!
Ik beloof je dat ze mij laat glimmen van trots.
Maarre... betekent dit dat zij een soort van je nieuwe lievelingsvriendin wordt???
... en dat je van alles met haar gaat doen, naar cafés en de hele tijd 'Aisha zei dit' en 'Aisha zei dat' gaat zeggen...?

Van: Jason GrangerRM
Aan: Holly

Nee.

Van: Holly
Aan: Jason GrangerRM

O, nog één ding. Welke complimenten heb je mij achter mijn rug gegeven? Wat heb je precies gezegd, was het aardig, tegen wie heb je het gezegd?

Van: Holly
Aan: Jason GrangerRM
Onderwerp: Hallo – HALLO – Is daar iemand?

Hallo, heb je mijn laatste mail gekregen? Hallo?

Van: Jason GrangerRM
Aan: Holly

Hai
Sorry ik moest lachen om iets grappigs dat Aisha zei, en toen zat ik na te denken over wat ik aan zou trekken als zij en ik samen gaan stappen.
xxx

Van: Holly
Aan: Jason GrangerRM

ha ha je bent niet grappig.

DINSDAG

Van: Holly
Aan: Alice en Matt
Onderwerp: Buitenlandse vakantie

Hoi Alice
Verheug me op ons weerzien, niet lang meer te gaan!
Lijk hier iedereen tegen me in het harnas te jagen en heb morgen ook nog dat gesprek met PZ...
xxxx

Van: Holly
Aan: Patricia Gillot
Onderwerp: Praat alsjeblieft tegen me, Trish

Alsjeblieft,
Ik kan niet naast je zitten en totaal niet met je communiceren.
Het is al erg genoeg dat we niet kunnen praten en altijd moeten schrijven, maar nu is het gewoon dodelijk, en het is de bedoeling dat we vanavond samen met de anderen een borrel gaan drinken. Vertel me alsjeblieeeeeeeft wat ik gedaan heb. Heeft het te maken met mijn werk?

Van: Patricia Gillot
Aan: Holly

Nee.

Van: Holly
Aan: Patricia Gillot

Met het etentje?

Van: Patricia Gillot
Aan: Holly

Ja.

Van: Holly
Aan: Patricia Gillot

Als het mijn dansen, of zingen, of eten was, dan spijt me dat echt, ik ben niet de beste gastvrouw. Ik voel me al tijden rot dat ik jullie erbij heb gesleept.
Vergeef me alsjeblieft, alles is gewoon misgelopen.
Holly x

Van: Patricia Gillot
Aan: Holly

Ik vond het etentje hartstikke leuk. En Les ook, we hadden het echt naar onze zin, we zijn al een tijdje niet meer naar iets nieuws geweest en het was geweldig. We vonden zelfs je jellybeans leuk en zo slecht zong je nou ook weer niet.

Van: Holly
Aan: Patricia Gillot

Maar wat was het dan?

Van: Patricia Gillot
Aan: Holly

Ik vond het niet leuk dat jij en die Jennie mij uitlachten.

Van: Holly
Aan: Patricia Gillot

Ik heb jou echt nooit uitgelachen!

Van: Patricia Gillot
Aan: Holly

Wel waar en dat had ik nooit van jou gedacht.

Van: Holly
Aan: Patricia Gillot

Wat hebben wij dan gezegd?

Van: Patricia Gillot
Aan: Holly

Jeweetwel.

Van: Holly
Aan: Patricia Gillot

Ik weet écht niet waar ik volgens jou om aan het lachen was, maar ik kan je verzekeren dat ik erg dankbaar ben voor de manier waarop je me hier opgeleid hebt, mijn fouten hebt gepikt en ontzettend geduldig bent geweest. Ik weet dat ik niet alles zo snel heb opgepikt als je gedacht had.
Ik zou nooit iets rottigs over je zeggen – dat zweer ik!

Van: Patricia Gillot
Aan: Holly

Waarschijnlijk mag ik van geluk spreken dat het je überhaupt is opgevallen dat ik er was, je was zo druk in de weer met je oude schoolvriendin – mevrouwtje 'kijk eens naar mijn benen zijn ze niet jong en glad het is verbazingwekkend dat ik ze nooit hoef te scheren!'-trutvanboven.

Van: Holly
Aan: Patricia Gillot

Ik weet niet waar je het over hebt, ik was erg snel erg dronken, het was allemaal niet zo goed gegaan met het eten en alles, maar ik dacht dat we allemaal lol hadden gehad... Het spijt me echt.

Van: Patricia Gillot
Aan: Holly

Ik hoorde je ook lachen over mijn 'eilandtaal'* alsof ik van een andere planeet kwam, door dat geroddel voelde ik me ontzettend dom.

* Isle of Dogs; wijk in Londen

Van: Holly
Aan: Patricia Gillot

Echt, ik ben geen roddeltante, dat deden we helemaal niet!

Van: Jennie Pithwait
Aan: Holly
Onderwerp: Trisha's goed bewaarde geheim

Ik ben erachter! Ik weet waarom Trish er op die tijd vandoor gaat... Ze heeft een verhouding met een van de directieleden – dat moet wel!!

Van: Holly
Aan: Patricia Gillot
Onderwerp: Praat alsjeblieft tegen me, Trish

Je kent niet het hele verhaal, echt, ik was degene die zich stom voelde, ik vertel het je zodra die twee weg zijn.
Echt, ik zou nooit iets naars over jou zeggen, het ging gewoon over die laarzen die je gezegd had aan te zullen trekken... Echt ík ben de stomkop... Ik dacht dat ze waren om door de modder te lopen – het ging over die opmerking over de boerderij van mij (weet niet of je je dat nog herinnert).

Van: Patricia Gillot
Aan: Holly

Stommerd, ik vroeg me al af waar dat over ging.
Vertel het me vanavond, het klonk gewoon niet aardig, dat is alles, ik voelde me rot.

Van: Holly
Aan: Patricia Gillot

Oké, het was gewoon een misverstand Trish.

Van: Patricia Gillot
Aan:: Holly

PS je was trouwens ook nog een tijdje ladderzat aan het doorzeuren over je afschuwelijke leven vroeger in Canary Wharf. Ik weet dat je gelogen hebt op je cv, ik heb dat jaren geleden ook gedaan, maar ik zou dat nooit aan Jennie vertellen.
O ja, toen ik je in bed legde werd je schreeuwend wakker.

Van: Charlie Denham
Aan: Holly
Onderwerp: Typemiepen

Dat bouwen is lastiger dan we dachten, de gemeente staat erop dat de bovenkanten van de muren tegelijkertijd bij het plafond samenkomen, dus Rubberen Ron is nu een luchtbelwaterpas gaan kopen.
Heb je al iets voor me geregeld met een van die strak in het mantelpak zittende secretaresses? Kom op, er moeten er daar massa's rondlopen, heb je hun verteld dat ik een club heb???
Charlie

Van: Holly
Aan: Charlie Denham

Ik heb nu eigenlijk geen tijd maar:
Doe toch niet zo pervers, je hebt geen club, je hebt een bouwput, en geen van jullie tweeën heeft welke vaardigheid dan ook op dit gebied, het is gekkenwerk.
Zoek alsjeblieft een klusjesman!

Van: Jason GrangerRM
Aan: Holly
Onderwerp: Op zoek naar werk?

Wanneer is dat PZ-gedoe ook alweer?

Van: Holly
Aan: Jason GrangerRM

Morgenochtend 10 uur... (vind dat onderwerpveld niet leuk, Jason) maar ik denk dat het een exitgesprek wordt.

Van: Jason GrangerRM
Aan: Holly

Ik weet het zeker – het wordt GEEN exitgesprek!

Van: Holly
Aan: Holly
Onderwerp: Niet vergeten! Pak

Vergeet niet je mooiste mantelpakje aan te trekken morgen!

Van: Zwangere Pam
Aan: Holly
Onderwerp: Guildford – Zaterdag

Hoi Holly
Ik vond het geweldig afgelopen zaterdag – moeten we snel weer een keer doen.
xxxx

Van: Holly
Aan: Zwangere Pam

Inderdaad, ik ben er absoluut voor om het later deze maand nog een keer te doen.
xxxx

WOENSDAG

Van: HetStaatInDeSterren
Aan: Holly
Onderwerp: Toekomstvoorspellingen, sterren en de toekomst!

Trucjes kunnen jouw prestaties deze week alleen maar schaden, dus besef dat wanneer ambiguïteit je vol in het bewustzijn raakt, dat niet meer is dan een route naar een blauwdruk die zich schuilhoudt achter kwalijke winst, 'het is niet de tijd van de nachtvlinder' zeggen de sterren, dus houd Pluto in de gaten om erachter te komen welke kant van je boterham in de broodrooster verbrandt.

En waarom zou je niet ingaan op onze Maffe-Maartaanbieding? Ontdek of je deze maand voorbestemd bent voor de liefde voor slechts $ 2,99 voor 3 min.

De Sterren

Van: Holly
Aan: HetStaatInDeSterren

Aan de Sterren

Wat betekent dit in hemelsnaam??? Mag ik alsjeblieft een uitleg???

Ik geef niks om een zich schuilhoudende blauwdruk, of een nachtvlinder van de sterren, ik wil alleen maar weten of ik mijn baan kwijtraak??

En of de jongen op de vijfde verdieping mij echt leuk vindt of alleen maar graag een familie zee-egels wil verhuizen?

Groetjes

Holly

PS Jullie toekomstvoorspelling van 3 min bestond 2 min 50 sec uit het mij bedanken voor het bellen en het vertellen over andere aanbiedingen en 10 sec uitleg over de kleine kans die ik op liefde had tenzij ik langer aan de lijn bleef en meer geld uit zou geven???

Heb ik dat gedaan? Nee, uwe sterrelijke hoogheid, dat heb ik niet.

PPS Ik heb niet vanaf kantoor gebeld – maar thuis – (voor het geval dit door iemand van IT wordt gelezen)

Van: Judy Perkins
Aan: Alvin Johnson; Dave Otto; Graham Kristan; Ralph Tooms; Samantha Smith; Patricia Gillot; Holly
Onderwerp: Borrelen met team

Geacht team

Betr: Hollys Fantastisch – Welkomstborrel

Iedereen heeft een leuke avond gehad, fijn dat de meesten van jullie konden komen, laten we het nog een keer doen. Graham, jij was er niet.

Van: Patricia Gillot
Aan: Holly
Onderwerp: Welkomstborrel - xxx

Volgens mij staat daar: Betr: Holly is Fantastisch. Welkomstborrel.

Ha ha... Volgens mij heb je haar het hoofd op hol gebracht moppie...

PS delete dit meteen, ook uit je prullenbak!

Van: Holly
Aan: Patricia Gillot

Ze is het toch niet?

Van: Patricia Gillot
Aan: Holly

O, wat is onze Holls toch lekker naïef. Natuurlijk is ze het.

Van: Holly
Aan: Patricia Gillot

O, nou geweldig, en dat heb ik weer – Judy was degene die over mijn schouder keek toen ik die stomme e-mail op mijn halve kennismakings-dag kreeg – waarin met grote letters stond: 'Ik ben lesbisch!'
Ik vermoord mijn broer!!!

Van: Patricia Gillot
Aan: Holly

Geestig, maar ik dacht dat je het wist.

Van: Holly
Aan: Patricia Gillot

Nee, geen flauw idee. Wat moet ik doen?

Van: Patricia Gillot
Aan: Holly

Niets, tenzij je...

Van: Holly
Aan: Patricia Gillot

Niet echt mijn type.

Van: Patricia Gillot
Aan: Holly

Dus ik maak nog een kans?

Van: Holly
Aan: Patricia Gillot

Jazeker, ik dacht dat je het nooit zou vragen!

Van: Patricia Gillot
Aan: Holly

Zag je dat ik net per ongeluk over de hand van die vrouw spuugde, je moet me niet meer zo aan het lachen maken!

Van: Holly
Aan: Patricia Gillot

Hi hi ☺

Van: Holly
Aan: Patricia Gillot
Onderwerp: Gesprek PZ

Ga zo naar PZ, was het alleen omdat je nog steeds boos op me was dat je tegen me zei dat het zo erg was om die kerel op te hangen?

Van: Patricia Gillot
Aan: Holly

Ik maakte een geintje toen ik zei dat ik de verbinding soms gewoon verbreek, dat doe ik eigenlijk niet, sorry.
Dat is het probleem met e-mail, je kunt niet zien of iemand je ertussen neemt. Het klopt wat ik zei, dat telefoontje kan belangrijk geweest zijn. (belangrijk qua geld in ieder geval) ...
Sorry moppie... xxx

Van: Holly
Aan: Patricia Gillot
Onderwerp: Gesprek PZ

Ga bijna naar Roger Lipton, ik hoor de minuten wegtikken. Ik knijp hem echt.

Van: Patricia Gillot
Aan: Holly

Maak je over dat zootje maar geen zorgen, zal ik ze vertellen dat ik gezegd had dat je het moest doen?

Van: Holly
Aan: Patricia Gillot

Nee, doe niet zo gek, het is mijn eigen fout.

Van: Patricia Gillot
Aan: Holly

Als dat gesprek ook maar iets te maken heeft met Cruella, dan vermoord ik haar!

Van: Holly
Aan: Patricia Gillot

Ik moet er niet aan denken dat ze me allemaal op mijn nek gaan zitten, vooral niet als Shella er ook bij is. Dan besterf ik het.

Van: Patricia Gillot
Aan: Holly

Het zal allemaal heel formeel gaan met PZ, alles volgens het boekje. Ik noem ze de bedrijfskeuringsdienst.

Van: Holly
Aan: Patricia Gillot

Oké.

Van: Patricia Gillot
Aan: Holly

Hé, niet huilen, kom, we nemen even pauze.

Van: Holly
Aan: Patricia Gillot

Maar we kunnen de receptie toch niet onbeheerd achterlaten?

Van: Patricia Gillot
Aan: Holly

Ik ben hier de hoofdreceptionist en ik beveel jou je stoel te verlaten en naar mij toe te komen en die ouwe Trish een knuffel te geven! (En ga dan een frisse neus halen en hou op met piekeren! Dat is ook een bevel.)

Van: HEM-witgoed
Aan: Holly
Onderwerp: Wasmachines & IJskasten

BETREFT: 9829833
Mej H Dinham
Wij danken u voor het gebruiken van HEM.

We hopen dat u tevreden bent met uw aankoop en in de toekomst weer bij ons zult komen voor huishoudelijke apparaten.

Paula, Klantenservice

Van: Holly
Aan: HEM-witgoed

BETREFT: 9829833
Nee ik ben niet tevreden met mijn aankoop. Ik heb uw afdeling de afgelopen week twee keer gebeld. De wasmachine die u heeft afgeleverd deed het bij aankomst al niet goed, dus hij is niet gebruikt. Kunt u de machine zo snel mogelijk komen weghalen zodat ik een andere kan bestellen?
Holly

Van: HEM-witgoed
Aan: Holly

BETREFT: 9829833
Mej H Dinham
Hartelijk dank voor uw e-mail. Heeft u al contact opgenomen met onze 24-uurs reparatielijn die u van dienst kan zijn?
Paula

Van: Holly
Aan: HEM-witgoed

BETREFT: 9829833
Ik heb geprobeerd om erdoorheen te komen. Ik werd tien minuten in de wacht gezet en kreeg ondertussen de verschrikkelijke boodschap te horen over hoe ongebruikelijk veel telefoontjes jullie kregen. Het enige wat ik nu graag wil is dat de machine wordt weggehaald en het geld wordt teruggestort.
Hartelijk dank
Groeten
Holly Denham

Van: Security Banking Trust
Aan: Holly Denham
Onderwerp: Crediteuren – Banking Trust

ONDERHOUD
Vanwege het updaten van ons online-bankiersysteem hebben we uw reke-

ningnummer, naam, pincode, gebruikersnaam, wachtwoorden en salaris-
gegevens nodig.
Bij voorbaat dank

Van: Holly
Aan: Security Banking Trust

Ik zou u mijn rekeninggegevens kunnen geven, maar ik heb het gevoel –
omdat ik geen zaken doe met uw bank – dat dit misschien, heel misschien, oplichting is. Weet u wat? Ik houd mijn rekeninggegevens voor
me en jullie houden jullie vervelende spam bij je – wat dacht u daarvan?

Van: Jason GrangerRM
Aan: Holly
Onderwerp: gesprek??

Hoe is je gesprek gegaan?

Van: Patricia Gillot
Aan: Holly
Onderwerp: Van Trish

Oké, voor de dag ermee, wat zeiden ze?

Van: Oma
Aan: Holly
Onderwerp: Holly

Er staat een man door mijn raam te gluren, volgens mij is het een viezerik.

Van: Oma
Aan: Holly
Onderwerp: Holly

Nee, het is je vader, sorry. We gaan de stad in om een hapje te eten, spannend hè, hoop dat het regent.

Van: Holly
Aan: Oma

Fijn dat alles in orde is.

Van: Holly
Aan: Patricia Gillot
Onderwerp: Gesprek

Roger Lipton was er en iemand anders van PZ, en Judy. Hij zei dat hij gehoord had over wat 'kwesties' die hij beschouwde als startersproblemen.
Wilde weten of ik behoefte had aan ondersteuning in de vorm van een cursus enz. – omdat Shella had geopperd dat ik daar wat aan zou kunnen
hebben... grrr

Van: Patricia Gillot
Aan: Holly

Echt iets voor Cruella, heb je meteen ja gezegd?

Van: Holly
Aan: Patricia Gillot

Nee, maar ik heb wel gezegd hoe fijn jij het zou vinden om ernaartoe te
gaan, ik zei dat je het er continu over hebt.

Van: Patricia Gillot
Aan: Holly

Ik vermoord je! Ha ha. Wat zei hij nog meer?

Van: Holly
Aan: Patricia Gillot

Ze hebben me ingeschreven voor een intensieve softwarecursus vergader-
zaal-boeken op vrijdag – en ik weet zeker dat Cruella daarover niet meer
bijkomt van het lachen.
Hij wilde ook weten of ik nog bepaalde zaken wilde aankaarten. Ik zei
'nee', dus toen vertelde hij me dat zij zelf WEL wat zaken aan wilden kaar-
ten (dat ophang-incident en dat gedoe over die vergaderzalen).
Ik heb geprobeerd hun mijn versie van het gebeuren met 'Juffrouw De
Ville' te geven; dat ik de procedure WEL DEGELIJK had gevolgd, maar ze
wilden er echt geen woord over horen (volgens mij weten ze precies hoe
lastig ze is, maar hebben ze geen zin in gedoe met haar).
Judy was aardig en stond achter me. Roger bleef maar praten over mijn
achtergrond qua gastvrijheid en dat ik in staat zou moeten zijn 'gebruik te
maken van die vaardigheden' om moeilijkheden glad te strijken. Na de

vierde keer dat hij daarover begon, kreeg ik de indruk dat hij bedoelde: laat Cruella maar praten tegen je hoe ze wil, lach erom en laat het over je heen komen.

Van: Patricia Gillot
Aan: Holly

Ik weet zeker dat hij dat precies bedoelde, je moet gewoon lachen en dat kreng dulden. Heb je hun verteld dat ik tegen je gezegd heb dat je irritante bellers op moest hangen?

Van: Holly
Aan: Patricia Gillot

Natuurlijk niet!
Ik zei dat ik hem nogal brutaal vond – en dat ik daarom heb opgehangen, maar dat ik het nooit meer zou doen.

Van: Patricia Gillot
Aan: Holly

Je had mij de schuld moeten geven.
Nou ja, het is allemaal voorbij, en je hebt het overleefd – over en uit. Besef alleen wel dat het geen gemakkelijke baan is, kalm en vrolijk blijven terwijl je al die k*tzooi van iedereen over je heen krijgt. Maar dat realiseert niemand zich.

Van: Holly
Aan: Patricia Gillot

Dank je, ik voel me helemaal top.
xx

DONDERDAG

Van: Judy Perkins
Aan: Holly
Onderwerp: Betr. ons gesprek

Holly
Ik ben nog één ding vergeten tijdens ons gesprek.
Ik heb de gegevens van het schakelbord bekeken en toen viel het me op dat sommige telefoontjes niet opgenomen worden – en die zijn alleen van

het bord waar jij op werkt. Kun je me dat uitleggen?
Groeten
Judy

Van: Holly
Aan: Judy Perkins

Hai Judy
Ik weet niet hoe dat komt, maar ik beloof dat ik er deze week extra op zal letten.
Groeten Holly

Van: Judy Perkins
Aan: Holly

Holly
Als je het gevoel hebt dat je wat lessen aan het schakelbord kunt gebruiken, moet je het gewoon zeggen. Er zijn een paar cursussen die echt geweldig zijn en misschien heb je ook op dat gebied wel wat aan een opfrisser?
Judy.

Van: Holly
Aan: Jason GrangerRM
Onderwerp: Ik heb gelogen

Jason
Weet je nog dat ik je vertelde dat ik loog voor Trish (omdat ze altijd te laat terug is van haar lunchpauze)?
Als een van ons met pauze gaat, springt Dave van Faciliteiten meestal in, maar hij gaat altijd precies na een uur weg omdat hij denkt dat Trisha elk moment terug kan zijn. MAAR soms is ze EEN UUR TE LAAT en dan is het zo druk dat mensen al hebben opgehangen voor ik op kan nemen, maar ze weten niet eens dat zij er niet is!
(Ik kan trouwens ook niet geloven dat ze de gegevens op mijn schakelbord kunnen controleren, wat is dat nou weer – Big Brother???)

Van: Jason GrangerRM
Aan: Holly

Je moet het hun snel vertellen. Blijft Trish de rest van haar leven te laat komen?

Van: Holly
Aan: Jason GrangerRM

Ze is er nogal vaag over. Ik kijk het deze week nog even aan en probeer geen telefoontjes meer te missen.

Van: Jason GrangerRM
Aan: Holly

Moet ervandoor, er komt iemand uit Mathew Parry's kamer.
Doewie

Van: Holly
Aan: Jason GrangerRM

Matthew Perry? Van Friends? Je maakt zeker een grapje?

Van: Jason GrangerRM
Aan: Holly

Mathew Parry – een kalende, dikke zakenman met een voorliefde voor sigaren en sarcasme.

Van: Holly
Aan: Jason GrangerRM

O jammer, ik was al bijna op weg naar je toe ... Oké, later.
x

Van: Holly
Aan: Jennie Pithwait
Onderwerp: Jennie??

Waar ben je mee bezig Jen, heb al eeuwen niets meer van je gehoord?

Van: Aisha
Aan: Holly
Onderwerp: Bedankt

Hé, trouwens ontzettend bedankt voor die baan, ik zal je niet teleurstellen.
Ik ga morgen mijn uniform in het hotel ophalen.
Ga zaterdag shoppen, zin om mee te gaan?
Aisha

Van: Holly
Aan: Aisha

Dus jij wilt dat ik me langs allerlei winkels sleep om te kijken hoe jij een reeks jurken aantrekt – terwijl je gilletjes slaakt en zegt dat je het bij die en die kerel kunt dragen, en uiteindelijk helemaal niets koopt?

Van: Aisha
Aan: Holly

Ja.

Van: Holly
Aan: Aisha

Goed, je kunt op me rekenen.

Van: Aisha
Aan: Holly

xxxxx O ja, weet jij waar ik verstelwerk kan laten doen?

Van: Holly
Aan: Aisha

Verstelwerk voor wat?

Van: Aisha
Aan: Holly

Mijn uniform, maar laat maar, ik denk dat ik wel wat weet.

Van: Holly
Aan: Aisha

Ik dacht dat ze een uniform in jouw maat hadden.

Van: Aisha
Aan: Holly

Dat is ook zo, maar dat past gewoon niet helemaal.

Van: Holly
Aan: Aisha

Hoe bedoel je?

Van: Patricia Gillot
Aan: Holly
Onderwerp: Betr. Morgen

Heb je zin in je cursus?

Van: Holly
Aan: Patricia Gillot

Nou – ontzettend.
Kun jij mijn e-mails in de gaten houden – gewoon voor het geval Judy in de buurt is?

Van: Patricia Gillot
Aan: Holly

Natuurlijk. Kijk nou eens wie eraan komt...

Van: Holly
Aan: Patricia Gillot

Niemand minder dan de Prada-koningin, eens kijken of ze een glimlach tevoorschijn kan toveren als ze langsloopt...

Van: Patricia Gillot
Aan: Holly

Oooo en ze faalt. Trut.

Van: Holly
Aan: Patricia Gillot

Nog wat over 'Mevrouw Snob-ik-ben-de-vrouw-van-de-baas' – ze heeft niet alleen een hekel aan ons... Heb je gezien hoe ze tegen Ralph praat?

Van: Patricia Gillot
Aan: Holly

Maak je niet druk, hij vindt het enig...

Van: Holly
Aan: Patricia Gillot

Echt?? Maar ze behandelt hem als vuil?

Van: Patricia Gillot
Aan: Holly

Geloof me, hij vindt het niet erg.

Van: Holly
Aan: Patricia Gillot

vertel...!!!

Van: Patricia Gillot
Aan: Holly

Sorry, moet een cliënt naar boven brengen.

Van: Holly
Aan: Patricia Gillot

grrrrr. ☹

Van: Mam en Pap
Aan: Holly
Onderwerp: Strandkleding

Holly
Vergeet je badpak niet mee te nemen als je komt.
Voor mij en je vader is het nu te koud, maar misschien heb jij wel zin in een frisse duik. Kom je eigenlijk in je eentje? Anders moet ik namelijk de andere kamer in orde brengen.
Mam Xxx

Van: Holly
Aan: Mam en Pap

Mam
Ik kan me zo voorstellen dat het voor mij ook te koud is om te zwemmen, en in antwoord op je vraag: ja, ik ben nog steeds single.
xx

Van: Holly
Aan: Aisha
Onderwerp: Betr. Uniform

Hoe bedoel je dat past gewoon niet helemaal??

Van: Patricia Gillot
Aan: Holly
Onderwerp: Laat

Sorry dat ik zo lang weg ben gebleven, heeft iemand gemerkt dat ik er niet was?

Van: Holly
Aan: Patricia Gillot

Volgens mij niet. Alles oké?

Van: Patricia Gillot
Aan: Holly

Ja, prima.

Van: Holly
Aan: Patricia Gillot

Ik ben zo weg en je hebt me nog steeds niets verteld over mevrouw Huerst en onze veiligheidsman?

Van: Patricia Gillot
Aan: Holly

Wie?

Van: Holly
Aan: Patricia Gillot

RALPH!!!

Van: Patricia Gillot
Aan: Holly

Ralph wie?

Van: Holly
Aan: Patricia Gillot

Patricccccccccccia!!

Van: Patricia Gillot
Aan: Holly

O, je bedoelt onze grote, knappe beschermer?

Van: Holly
Aan: Patricia Gillot

JA!

Van: Patricia Gillot
Aan: Holly

Oeps, te laat, je moet weg. Vertel het je mogge!
Trish

VRIJDAG

Van: Charlie Denham
Aan: Holly
Onderwerp: Doehetzelffoutje

Je gelooft nooit wat me gisteren is overkomen.

Ik zit hier in het kantoortje van deze puinhoop van een club en vraag me af of ik niet de grootste fout van mijn leven heb gemaakt door het spaargeld van iedereen in deze club te pompen, inclusief, mag ik daar wel aan toevoegen, wat van jouw zuurverdiende geld in de loop der jaren.

Ik stond op een ladder die nou niet bepaald stevig was, maar erger was dat hij niet hoog genoeg kwam. Dus zette ik er twee betonblokken onder, om geen geld aan een nieuwe ladder uit te hoeven geven uiteraard.

Ik sta een gat te boren in de toekomstige nachtclub (die er, hoop ik, ooit zal komen) en die boor gaat er niet diep genoeg in.

Dus, terwijl ik sta te boren, is Rubberen Ron druk bezig met het maken van grafstenen van houten planken bedekt met cement waar hij een paar nogal onchristelijke boodschappen in schrijft. Opa had dat niet goedgevonden, als hij nog steeds dominee was geweest, en geleefd had.

De boor komt tegen iets hards aan en dus leun ik er met mijn volle gewicht tegen. Ik glij uit en mijn hoofd knalt tegen de boor.

Je hoorde zo'n snerpend geluid ik val van de ladder en het gaat allemaal razendsnel, en ik probeer de boor van me weg te trekken, maar telkens als ik die vastpak begint hij weer te ratelen.

Ik val van de ladder en de plug wordt uit de muur gewrikt.

Ik land op de grond en ik schreeuw en Ron schreeuwt en ik ben echt bang – ben ik oké? – ben ik oké? en hij kijkt alsof hij zijn lachen in probeert te houden, en ik kijk in de spiegel daar en ik zie dit... (bijgaande foto)

Van: Patricia Gillot
Aan: Holly
Onderwerp: Onze veiligheidsman

Ik vertel je dit alleen omdat ik weet wat een saaie dag je gehad moet hebben op je cursus... en om je maandagmorgen wat op te vrolijken: Ralph was een tijdje geleden dronken en vertelde me dat hij Stephanie Huerst de mooiste vrouw vindt die hij ooit gezien heeft, en toen ik zei dat ze een botte, arrogante trut is, vertelde hij me dat ze volgens hem 'een godin' was! Dus ik vroeg hoe het dan zat met de manier waarop ze tegen hem praat, alsof hij een voetveeg is, en hij zegt dat hij het heerlijk vindt!

Hoe bezopener hij werd hoe meer hij toegaf dat het zijn 'ding' was – daarom biedt hij altijd aan haar tassen te dragen als ze hier langs komt paraderen.

Ik kan niet wachten tot hij haar vertelt wat zijn gevoelens zijn, volgens mij zou ze er helemaal ziek van zijn als ze wist dat hij het juist leuk vindt!!!

xxxx

Van: Charlie Denham
Aan: Holly
Onderwerp: Nieuw imago

En, wat vind je? Dacht dat ik mijn haar misschien beter lang kan houden en die kale plek onder een petje verstoppen??? (tot het terug groeit) Sommige meisjes vinden dat misschien sexy????

Van: Holly
Aan: Charlie Denham

Hoi

Dit is niet Holly, dit is haar vriendin Trish.

Ik controleer haar e-mails, omdat ze er vandaag niet is.

Geloof me schat, het is NIET sexy, het is een rommeltje. Je moet een pruik aanschaffen (een scheermes is eigenlijk nog beter).

Trish

Maand 2, week 1

Van: Holly
Aan: Nick
Onderwerp: Huur – automatische overschrijving

Beste Nick

Ik ben er net achter gekomen dat de automatische overschrijving naar jou is opgeheven, ik heb met de bank gebeld en ze hebben toegegeven dat het hun fout is. Sorry hiervoor, kun je me laten weten op welke manier ik nu het beste kan gaan betalen?
Hartelijke groet
Holly

Van: Holly
Aan: Patricia Gillot
Onderwerp: NIET VERGETEN

NIET VERGETEN
Nieuwe route zoeken om Dakloze Danny te ontlopen.

Van: Patricia Gillot
Aan: Holly
Onderwerp: Dakloze Danny

Waarom stuur je mij een mail over het zoeken van een nieuwe route om Dakloze Danny te ontlopen? Wie is Dakloze Danny?

Van: Holly
Aan: Patricia Gillot

O sorry, die was voor mezelf bedoeld.
Ik ben zo gewend om mailtjes naar jou te sturen dat ik het zonder na te denken heb gedaan. Sorry. x

Van: Holly
Aan: Jason GrangerRM
Onderwerp: Nieuw meisje op de receptie

Hoop dat alles goed gaat met Aish. Laat me weten of ze oké is en geef haar een kus van mij.

Van: Jason GrangerRM
Aan: Holly

Ik zou haar kussen als ze hier was.

Van: Holly
Aan: Jason GrangerRM

Sh*t, ik vermoord haar, zeg dat je een grapje maakt!

Van: Jason GrangerRM
Aan: Holly

Wat ben jij toch makkelijk op de kast te jagen.

Van: Holly
Aan: Jason GrangerRM

Ik wist dat je zat te liegen, dus alles is oké?

Van: Jason GrangerRM
Aan: Holly

Het gaat prima.

Van: Holly
Aan: Jason GrangerRM

Fijn. En heb je de induk dat ze past binnen het hele hotelplaatje en zo?

Van: Jason GrangerRM
Aan: Holly

Inderdaad.

Van: Holly
Aan: Jason GrangerRM

Goed, ik kan opgelucht ademhalen.

Van: Jason GrangerRM
Aan: Holly

Als je met hotel een hoerenkast bedoelt.

Van: Holly
Aan: Jason GrangerRM

Wat?

Van: Jason GrangerRM
Aan: Holly

Het is goed, onze directeur is erg tevreden, ik vermoed dat hij de raadsels waar onze gasten zich voor geplaatst voelen wel leuk vindt – 'Moet ik haar om de sleutel van mijn kamer vragen of om een lapdance van 5 minuten?' Persoonlijk geef ik de voorkeur aan wat minder zichtbaar vlees, ik word er bang van.

Van: Holly
Aan: Jason GrangerRM

O lieverd, wat jammer dat dat gemene vrouwenvlees jou bang maakt. Ik zal vanavond een hartig woordje met haar spreken... Stoute Aish!

Van: James Lawrence
Aan: Holly
Onderwerp: Belangrijke vergadering

Voor Reserveringen:
Ik heb een late vergadering vandaag, om 7 uur, erg belangrijk, kun je me boeken?
James Lawrence

Van: Holly
Aan: James Lawrence

Ja hoor, prima, voor hoeveel mensen?

Van: James Lawrence
Aan: Holly

Twee maar

Van: Holly
Aan: James Lawrence

Welke namen kan ik noteren?

Van: James Lawrence
Aan: Holly

James Lawrence en Holly Denham – de bijeenkomst is in restaurant Ivy.

Van: Holly
Aan: James Lawrence

Wat??!

Van: James Lawrence
Aan: Holly

Ik had iets grappigs bedacht voor als jouw antwoord 'ja' of 'nee' zou zijn. Heb geen reactie achter de hand op 'wat??!' – maar ik zou het verzoek natuurlijk kunnen kopiëren en plakken.

Van: Holly
Aan: James Lawrence

Ik vroeg me al af waarom je niet gewoon het reserveringsformulier mailde. Ja, als je me mee uitvraagt naar Ivy, dan ja.
Je zou moeten leren een meisje telefonisch mee uit te vragen, dat is minder dubbelzinnig. Hoewel ik je nu niet boos wil maken, ik bedoel, ik heb daar altijd al een keer heen gewild.

Van: James Lawrence
Aan: Holly

Cool, ik haal je om 7 uur op.

Van: Holly
Aan: James Lawrence

Is het goed als ik in een mantelpakje ga (ik heb geen andere kleren hier), kan dat daar?

Van: James Lawrence
Aan: Holly

Pakje is prima, je ziet er geweldig uit, maak je niet druk. J

Van: Jennie Pithwait
Aan: Holly
Onderwerp: Wanhopig op zoek naar Holly

Oproep voor alle mannenjagers, ik heb een voortgangsrapport van mijn veldwerkers nodig... Ergens nog vlees aan de horizon?

Van: Holly
Aan: Jennie Pithwait

Hier beneden niets, iets daarboven op het moederschip?

Van: Jennie Pithwait
Aan: Holly

Hè?
Luister, ik dacht dat wij een team waren, ik beschouw jou als mijn ogen en oren, mijn vriendin die daar aan de frontlinie zit, de eerstelijnsverdediging, of soms partij kiest als Judy in de buurt is. Hé, ik heb gehoord dat je bezig bent de Pot te paaien...

Van: Holly
Aan: Jennie Pithwait

Ik ben niet bezig 'de Pot te paaien', ik heb geen idee waar je het over hebt...

Van: Jennie Pithwait
Aan: Holly

Sorry Holly, maar ik vind echt dat je wat meer respect voor je superieuren zou moeten hebben, weet Judy dat je haar een pot noemt?? Zo ja, dan vind je het zeker niet erg dat ik jouw mail naar haar doorstuur???

Van: Holly
Aan: Jennie Pithwait

Dat heb ik niet gedaan – ik herhaalde gewoon jouw zinsnede en om verwarring te voorkomen heb ik die zelfs tussen aanhalingstekens gezet. Dus daar heb je me niet mee!

Van: Jennie Pithwait
Aan: Holly

Oké slimpie, rustig maar!
Heb een zeer belangrijke afspraak met een cliënt... wispelturige Marcia,

dat 70 jaar oude ex-revuemeisje uit de jaren zestig is terug.
Laat me weten in welke stemming ze volgens jou is als ze arriveert.
Jen

Van: Holly
Aan: Jennie Pithwait

Doe ik.

Van: Holly
Aan: Jason GrangerRM
Onderwerp: Je raadt het nooit

Je raadt nooit waar ik naartoe ga VANAVOND!!!!

Van: Jason GrangerRM
Aan: Holly

Ik hoop de wasserette – stinkerd.

Van: Holly
Aan: Jason GrangerRM

O, oké, laat dan maar. Wilde alleen zeggen dat ik naar de Ivy ga.
x

Van: Jason GrangerRM
Aan: Holly

De Ivy??!! Met wie? Waarom? Hoe laat? Bofkontje!

Van: Holly
Aan: Jason GrangerRM

Met... die James Lawrence, hij heeft me mee uit gevraagd!
Waarom... omdat ik een VP niet kan afwijzen, dat is tegen het bedrijfsre-
gelement.
Hoe laat... 7 uur, ik ga er hiervandaan naartoe.
En ja, dat ben ik! xxx

Van: Jason GrangerRM
Aan: Holly

Hoe ziet hij er ook alweer uit?

Van: Holly
Aan: Jason GrangerRM

Hij is een kruising tussen Clooney, Clinton en Sinatra. Volgens mij heeft hij Sinatra's ogen, Clooneys ruwe kantjes en Clintons ruige sexappeal.

Van: Jason GrangerRM
Aan: Holly

En hopelijk wat jonger?

Van: Holly
Aan: Jason GrangerRM

Hij is eind dertig en lijkt oprecht geïnteresseerd in me, lieve ogen.

Van: Jason GrangerRM
Aan: Holly

Wat trek je aan? We hebben niet zoveel tijd en is dit niet de James die volgens Jennie achter het halve bedrijf aan zit?

Van: Holly
Aan: Jason GrangerRM

Inderdaad.

Van: Jason GrangerRM
Aan: Holly

Bij nader inzien, misschien is zij gewoon jaloers omdat ze hem al gehad en geprobeerd heeft en het nergens op uitgelopen is.
DUS KOM OP, Covent Garden is vlakbij, daar hangt dat mooie blauwe gevalletje dat we gezien hebben, nee, nee, je hebt Karen Millen nodig, zij heeft de hele outfit, zie je daar om 6 uur.

Van: Holly
Aan: Jason GrangerRM

Nee, ik ga in mijn pakje, geen zorgen, ik heb het hem verteld, hij zei dat het prima was.

Van: Jason GrangerRM
Aan: Holly

Jij gaat niet in een mantelpakje meisje! Kom met je luie reet van die draaistoel af en ga de tuin* in.

* Covent Garden

Van: Holly
Aan: Jason GrangerRM

Ik ga me niet verkleden, hij weet dat ik meteen uit mijn werk kom.

Van: Jason GrangerRM
Aan: Holly

Aha, je speelt het cool... klinkt goed.

Van: Holly
Aan: Jason GrangerRM

Dat is niet de belangrijkste reden x

Van: Jason GrangerRM
Aan: Holly

Onzin, je speelt het cool en daarmee basta. Trouwens, mantelpakjes zijn weer helemaal in de mode!

Van: Holly
Aan: Jason GrangerRM

Dank je
xxxx

Van: Patricia Gillot
Aan: Holly
Onderwerp: Ondergoed

Had net weer zo'n heftige hijger. Zei eerst iets over een onderzoek in het plaatselijke winkelcentrum; vroeg me welke kleren ik voor het komende seizoen ging kopen.

Van: Holly
Aan: Patricia Gillot

Weet je zeker dat hij niet de waarheid sprak?

Van: Patricia Gillot
Aan: Holly

Dat wist ik toen hij vroeg of mijn slipje van zijdeachtig satijn of van kraakhelder katoen was.

Van: Holly
Aan: Patricia Gillot

Prettig.

Van: Holly
Aan: Jason GrangerRM
Onderwerp: Ben je daar?

Het is 18.40 uur en ik verveel me, ik moet nog een half uur wachten. Zeg me niet dat je al weg bent!

Van: Holly
Aan: Jason GrangerRM
Onderwerp: James???

SH*T, James heeft me laten zitten!!! !!!

Van: Holly
Aan: Jason GrangerRM
Onderwerp: Slecht slecht slecht slecht slecht

Dit was echt niet de bedoeling, je gelooft nooit wat ik net gedaan heb. Ik ga nu naar huis, wou maar dat jij je telefoon opnam.
Holly

DINSDAG

Van: Patricia Gillot
Aan: Holly
Onderwerp: Dakloze Danny

Sorry liefje, ik weet dat die e-mail niet voor mij was, maar ik zit er mee in mijn maag, en toen ik vanmorgen wakker werd zat die vraag me daar aan te staren, net als mijn Les soms doet als hij honger heeft, ha ha.

Dus wie is in godsnaam Dakloze Danny, want misschien moet ik hem ook wel ontwijken?

Van: Holly
Aan: Patricia Gillot

Iemand die ik op weg naar het werk af en toe geld geef, maar ik probeer de kosten wat terug te brengen.

x

Van: Patricia Gillot
Aan: Holly

Je gaat me toch niet vertellen dat je daarom te laat bent? Omdat je een nieuwe route om Dakloze Danny heen hebt gevonden?

Van: Holly
Aan: Patricia Gillot

Het is een beetje een omweg, sorry.

Van: Patricia Gillot
Aan: Holly

Kun je hem niet gewoon negeren?

Van: Holly
Aan: Patricia Gillot

Nee, hij weet nu hoe ik heet, dat is moeilijk als hij me uit de verte aan ziet komen en roept 'Goeiemorgen Holly'.

Van: Patricia Gillot
Aan: Holly

Er zit een schroefje bij je los.

Van: Holly
Aan: Patricia Gillot

Dat heb ik wel vaker gehoord.

Van: Alice en Matt
Aan: Holly
Onderwerp: De gebruikelijke vrouwenproblemen

Hoihoi

Verheug me erop je dit weekend te zien. Hier is het zoals altijd allemaal nogal lastig.

We zijn momenteel een beetje in mineur, het schijnt dat we een vergunning nodig hebben om slangen te houden. De gemeente kan ons niet vertellen waar we die moeten halen, en dat geldt ook voor de dierenarts, de politie en de ambassade. We hebben iedereen die volgens ons iets van zo'n vergunning zou kunnen weten aangeschreven, maar niemand kan ons vertellen waar we er een moeten halen. Alleen dat we er een moeten hebben.

Oma verheugt zich enorm op je komst, ze went hier al aardig, paar klachten, ze is helemaal niet blij met de hoeveelheid zon. Maar over de prijs van de drank is ze wel te spreken.

xxx Ali.

Van: Holly
Aan: Alice en Matt

Het klinkt alsof jullie het zwaar hebben. Hoop dat alles op zijn pootjes terechtkomt.

xxxxx

Van: Holly
Aan: Jennie Pithwait
Onderwerp: Chelsea-jongen

Die voetbalgast is vandaag begonnen. Hoewel ik vermoed dat hij waarschijnlijk gisteren al is begonnen maar mij niet is opgevallen. Erg vrijpostig, nog steeds vakantiebruin, echt iets voor jou!!

Van: Jennie Pithwait
Aan: Holly

Als je het over die handelaar hebt, denk ik dat ik hem gezien heb. Echt iets voor mij? En jij dan?

Van: Holly
Aan: Jennie Pithwait

Nee, denk niet dat het iets voor mij is.

Van: Jennie Pithwait
Aan: Holly

Hmmm, dus je geeft mij jouw afdankertjes, nee dank je!

Van: Holly
Aan: Jennie Pithwait

Hè?

Van: Jason GrangerRM
Aan: Holly
Onderwerp: Vertel

Nou, vertel me alles, kom op... Ik heb mijn koffie en een muffin, en ik wacht????

Van: Holly
Aan: Jason GrangerRM

Pas rond tien over zeven realiseerde ik me dat ik het helemaal bij het verkeerde eind had.

Vanaf 6 uur zat ik al in mijn eentje en was het grootste deel van het bedrijf vertrokken, ik bleef maar heen en weer lopen naar de wachtruimte, waar ik net deed of ik de tijdschriften op de glazen tafel controleerde, maar waarin ik eigenlijk gewoon keek hoe ik er zelf uitzag.

Het werd ongeveer 5 over 7 toen ik wist wat ik verkeerd had gedaan: dat we ergens anders hadden moeten afspreken en hij nu op mij had moeten zitten wachten. Erg irritant was het feit dat ik zijn mobiele nummer niet had. Rond 7 over 7 begon ik aan mezelf te twijfelen, vroeg me af of de tijd die ik in mijn hoofd had wel klopte. Misschien was het half zeven en was hij langs geweest toen ik in de wc voor spiegel stond.

Ik nam mijn e-mails nog eens door om er zeker van te zijn dat we 7 uur hadden gezegd en dat was zo. Toen kwam er een stelletje mensen uit de lift en ik dacht dat hij daarbij zat, maar dat was niet zo. Ik vroeg hun of zij de laatsten in het gebouw waren; 'ja' riep een van hen terug.

Het was inmiddels kwart over 7 en ik had een paar boodschappen op zijn voicemail achtergelaten en ik werd boos. Ongeveer op dat moment pakte ik de intercom.

Van: Jason GrangerRM
Aan: Holly

Zeg me dat het niet waar is.

Van: Holly
Aan: Jason GrangerRM

Achteraf gezien niet de beste beslissing, maar ik kon niet meer helder nadenken. Ik was half boos, half bezorgd, mijn trots was gekrenkt, ik dacht dat ik de volgende dag door iedereen zou worden uitgelachen, en waarschijnlijk zou willen opstappen; er moest daar gewoon op dat moment een einde aan komen.

Van: Jason GrangerRM
Aan: Holly

Wat heb je gezegd?

Van: Holly
Aan: Jason GrangerRM

Ik pakte de microfoon en zei: 'James, als je hier nog bent, ik ben weg, er zijn een paar vrienden langsgekomen. En als je er niet bent... dan kun je de klere krijgen egoïstische klootzak!'
Blijkt dus dat meneer Huerst aan het eind van zijn vergadering binnen was gewipt – de anderen vertrokken, dat waren degenen die ik uit de lift had zien komen – en dat James door meneer Huerst werd vastgehouden om over zijn stralende toekomst te praten.

Van: Jason GrangerRM
Aan: Holly

Sh*t.

Van: Holly
Aan: Jason GrangerRM

Hij kwam naar buiten toen ik op het punt stond het gebouw te verlaten. Hij pieste in zijn broek van het lachen. Ik schaamde me kapot.
Lekker eten hebben ze trouwens bij de Ivy.
Denk dat ik hem erg leuk vind, ja, erg leuk.

Van: Judy Perkins
Aan: Holly
Onderwerp: Judy Perkins – Faciliteiten

Holly,

Ik zag net nog meer onbeantwoorde telefoontjes van deze week op jouw schakelbord.

Heb je al nagedacht over die cursus?

En wat denk je van mijn idee van een tijdje geleden, dat Trisha je wat lessen geeft? Denk er even over na, want Trisha heeft in al die jaren nog nooit een telefoontje gemist en ze zou een geweldige privélerares zijn.

Ik weet zeker dat ze je zal helpen als je het haar vraagt.

Beste wensen

Judy

Van: Holly
Aan: Judy Perkins

Hai Judy,

Sorry voor die gemiste telefoontjes, bedankt voor je suggesties, ik zal het haar vragen.

Holly.

Van: Holly
Aan: Patricia Gillot
Onderwerp: Lunch

Ha Trisha,

Wanneer denk je dat die lange lunches van je ophouden?

Holls

Van: Patricia Gillot
Aan: Holly

Het wordt tijd dat ik je vertel waar ik steeds heen ga. Ik laat Dave eventjes invallen.

xx

Van: Aisha
Aan: Holly

Onderwerp: James

Heeft Ivy-poeperd al gebeld?

Van: Holly
Aan: Aisha

Nee, maar als hij dat deed zou ik waarschijnlijk denken dat hij te gretig was.

Van: Aisha
Aan: Holly

Echt?

Van: Holly
Aan: Aisha

Helemaal niet, ik bekijk het gewoon positief, maar toch, je belt niet met-een de volgende dag.

Van: Aisha
Aan: Holly

Ik wel.

Van: Holly
Aan: Aisha

Heb je niks te doen?

Van: Aisha
Aan: Holly

Niets.

Van: Holly
Aan: Patricia Gillot
Onderwerp: Onze veiligheidsman

Trish,
Vertel me eens wat meer over Ralph, wat roddels, dan gaat de tijd wat snel-ler.
x

Van: Patricia Gillot
Aan: Holly

Wat – dat hij Stephanie Huersts slaafje wil zijn???
Het heerlijk vindt om haar tassen te pakken als zij met haar vingers knipt?
Hier hondje, hier hondje hondje...

Van: Holly
Aan: Patricia Gillot

Volgens mij verzin je het gewoon.

Van: Patricia Gillot
Aan: Holly

O, dat mag je best denken hoor. Maar goed, als het niet waar is, zou hij dus ook geen lid zijn van de boilerclub hè?

Van: Holly
Aan: Patricia Gillot

Welke boilerclub??? Onze boiler? Hè?

Van: Patricia Gillot
Aan: Holly

Kijk uit, hij komt eraan, verstop je e-mails!

Van: Holly
Aan: Patricia Gillot

Patricia Gillot,
ik weet zeker dat je me op de kast probeert te jagen!!

Van: Patricia Gillot
Aan: Holly

Klopt. Maar dat betekent niet dat het niet waar is.
Fijne avond.
Trishxx

Van: Holly
Aan: Patricia Gillot

Ik krijg je morgen wel.
x

Van: Nick
Aan: Holly
Onderwerp: Huur

Beste Holly,

Ik las vanmorgen pas je e-mail, want ik ben weg geweest.

Vervelend dat de bank er zo'n rommeltje van maakt. Ja, we hebben dat geld zo snel mogelijk nodig, jouw huisbaas is, zoals je ongetwijfeld weet, niet zo happig op late betaling.

Graag zo snel mogelijk een cheque of liever contante betaling. Kun je me laten weten wanneer we dat kunnen verwachten?

Hoogachtend

Nick Harkson.

Greaves & Marchum

Van: Aisha
Aan: Holly
Onderwerp: James

En, heeft hij nou al gebeld?

Van: Holly
Aan: Aisha

Nee.

Van: Aisha
Aan: Holly

Ik vind nieuwe relaties net zoiets als het bakken van een taart.

Van: Holly
Aan: Aisha

Waarom?

Van: Aisha
Aan: Holly

Omdat er meestal een afkoelingsperdiode is, waarna het er ofwel goed uitziet of een mislukking wordt.

Van: Holly
Aan: Aisha

Bedoel je niet een soufflé?

Van: Aisha
Aan: Holly

Zou kunnen.
Maar geen paniek, misschien is hij je nummer wel vergeten of kwijtgeraakt.

Van: Holly
Aan: Aisha

Dat kan, alleen zit ik bij de receptie, dus ik ben niet zo moeilijk te vinden.

Van: Aisha
Aan: Holly

Moet ervandoor.
xxxx

Van: Holly
Aan: Judy Perkins
Onderwerp: Vrij – wasmachine

Judy,
Ik weet dat dit niet het goede moment is om het te vragen, omdat ik vrijdag ook al vrij neem vanwege Spanje.
Maar ik vroeg me af of ik donderdag een halve dag vrij kon nemen, omdat mijn wasmachine dan weggehaald wordt – en je weet dat ze nooit een vaste tijd noemen, maar ze zeiden dat het ergens tussen 9 en 12 zou worden.
Groeten
Holly.

Van: Judy Perkins
Aan: Holly

Holly
Geen probleem, we regelen wel iemand via www.receptiewereld.com voor die uren.

Ik moet echter wel een halve vakantiedag van je tegoed aftrekken.
Groeten
Judy.

Van: Holly
Aan: Judy Perkins

Dankjewel. Holly

Van: Holly
Aan: Charlie Denham
Onderwerp: Nachtclub

Hé, ik heb je telefoontje net gemist, kan niet over het schakelbord praten.
Alles oké met de grote nachtclubbaas?

Van: Charlie Denham
Aan: Holly

Hoi
Kreeg vandaag problemen met de gezondheidsinspectie. Verdomme.

Van: Holly
Aan: Charlie Denham

Waarom?

Van: Charlie Denham
Aan: Holly

O, gelul over dat mensen in afgesloten ruimtes moesten kunnen ademen.

Van: Holly
Aan: Charlie Denham

Hou het alsjeblieft netjes in e-mails.
Ik dacht dat ze alleen boos op je waren vanwege de herrie?

Van: Charlie Denham
Aan: Holly

Dat is zo, ze zeiden dat het te lawaaierig was buiten, dus hebben we wat gaten dichtgemaakt die ik gevonden had. Blijkt dat die gaten ventilatiegaten waren. Het is moeilijk om het iedereen naar de zin te maken. Ze waren ook niet blij met de verwarming.

Van: Holly
Aan: Charlie Denham

Te heet/koud?

Van: Charlie Denham
Aan: Holly

Geen van beide, je ogen gaan ervan tranen. De gemeente zegt dat het iets te maken heeft met lekkende koolmonoxide of dioxide of zoiets. Het draait allemaal om geld geld geld.

Van: Holly
Aan: Charlie Denham

Wat zijn die inspecteurs toch brutaal hè? En maar roepen dat je levende, gezonde clubgasten moet hebben.
Afschuwelijk.
x

Van: Holly
Aan: Jason GrangerRM; Aisha
Onderwerp: James

Hij heeft net gebeld.

Van: Jason GrangerRM
Aan: Holly

En... wat zei hij???

Van: Holly
Aan: Jason GrangerRM; Aisha

We hebben leuk gekletst.
Ik zei tegen hem dat het maar goed was dat hij nu belde, omdat hij me anders niet meer zou zien.

Van: Jason GrangerRM
Aan: Holly; Aisha

Je zit bij de receptie, hij kan je altijd zien.

Van: Holly
Aan: Jason GrangerRM; Aisha

Weet ik, verdomme.

x

Heb het ook met Trish over haar lange lunches gehad, ben erachter wat ze al die tijd gedaan heeft.

DONDERDAG

Van: Jason GrangerRM
Aan: Holly
Onderwerp: Trish' geheim

Kreeg je e-mail over Trish, nou, waar ging ze nou stiekem naartoe?

Van: Holly
Aan: Jason GrangerRM

Trish heeft wat problemen, ik vertel het je zo.
Kijk uit naar Spanje, ben een beetje zenuwachtig, ik hoop dat ik de reis zonder al te veel vragen doorkom.

Van: Jason GrangerRM
Aan: Holly

Lieg je gewoon een slag in de rondte, geef niet toe, vertel de waarheid niet en gedraag je niet verdacht.
Als je slim bent en een beetje geluk hebt, kun je je ouders het grootste deel van je leven voorliegen. Het is mij 20 jaar gelukt.
Vertel me nu die roddel over Trish.

Van: Holly
Aan: Jason GrangerRM

Een bende kinderen heeft haar zoon in elkaar geslagen, ze hebben ook dingen vernield, iemands huis in de fik gestoken, spullen uit auto's gestolen, ze terroriseren de buurt al maanden.
Het grootste deel van de buurt is nu in een proces verwikkeld en het loopt steeds hoger op. Je hebt de families van de jongens die dit allemaal gedaan hebben tegen de rest van het eiland die tegen hen in het verzet is gekomen.
Trish gaat er tijdens lunchtijd heen om van alles op de hoogte te blijven.
Als de bende vrijgesproken wordt, zullen ze al die mensen die tegen hen

getuigd hebben te pakken nemen, onder wie Trish' zoon, het proces duurt nu al weken.

Ze denken dat er binnenkort een eind aan komt – wat een nachtmerrie voor haar. Ik had dat nooit gedacht, ik zou niet weten hoe ik het had.

Ze wil absoluut niet dat iemand op het werk er ook maar iets van weet, en dat kan ik wel begrijpen.

Holly

Van: Jason GrangerRM
Aan: Holly

Ach jee, arme ziel. Zorg dat je er voor haar bent!

Van: Holly
Aan: Jason GrangerRM

Doe ik.

x

Van: Holly
Aan: HEM-witgoed
Onderwerp: Afdeling klachten

BETREFT: 9829833

Wat hebben jullie voor een bedrijf! Ik heb een ochtend vrij genomen, dat is dus een halve dag van mijn vakantietegoed dat überhaupt niet om over naar huis te schrijven is.

Ik heb zitten wachten en heb toen maar opgebeld – om me door iemand van jullie bedrijf te laten vertellen dat er voor vanmorgen niets geboekt stond!

Kunt u me vertellen hoe dat zit?

Van: HEM-witgoed
Aan: Holly

BETREFT: 9829833

Geachte Mej Dinham

Dank u voor uw e-mail.

Het spijt ons te horen van het misverstand over de datum waarop uw wasmachine weggehaald zou worden.

We hebben contact opgenomen met onze archiefafdeling, maar moeten u melden dat de afgesproken datum voor verwijdering volgende week donderdag is. U heeft gisteren gebeld en het is voor ons onmogelijk om één dag na een telefoontje spullen op te komen halen.

Wij bieden onze excuses aan wanneer u de afspraak verkeerd begrepen heeft.

Wilt u nog dat de machine volgende week donderdag wordt verwijderd?

Van: Holly
Aan: HEM-witgoed

BETREFT: 9829833

Nee, ik heb het helemaal niet verkeerd begrepen, u heeft me absoluut gezegd dat het voor vandaag was. Ik moet nog even kijken of ik volgende week donderdag kan.

Holly

Van: James Lawrence
Aan: Holly
Onderwerp: Spanje

Lieve Holly

Heel veel plezier in Spanje, maar kijk uit voor de mannen daar.

De Spanjaarden zullen proberen je om de tuin te leiden en de Engelsen zijn hooligans. Mijn advies is om sowieso uit hun buurt te blijven, ze brengen je alleen maar in de problemen.

Van: Holly
Aan: James Lawrence

Jij bent een man, moet ik ook bij jou uit de buurt blijven?

Van: James Lawrence
Aan: Holly

Absoluut, ik zou je ongetwijfeld om de tuin leiden voor een kusje achter de heg en een stoeipartijtje in het schuurtje.

En dat nog vóór het drinken van tien glazen bier, het beklimmen van het dak en het zingen van voetballiederen, naakt.

Van: Holly
Aan: James Lawrence

Wat een intrigerend plaatje.

Van: James Lawrence
Aan: Holly

Iets waar je je op kunt verheugen voor als je terug bent. Wanneer ben je terug?

Van: Holly
Aan: James Lawrence

Maandag.

Van: James Lawrence
Aan: Holly

Tot dan, dan.
J

Van: Holly
Aan: Jennie Pithwait
Onderwerp: Lunch

Haihai,
We hebben al in tijden niet meer geluncht, heb je zin om binnenkort iets te doen?
Hols

Van: Jennie Pithwait
Aan: Holly

Ik zat net hetzelfde te denken. Heb het ontzettend druk gehad met een enorme deal en ben volgens mij een beetje chagrijnig geweest, dus je moet me vergeven, dat is een bevel! Heb je zin om volgend weekend naar mij te komen? Ik geef een soort feestje.

Van: Holly
Aan: Jennie Pithwait

Klinkt goed, wat voor soort feestje?

Van: Jennie Pithwait
Aan: Holly

Cocktails en bubbels, een paar vrienden van me, maar je kent al een paar mensen van school – Kristy, Georgie en Sarah, weet niet zeker of Danny komt. Misschien ook iemand die ik al eeuwen niet meer gezien of gesproken heb – Toby Williams, hij werkt voor Nicholson James maar staat op het punt te verkassen... het gerucht gaat dat hij hier komt.

Van: Holly
Aan: Jennie Pithwait

Dat is een geintje zeker?

Van: Jennie Pithwait
Aan: Holly

Nee, je zult je hem wel beter herinneren dan wie dan ook.
Veel plezier in Spanje, mazzelaar! xxxx

Van: Patricia Gillot
Aan: Holly
Onderwerp: Vergupte vrije dag

Hai
Heeft Judy gezegd dat je die halve dag terug kunt krijgen?
Trish

Van: Holly
Aan: Patricia Gillot

Nee, ik vind het niet erg, ik kwam hier toch pas om 11 uur aan. En ze heeft die invaller ook voor een halve dag moeten betalen, hoe was die trouwens?

Van: Patricia Gillot
Aan: Holly

Kwam van dat speciale receptionistenbureau. Ze was goed, beter dan jij.

Van: Holly
Aan: Patricia Gillot

O lazer op x

Van: Patricia Gillot
Aan: Holly

Pas op je woorden Truus!! Vermoed dat je te lang in mijn buurt hebt verkeerd.
Heel veel plezier in Spanje, vergeet mijn peuken niet.
xx

Van: Charlie Denham
Aan: Holly
Onderwerp: Club

Dak lekt. Het wordt hier alsmaar leuker.
Kreeg je bericht, nee ik kan het niet raden dus vertel het me maar – wie komt er bij je werken?
Charlie

Van: Jason GrangerRM
Aan: Holly
Onderwerp: Interessante metamorfose

Hai
Kun je als je terugkomt even onder vier ogen met je stoute vriendin praten? Ik heb zitten kijken en me afgevraagd wat er zo anders is aan HAAR in vergelijking met de andere receptionistes.
En dat is nog afgezien van de sletterige manier van lopen, de push-uptieten en de lipgloss en ik denk dat ik erachter ben. Ik kan het mis hebben, maar haar uniform wordt elke dag een beetje korter en een beetje strakker, misschien verbeeld ik het me wel en ik kan me ook niet voorstellen dat iemand de moeite neemt om dit, dagelijks, stapje voor stapje te doen.
Zou ze dat echt doen? Kun je het haar alsjeblieft vragen?
Jason.
x
PS hoop dat je een mieterse tijd bij je ouders in Spanje hebt gehad.

Van: Ferret
Aan: Holly
Onderwerp: Ferret

Hai
Alles oké, ik hoorde van Alice dat je het daar nog steeds uithoudt.
Het probleem met die logge bedrijfsstructuren is dat ze je geen ruimte voor persoonlijke vrijheid geven – zoals Oscar Wilde ooit heeft gezegd 'laat me hieruit! Ik ben geen misdadiger' (kan ik me zo voorstellen).

O ja, ik had het waarschijnlijk eerder moeten zeggen – je moet die ratten in een koelbox verpakken, anders smelten ze in je koffer vooral als de vlucht vertraging heeft.

Geniet ervan.

Ferret

☺

'Zoals het klokje thuis tikt, tikt het nergens'

Maand 2, week 2

Van: Holly
Aan: Jason GrangerRM
Onderwerp: Aisha's uniform

Hai Jason

Ik ben terug!!!

Las net jouw e-mail over Aisha, en ja, ik zal met haar praten, hoewel ik denk dat het nogal onwaarschijnlijk is dat ze die moeite zou nemen. Nu ik het er toch over heb: herinner jij je nog dat ik je verteld heb over dat vriendje van mij dat mijn kleren steeds liet innemen als ik op mijn werk zat... zodat ik ging denken dat ik een gewichtsprobleem had en op dieet ging???

Dus wie weet??

Holly

xx

Van: Jason GrangerRM
Aan: Holly

Weet je zeker dat je niet gewoon dikker werd?

Van: Holly
Aan: Jason GrangerRM

Rotzak. Nu mag je lekker mijn foto's niet zien.

Van: Jason GrangerRM
Aan: Holly

Geintje, heb je gemist...

Van: Holly
Aan: Jason GrangerRM

Nou, ik jou niet.

En ik hoop dat Aisha haar rok over haar hoofd heen tilt en jou haar meisjesdingen laat zien, elke dag, staande op een tafel.

Vieze vuile receptiemanager, ik werd niet dikker, hoop dat jij nu dik wordt. Vuilak. Rotzak.

Van: Jason GrangerRM
Aan: Holly

O, zet me alsjeblieft niet in de hoek.
xxxx
Kom op, vertel over je vakantie???

Van: James Lawrence
Aan: Holly
Onderwerp: Terugkerend personeel

Lieve Holly Denham
Mooi kleurtje.

Van: Holly
Aan: James Lawrence

Het was bewolkt.
Holly
PS Leuk loopje. Was dat nieuw?

Van: James Lawrence
Aan: Holly

Beetje compassie graag, het is niet makkelijk om 10 meter marmer over te steken terwijl je aangestaard wordt door een stelletje hitsige, hooghartige receptionistes.

Van: Holly
Aan: James Lawrence

Je vindt het geweldig, uitslover.
Holly

Van: Holly
Aan: Charlie Denham
Onderwerp: Hier werken

Hai

Ik ben weer terug, hoop dat je nog heel bent.

Oké, wil je weten wie hier komt werken?

Van: Charlie Denham
Aan: Holly

Wie?

Van: Holly
Aan: Charlie Denham

Toby.

Van: Charlie Denham
Aan: Holly

Toby van school?

Van: Holly
Aan: Charlie Denham

Volgens de geruchten wel. Ik weet zeker dat hij, als hij hoort dat ik hier werk, van gedachten verandert, hij heeft veel goed te maken.

Van: Charlie Denham
Aan: Holly

Zeg dat wel. Als hij komt, zeg hem dan maar dat ik een keertje langskom om een hartig woordje met hem te spreken en dat ik niet blij ben.

Van: Holly
Aan: Charlie Denham

Dank je Charlie (grote broer komt me redden!) xxx

Van: Judy Perkins
Aan: Holly
Onderwerp: Schakelbordproblemen

Holly

Betr: onze afspraak over dat Trisha je wat lessen zou geven op het schakelbord. Ik dacht dat we het erover eens waren dat dit een goed idee was?

Ik sprak Trisha vanmorgen en die keek totaal blanco toen ik over die lessen begon, dus je hebt het er kennelijk nog niet met haar over gehad. Kun je dit alsjeblieft zo snel mogelijk met haar bespreken? Als je het moeilijk vindt om haar om advies te vragen, kan ik het wel voor je regelen. Ik weet dat ze je vriendin is, maar ze is ook een zeer ervaren receptioniste en een expert op dit gebied.

Welkom terug, trouwens, hoop dat je een leuke vakantie hebt gehad.

Groeten

Judy.

Van: Holly
Aan: Judy Perkins

Beste Judy

Sorry, ik was van plan het haar vandaag te vragen, ik doe het meteen.

Nogmaals bedankt

Groeten

Holly

Van: Judy Perkins
Aan: Holly
Onderwerp: Schakelbord – Afspraak

Holly

Ik heb er nog even over nagedacht en ik denk dat we een afspraak moeten plannen voor woensdag. Ik zie dat vergaderzaal 3 vrij is, kun je die ergens in de morgen reserveren?

Groeten

Judy

Van: Holly
Aan: Patricia Gillot
Onderwerp: Les

Er is mij gevraagd wat lessen van jou te nemen op het schakelbord...

Van: Patricia Gillot
Aan: Holly

Dat is onzin, je hebt mijn hulp niet nodig, je weet wat je doet, luister maar niet naar haar. Ze kletst maar wat.

xxx

Van: Holly
Aan: Patricia Gillot
Onderwerp: Lunchpauzes

Trish
Nog nieuws over het proces?
Holly

Van: Patricia Gillot
Aan: Holly

Niet echt, het sleept zich voort, dank voor je hulp schat, dit duurt allemaal al veel te lang. Al die onzin over die mini-misdadigers, ik wil gewoon dat het ophoudt voordat er meer mensen de dupe van worden.
xxx

DINSDAG

Van: Jason GrangerRM
Aan: Holly
Onderwerp: Vakantie

En ga je me nog vertellen over Spanje? Heb je gelachen?

Van: Aisha
Aan: Holly
Onderwerp: Vakantie

En, heb je een beurt gehad?

Van: Holly
Aan: Aisha; Jason GrangerRM

Jason en Aisha
Nee, het was heerlijk rustig, veel zon, lekker eten en goede wijn.
Holly x

Van: Aisha
Aan: Holly; Jason GrangerRM

Daar was je net aan toe! Maar niet te veel hoop ik, je moet nu aan Ivy-poe-perd denken en ik ken jouw moeder en haar ovenschotels, het kost een

maand om er weer eentje af te krijgen.
Aisha

Van: Holly
Aan: Aisha; Jason GrangerRM

Geen paniek, het was erg leuk.

Van: Holly
Aan: Sportschool Maida Vale
Onderwerp: Vernieuwing lidmaatschap

Hai
Ik zou graag mijn lidmaatschap vernieuwen, mijn naam is Holly Denham.
Dank
Holly Denham.

Van: Charlie Denham
Aan: Holly
Onderwerp: Van Charlie

Ik kan me voorstellen dat je daar het gebruikelijke kruisverhoor van Mam hebt gehad – nog gênante vragen?
Charlie

Van: Holly
Aan: Charlie Denham

Het is lastig, ze kunnen het gewoon niet laten om dingen te zeggen als 'jóúw toekomst is tenminste geregeld'. Als ze eens wisten.
Ik denk dat ze dood zouden gaan als ze het wisten. Echt. Ik heb er echt een puinhoop van gemaakt, hè?

Van: Charlie Denham
Aan: Holly

Nou en? Het kan iedereen overkomen en het hoort gewoon bij het leven. Misschien helpt het als je je probeert voor te stellen wat een klerezooi ik er meestal van maak.
Charlie

Van: Holly
Aan: Charlie Denham

Dank je Charlie,
'khou van je x

Van: Alice en Matt
Aan: Holly
Onderwerp: Bedankberichtje

Hoi Holly
Geweldig dat je er was. Arabella en Joseph vonden het heerlijk om hun tante uit Engeland te zien.
Bedankt voor het meenemen van Matts cadeautjes, dat waarderen we zeer.
xxxx succes met je werk, bel me als je kunt.

Van: Holly
Aan: Alice en Matt

Vond het ook geweldig om jullie weer te zien. Geef de kinderen een kus van tante Holly. x
xxxx

Van: Holly
Aan: Jason GrangerRM
Onderwerp: Vakantie in Spanje

Jason
Ja, ik heb gelachen in Spanje – ik vertel het je later, maar raad eens van wie ik een e-mail in mijn inbox had????

Van: Jason GrangerRM
Aan: Holly

Van Simon Cowell*, met de vraag of je naast hem in de verfilming van Cats wil spelen, compleet met rubberen maillot en string?

* 'Gemeen' jurylid van het Amerikaanse en Engelse programma *Idols* dat berucht is om zijn harde oordelen. Gordon probeert hem in de Nederlandse versie te imiteren.

Van: Holly
Aan: Jason GrangerRM

Nee, en het is niet zo'n mooi plaatje dat u daar schetst, meneer Granger.

Van: Jason GrangerRM
Aan: Holly

Een antwoord op de 1000 e-mails die je naar David Hasselhoff hebt gestuurd om hem te vragen zijn grootste fan te vereren met een gesigneerde
gebruikte zwembroek?

Van: Holly
Aan: Jason GrangerRM

GETVER!!!! GENOEG GENOEG!
Nee, hij was van lieve James... Hoe gretig kun je zijn?? Volgens mij gaat dit
verrassend goed!! Wat denk jij?

Van: Jason GrangerRM
Aan: Holly

Het lijkt er in ieder geval wel op. Heb je het op je werk al aan iemand verteld, of is hij nog steeds je geheime minnaar?

Van: Holly
Aan: Jason GrangerRM

Geheime – vriend.

Van: Jason GrangerRM
Aan: Holly

Nu nog wel... Maar het weekend lonkt...
PS Waar zijn de foto's?

Van: Sportschool Maida Vale
Aan: Holly
Onderwerp: Lidmaatschap Sportschool Maida Vale

Beste Holly Denham
Hartelijk dank voor je e-mail
We hebben jouw gegevens bekeken en ontdekt dat je al lid bent van Sport-
school Maida Vale, maar al zes maanden niet meer bent geweest.
Het lijkt er ook op dat je drie maanden achterloopt met je contributie.

Tammy, afdeling Lidmaatschappen

Van: Holly
Aan: Sportschool Maida Vale

Tammy

O, oké, dan wil ik graag mijn lidmaatschap opzeggen, ik denk dat ik beter een sportschool dichter bij huis kan zoeken.

Met vriendelijke groet

Holly

Van: Sportschool Maida Vale
Aan: Holly

Wij zijn gevestigd in Maida Vale, ben je onlangs verhuisd?

Tammy

Van: Holly
Aan: Sportschool Maida Vale

Nee, ik woon nog steeds in Maida Vale, maar het is niet echt dicht bij mijn huis.

Van: Sportschool Maida Vale
Aan: Holly

Wij zitten op Springfield Avenue en het adres dat we van jou hebben is op Springfield Avenue.

Tammy

Van: Holly
Aan: Sportschool Maida Vale

Ja, maar misschien kan ik beter een sportschool zoeken die dichter bij mijn werk is in plaats van mijn huis, dan kan ik meteen uit mijn werk gaan voordat ik moe ben. En jullie hebben ook niet die kleine televisietjes die ik op andere plekken heb gezien die je in de apparaten kunt steken.

Holly

Van: Sportschool Maida Vale
Aan: Holly

Wij hebben wel degelijk televisies, ze tonen een virtuele sportomgeving – alles, van hardlopen tot roeien, terwijl je traint.

Tammy

Van: Holly
Aan: Sportschool Maida Vale

En de serie Neighbours, hebben jullie Neighbours?

Van: Sportschool Maida Vale
Aan: Holly

Nee.

Van: Holly
Aan: Sportschool Maida Vale

Flying Docters?

Van: Sportschool Maida Vale
Aan: Holly

Nee. En ook geen Larry King, Oprah of Rijdende Rechter.

Van: Holly
Aan: Sportschool Maida Vale

Dan denk ik dat ik mijn lidmaatschap gewoon wil OPZEGGEN.
Hartelijk dank.
Holly

Van: Sportschool Maida Vale
Aan: Holly

Prima, maar je moet een maand van tevoren opzeggen, schriftelijk.
Bovendien moet je je contributie tot die tijd betalen.
Hartelijk dank.

Van: Holly
Aan: Sportschool Maida Vale

Prima en ik schrijf nu. Dit is mijn opzegbrief.
Holly

Van: Holly
Aan: Aisha; Jason GrangerRM
Onderwerp: Foto's van vakantie in Spanje
Bijlage: Foto's

Van: Aisha
Aan: Holly; Jason GrangerRM

Is dat alles?

Van: Holly
Aan: Aisha

Nou ja, sorry, maar ik was er maar even en ik was in mijn eentje.

Van: Aisha
Aan: Holly; Jason GrangerRM

Wat een saaie kiekjes, heb je niet één man ontmoet???

Van: Holly
Aan: Aisha; Jason GrangerRM

Ik heb er nog een van mezelf, zwaaiend voor het huis van Alice en Matt (zie bijgaand).

Van: Jason GrangerRM
Aan: Holly

Waar?

Van: Holly
Aan: Aisha; Jason GrangerRM

Hier nog een. Ik zit volgens mij achter de struik.
xx
O en bijgaand een van de geweldige kameleons die Matt heeft gefokt.

Van: Aisha
Aan: Holly; Jason GrangerRM

Ik zweer het je, die nieuwe gast moet echt iets voor je fotoalbum gaan doen, en anders wel voor je seksleven.
Sh*t

Van: Jason GrangerRM
Aan: Holly; Aisha

Doe niet zo gemeen Aisha.
Leuke foto's Holly.

Van: Aisha
Aan: Holly; Jason GrangerRM

Jááá, mijn dag kan echt niet meer stuk.

Van: Holly
Aan: Aisha; Jason GrangerRM

Rot op Aish!
O en ja Jason, ze heeft inderdaad haar uniform ingenomen, dat heeft ze me verteld.
hi hi hi
En nu ga ik naar huis, ik ben vandaag genoeg mishandeld.
x geniet van de sneeuw

Van: Aisha
Aan: Holly; Jason GrangerRM

Liegbeest, het is niet waar baas, echt niet!!!
PS Ik krijg jou nog wel Denham!!!
x

Van: Judy Perkins
Aan: Holly
Onderwerp: Onze afspraak

Holly
Dit is alleen om je eraan te herinneren dat we morgenochtend om 9 uur een afspraak hebben. Vergeet het niet.
Groeten
Judy

WOENSDAG

Van: Patricia Gillot
Aan: Holly
Onderwerp: Goeiemorgen

Voel me k*t. Had gisteravond een ouderwets fikse ruzie over dat proces, ik heb het echt even helemaal gehad.
Hoe was jouw avond?

Van: Holly
Aan: Patricia Gillot

Wat rot voor je, moet een nachtmerrie zijn, hoop dat er binnenkort een einde aan die ellende komt.

xxx

Van: Patricia Gillot
Aan: Holly

Wat heb jij gedaan – ben je wezen stappen?

Van: Holly
Aan: Patricia Gillot

Nee, ben thuis gebleven, gekeken naar American Idol, vreemd gedroomd over alle drie de juryleden.

Van: Patricia Gillot
Aan: Holly

O echt?
Was het een leuke droom?

Van: Holly
Aan: Patricia Gillot

Nou best wel, wilde niet wakker worden.
Sh*t, die afspraak met Judy vergeten, ben weg!

Van: Holly
Aan: Jason GrangerRM
Onderwerp: Heb je nodig Jason, alsjeblieft

Help.

Van: Holly
Aan: Jason GrangerRM
Onderwerp: Waar ben je?

Ik heb advies nodig, meneer de Receptiemanager.
Holly

Van: Jason GrangerRM
Aan: Holly

Ik wilde je net mailen, hoe is het gegaan?

Van: Holly
Aan: Jason GrangerRM

We zaten daar over koetjes en kalfjes te praten terwijl ze me volgoot met koffie, en toen ik er totaal niet meer op voorbereid was zei ze dat ze eerlijk tegen me moest zijn – dat toen ik op vakantie was in zonnig Spanje... het een stuk beter was gegaan. Fijn!
Het komt erop neer dat de inval geen enkel telefoontje had gemist.
Ja, natuurlijk heeft de inval geen telefoontje gemist!!!!!!!!!!!!!!!
Ze heeft geen telefoontje gemist omdat ze niet één keer alleen is gelaten.
Trish heeft haar lange lunch overgeslagen omdat – ik citeer: 'Ik kon Suzy toch niet in haar eentje bij het schakelbord achterlaten.' !!
Dus natuurlijk heeft Suzy geen enkel telefoontje gemist, want ze is nooit in haar eentje geweest...! aaaaaaagh!

Van: Jason GrangerRM
Aan: Holly

Ik snap het niet helemaal – wie is Suzy?

Van: Holly
Aan: Jason GrangerRM

De invaller.

Van: Jason GrangerRM
Aan: Holly

Waarom noem je haar dan niet zo?

Van: Holly
Aan: Jason GrangerRM

Ik ben ooit ook een inval geweest. We hebben wel namen, weet je!

Van: Jason GrangerRM
Aan: Holly

Oké oké, rustig maar. Maar wat deed je toen Judy maar door emmerde over hoe geweldig die inval was, heb je het haar verteld??

Van: Holly
Aan: Jason GrangerRM

NATUURLIJK niet. Ik ben geen klikspaan, ik kon Trish er toch niet bij lappen.

Van: Jason GrangerRM
Aan: Holly

'Ik ben geen klikspaan' 'Kon Trish er toch niet bij lappen' ???
Sorry hoor, maar waar háál je het vandaan?

Van: Holly
Aan: Jason GrangerRM

Kom op, ik meen het, ik zit nog steeds na te trillen van dat gesprek, het was afschuwelijk, zij vindt me waardeloos.
Maar Trish doet dit al een paar weken, ze ontslaan haar als ze erachter komen.

Van: Jason GrangerRM
Aan: Holly

Oké, dus als jij aan Judy vertelt waar Trish mee bezig is... ben jij een kreng en wordt Trish ontslagen.
Als je het haar niet vertelt, word jij ontslagen... Heb je Trish verteld in welke sh*t je tot over je oren zit?

Van: Holly
Aan: Jason GrangerRM

Nee, wil haar niet ongerust maken. Ze heeft al genoeg aan haar hoofd. Kom op – help me, ik ben wanhopig. Zwaai met je toverstokje en zorg dat het allemaal over is. Alsjeblieft.

Van: Jason GrangerRM
Aan: Holly

Holly, ik ga je nu bellen, ga niet zitten snotteren achter die balie, kom op hollybolly.

Van: Jason GrangerRM
Aan: Holly
Onderwerp: Bel me Holly

Bel me als je terug bent op je plek. Heb net geprobeerd jou te bellen, maar je was er niet, maak me echt zorgen.

xxxxx

Van: Patricia Gillot
Aan: Holly
Onderwerp: Dank je

Ongelooflijk dat je dat voor mij hebt gedaan. Ik kan me niet voorstellen dat jij je voor mij al die problemen op de hals hebt gehaald.

Van: Holly
Aan: Patricia Gillot

Hè?

Van: Patricia Gillot
Aan: Holly

Ik heb net gehoord waardoor je in de problemen bent gekomen en het is mijn schuld. Waarom heb je het me niet verteld?????

Van: Holly
Aan: Patricia Gillot

Wie heeft je dat verteld?

Van: Patricia Gillot
Aan: Holly

Iemand die heel erg veel om jou geeft – die heeft net gebeld omdat-ie wel moest, iemand houdt van je liefje, dus word niet boos.

Van: Holly
Aan: Patricia Gillot

Jason heeft je gebeld.

Van: Patricia Gillot
Aan: Holly

Word niet boos, hij is echt een lieverd. Ik kan er niet over uit Hols, kan me maar niet voorstellen dat je dat voor mij gedaan hebt! Ik ga het meteen allemaal regelen, maar eerst moet ik jou een knuffel geven.

xxxxxxxxxxxxx

Van: Holly
Aan: Jason GrangerRM
Onderwerp: Bedankt

Hai Jason

Kon net niet echt praten, sorry als ik nogal bits klonk, ik ben blij dat je je ermee bemoeid hebt, en jij bent de beste vriend die een meisje zich kan wensen, en ik ben echt een bofferd.

x

sorry.

Van: Holly
Aan: Patricia Gillot
Onderwerp: Wat zei ze?

Heb je met Judy gepraat?

Van: Patricia Gillot
Aan: Holly

Ja, ze is naar PZ om te praten.
Maak je geen zorgen, doe ik ook niet.

x

Van: Holly
Aan: Patricia Gillot

Wat zullen ze doen, denk je?

Van: Patricia Gillot
Aan: Holly

Weet ik niet, als het bij de top terecht is gekomen, kan ik het denk ik wel schudden.

Van: Holly
Aan: Patricia Gillot

Dat zouden ze nooit doen, je werkt hier toch zeker al jaren?

Van: Patricia Gillot
Aan: Holly

Zo werkt het nou eenmaal, trouwens, op deze manier kunnen ze van me af zonder een enorme afkoopsom, zetten ze op mijn plaats een of ander dom blondje neer.

Van: Holly
Aan: Patricia Gillot

Dat zouden ze nooit willen, ze weten hoe goed je bent!

Van: Patricia Gillot
Aan: Holly

Echt?
Al die onzin die ik uitkraam over hoeveel tijd het kost om het te leren, ik bedoel, jij hebt het toch ook allemaal snel opgepikt? Soms kom je gewoon met een klap met beide benen op de grond terecht, toch?
Het kan me eigenlijk niet zoveel schelen, krijg alleen de zenuwen als ik eraan denk weer die banenmarkt op te moeten, dat is eng voor een oud meisje als ik.
x

Van: Holly
Aan: Patricia Gillot

Ik vind het zo vervelend voor je Trish, ik wilde niet dat je het hun zou vertellen.

Van: Patricia Gillot
Aan: Holly

Dat weet ik schat, hoe dan ook, moet deze groep even onder handen nemen, zien eruit als een stel kippen zonder kop (of pinguïns).
Geen van hen weet wie de leiding heeft, tok tok tok.
Maar ze komen allemaal van net zo'n school als jij.
ha ha
xx

Van: Holly
Aan: Patricia Gillot

Net zo'n school als de mijne??

Van: Patricia Gillot
Aan: Holly

Ja, jeweetwel, kakmadammen.

Ha ha, ik neem de pinguïns mee de lift in voordat je me kunt slaan. tok tok tok, gna gna gna.

x

DONDERDAG

Van: Holly
Aan: HEM-witgoed
Onderwerp: HEM-WITGOED – Mijn wasmachine

L.S.

Na weer een ochtend wachten tot jullie mijn wasmachine kwamen weghalen, doet het mij deugd te kunnen zeggen dat jullie op de juiste dag arriveerden.

Echter, die meneer vertelde me dat dit een klus voor 'twee mannen' was en dat hij slechts 'één man' was. Hij zei dat ik weer contact met jullie op moest nemen om het ophalen opnieuw in te plannen.

Zie dit voor je: een vrouw in een zwart mantelpakje die achter een balie zit met een hoofd dat vanaf de nek blauw is, zo belachelijk zie ik eruit omdat ik zo boos ben.

Pllllllleeeeeeeeeeeeeeeeeeeeeease regel dit. En zorg er tevens voor dat jullie de volgende keer twee mannen sturen, op de juiste dag.

Holly

Van: HEM-witgoed
Aan: Holly

BETREFT: 9829833
Holly Dinham
Dank u voor uw e-mail.

Uit onze gegevens blijkt helaas dat u in het souterrain van een flat woont en dan zijn er twee mensen nodig om de machine de trap op te tillen. We hadden dit bij het maken van de afspraak moeten weten om ervoor te zorgen dat we het juiste aantal personeelsleden zouden sturen.

Wij maken graag zo spoedig mogelijk een nieuwe afspraak op een datum die u schikt.

Van: Holly
Aan: HEM-witgoed

BETREFT: 9829833

Als u mij had gevraagd of ik in een souterrain woonde dan had ik geant-woord 'ja, ik woon in een souterrain'. Ik dacht per ongeluk dat jullie wis-ten dat ik in een souterrain woonde omdat jullie de machine vorige maand hebben geïnstalleerd; in mijn souterrain.

Het is me gelukt om voor volgende week vrijdag weer een vrije ochtend te regelen. In het belang van mijn baan en alles wat mij heilig is, verzoek ik jullie vriendelijk om er dit keer geen potje meer van te maken.

Groeten

Holly

Van: Charlie Denham
Aan: Holly
Onderwerp: Vergupte designkleding

We hebben vandaag wat inspiratie gehad – jeweetwel, over dat afvoerpro-bleem waar Ron en ik ons het hoofd over hebben gebroken.

Charlie

Van: Holly
Aan: Charlie Denham

Bedruppeld worden is niks, dat kun je aan elk meisje vragen. Je krijgt echt geen 'hitsige kippetjes' (zoals jij ze noemt) op een plek met druppels.

Van: Charlie Denham
Aan: Holly

Precies.

Daarom schilderen we de muren met een dikke, zwarte, plastic verf die ze gebruiken om lekkende plafonds te dichten.

Probleem opgelost hopelijk.

Van: Holly
Aan: Charlie Denham

Trouwens – is er een reden dat je zo vaak mailt? (ik klaag niet) maar jaren-lang weet ik amper waar je mee bezig bent, en nu krijg ik elke week e-mails van je.

Van: Charlie Denham
Aan: Holly

Ik heb altijd contact met je gehouden.

Van: Holly
Aan: Charlie Denham

Nee hoor, dat heb je niet, het geeft niet, ik ben geen zeurende zus, het is
gewoon leuk nu – vroeg me alleen af waarom?

Van: Charlie Denham
Aan: Holly

Oké, afgezien van die moeilijke periode waar je doorheen bent gegaan
(maar ik ben niet goed in dat soort dingen) heb ik toch altijd gebeld?

Van: Holly
Aan: Charlie Denham

Dronken en in de vroege uurtjes ja.

Van: Charlie Denham
Aan: Holly

Dat is toch ook lief?

Van: Holly
Aan: Charlie Denham

Ik zeur ook niet, het is gewoon fijn, dat is alles
Holly

Van: Holly
Aan: Patricia Gillot
Onderwerp: Invaller

Hoe was onze sexy veiligheidsman achter de balie vanmorgen?

Van: Patricia Gillot
Aan: Holly

Hij vertelde me hoe saai de middagdienst in zijn kantoor is (kijken naar
camera's).
Zei dat hij ons moest e-mailen – dat wij hem zouden opvrolijken.
(woef.) ha ha

Van: Holly
Aan: Patricia Gillot

Ondeugende Trish!!
(maar ik doe mee)
Holly
x

Van: Jennie Pithwait
Aan: Holly
Onderwerp: Denk aan zaterdag

Hé liefje,
Vergeet niet wat er zaterdag staat te gebeuren en zorg dat je er bent, juffrouw Denham!

Van: Holly
Aan: Jennie Pithwait

Hé Jen,
Ik heb er ontzettend veel zin in, maar ik weet nog niet zeker of ik kan komen. Heeft Toby al gezegd dat hij komt?
Hols

Van: Jennie Pithwait
Aan: Holly

Geen paniek, Toby komt niet, hij heeft ons laten barsten. Maar de rest komt wel en wil je ontzettend graag weer zien, doe alsjeblieft je best om te komen.
Trouwens, neem je iemand mee? Nog geheime mannen in je leven die je verborgen houdt?

Van: Holly
Aan: Jennie Pithwait

Nog geen mannen, als ik kom, kom ik dus in mijn eentje. X

Van: Jennie Pithwait
Aan: Holly

Super, dan kunnen we samen op jacht.
xx

O ja, zeg maar niks tegen Trisha, want ik heb haar niet uitgenodigd – ik had het anders wel gedaan, maar er komen te veel mensen die ze niet kent en dat zou niet leuk voor haar zijn.

Van: Holly
Aan: Jennie Pithwait

Hartstikke bedankt voor de uitnodiging, ik zal er zijn! Ik denk dat het een geweldige avond wordt.
xx

Van: Holly
Aan: Patricia Gillot
Onderwerp: Alles goed met je?

Al iets gehoord van Judy?

Van: Patricia Gillot
Aan: Holly

Nee. Ze doen allemaal aardig, alsof er niets is gebeurd.
Het is te stil, als je begrijpt wat ik bedoel.
(uit een film, weet niet meer welke)

Van: Holly
Aan: Patricia Gillot

Waarschijnlijk een of andere actiefilm.

Van: Patricia Gillot
Aan: Holly

Ja, vlak voor ze allemaal aan flarden worden geschoten.

Van: Holly
Aan: Patricia Gillot

Of iemand een heerlijke taart brengt en lang zal ze leven zingt?

Van: Patricia Gillot
Aan: Holly

Ik ben niet jarig.
x

Van: Patricia Gillot
Aan: Holly
Onderwerp: Daar gaan we

Het is zover, ik moet naar Judy.

Voor het geval dat, als ik te horen krijg dat ik meteen kan vertrekken, dan heb ik geen zin om hier terug te komen om mijn spullen te pakken. Dat trek ik niet na zoveel jaar, dus kun jij er alsjeblieft voor zorgen, dan bel ik je snel.

xxxxx

Van: Holly
Aan: Patricia Gillot

Natuurlijk.
Succes!
xxx

VRIJDAG

Van: Holly
Aan: Jason GrangerRM
Onderwerp: Ik maak me zorgen...

Trish is niet teruggekomen...

Van: Jason GrangerRM
Aan: Holly

O sh*t, dus je zit daar in je eentje tot ze haar vervangen.
xxx

Van: Holly
Aan: Patricia Gillot
Onderwerp: Vertel

Wat is er gebeurd?

Van: Patricia Gillot
Aan: Holly

O, laat van huis gegaan en toen vastgezeten in de metro – het ging erg langzaam vandaag.

Van: Holly
Aan: Patricia Gillot

Nee, ik bedoel dat gesprek met Judy?

Van: Patricia Gillot
Aan: Holly

Sorry, daar wilde ik niet aan denken. Ze vertelde me dat ik op zoek moet naar een andere baan en dat zij ondertussen voor een nieuwe gaan adverteren. Ik heb het gehad Holly, ik heb het verdomme echt gehad.

Van: Holly
Aan: Patricia Gillot

O Trish, zal ik je even komen troosten?

Van: Patricia Gillot
Aan: Holly

Hou die stinkende kakmadammenreet van je op je stoel en blijf met die stoute schoolhandjes van me af, ik neem je in de maling, ha ha hi hi hiii hiiii.
xxx

Van: Holly
Aan: Patricia Gillot

Trish!!!! JIPPPPIIIEEEEEEEEEEE. Nu krijg je zeker een pakkerd.

Van: Patricia Gillot
Aan: Holly

Judy heeft me een standje gegeven, ze zei dat ik gewoon open kaart had moeten spelen.
Ze houdt het voor zich, aardig hè?

Van: Holly
Aan: Patricia Gillot

Dat is geweldig nieuws, echt super.
Maar blijft dit de draak steken met mijn achtergrond nu voor eeuwig doorgaan?

Van: Patricia Gillot
Aan: Holly

Wel als je woorden als 'draak' gebruikt.

Van: Holly
Aan: Patricia Gillot

Krijg de klere.

Van: Patricia Gillot
Aan: Holly

O konden je schoolvriendinnen je nu maar zien, nog iets langer met je tante Trish en je gaat in elke zin een k-woord gebruiken!

Van: Judy Perkins
Aan: Holly
Onderwerp: Nieuwe werktijden receptie

Beste Holly

Je bent ongetwijfeld al op de hoogte, maar om zeker te zijn van open en heldere communicatielijnen: ik heb met Trisha gesproken en ze heeft me verteld over het gebeuren met haar zoon.

Het is een ongebruikelijke situatie en ik ben ervan overtuigd dat we terwijl de zaak loopt een bepaalde regeling kunnen treffen wat betreft werktijden en bezetting (ik had het alleen heel fijn gevonden als iemand eerder naar me toe was gekomen).

Ik regel de zaak met de mensen boven me, dus ik moet met wat antwoorden komen, hoe kort ook, en dat is iets waar we omzichtig mee om moeten gaan.

Nog iets anders: hoewel ik niet twijfel aan je goede bedoelingen wat betreft het in bescherming nemen van Trisha en jouw loyaliteit als collega, zou ik het erg waarderen als je me de volgende keer de waarheid vertelde.

Overigens, Trisha vertelde me dat de rechtbank maandag uitspraak doet, dus laten we duimen dat de kleine schurken krijgen wat ze verdienen.

Groeten, Judy

Van: Jason GrangerRM
Aan: Holly
Onderwerp: Homocafés/clubs?

Kreeg je bericht, fijn dat Trish oké is.
Zin om vanavond een borrel te gaan drinken met mij en Aish, we zijn vanaf 7 uur vrij???

Van: Holly
Aan: Jason GrangerRM

Kan niet, heb een afspraak met Ivy-poeperd (zoals Aisha hem noemt). Hij belde gisteravond laat op.

Van: Jason GrangerRM
Aan: Holly

Werkelijk? Gretig! En waar gaan jullie naartoe – iets opwindends?

Van: Holly
Aan: Jason GrangerRM

Doe niet alsof dat gewoon een onschuldige vraag is, ik weet wat je in je schild voert.

Van: Jason GrangerRM
Aan: Holly

O, kom op, we gaan mijlenver van je af zitten, je hebt niet eens in de gaten dat we er zijn.

Van: Holly
Aan: Jason GrangerRM

Nee nee nee, als hij jou ontmoet zie ik hem nooit meer. Het gebeurt niet.

Van: Jason GrangerRM
Aan: Holly

Als dit weer een verwijzing is naar 'Ben-avond', die idioot was het sowieso niet waard – dat heb je zelf gezegd!
EN het was een waardeloos restaurant waar hij je mee naartoe heeft genomen, EN – hij zou nooit geweten hebben dat ik er was als jij het hem niet had verteld.

Van: Holly
Aan: Jason GrangerRM

Je bent langs hem gelopen met een placemat op je hoofd.

Van: Jason GrangerRM
Aan: Holly

Nou en! Het was een Chinees restaurant!

Van: Holly
Aan: Jason GrangerRM

En waarom is het dan wel goed?

Van: Jason GrangerRM
Aan: Holly

Weet ik niet – dacht dat ik moest proberen gekrenkt te klinken. (Misschien is het een Chinees gebruik?). Als je mij echt niet in je buurt wilt hebben, begrijp ik dat, dat is okidoki, ik heb gewoon het gevoel dat we uit elkaar groeien, we zien elkaar nooit meer... ik mis je
xxx

Van: Holly
Aan: Jason GrangerRM

We hebben elkaar gisteravond gezien???

Van: Jason GrangerRM
Aan: Holly

Oké, maar we zien elkaar een stuk minder, komt het omdat ik homo ben – schaam je je om mij aan anderen voor te stellen?

Van: Holly
Aan: Jason GrangerRM

O, hou je kop! Ik zal je voorstellen als de tijd daar is.
x

Van: Aisha
Aan: Holly
Onderwerp: Jouw opwindende date

Haihai, succes met de Ivy-lover vanavond, maak er wat moois van.

Vertel Jason niet waar jullie heen gaan, je weet van de vorige keer dat je hem niet kunt vertrouwen. En, naar welke opwindende plek neemt hij je vanavond mee?

Van: Holly
Aan: Aisha

Ten eerste: hou op met het veranderen van zijn bijnaam, ik kan het niet bijhouden, en ten tweede: ik weet dat je nu naast de plannen uitbroedende en konkelende Jason zit, en ook jij krijgt hem in geen geval te zien, niet met die helderrode klauwen van je. Ik heb gehoord dat je de directeur al zover hebt dat hij je op je wenken bedient... Jij komt nog geen tien meter bij James in de buurt!!!

Van: Aisha
Aan: Holly

Jason zit toevallig achter de portiersbalie en het kwetst mij dat jij mij met zoveel dedain behandelt; dat je denkt dat ik me überhaupt zou inlaten met welke konkelarijen tegen jou dan ook. Dat doet echt pijn.

Van: Holly
Aan: Aisha

Aangezien 'dedain' een woord is dat jij nooit zou gebruiken, en ik het Jason wel duizend keer heb horen zeggen, gok ik dat hij op dit moment giechelend achter je staat en aanwijzingen geeft.

Van: Aisha
Aan: Holly

Oké oké oké goochemerd, we wilden alleen maar delen in de feestvreugde van jouw ophanden zijnde avondje – als vrienden.
Je hebt ons gezegd dat we vanavond niet bij je in de buurt mogen komen dus dat doen we niet – maar als we niet weten waar jij naartoe gaat kunnen we je wel per ongeluk tegen het lijf lopen – dat zou pas echt irritant voor je zijn.
xxx

Van: Holly
Aan: Aisha

Oké oké oké, we hebben afgesproken bij Chez Gerard, spannend!!!
Ik wens jullie een fantastische avond, tot volgende week. xxx

Van: Ralph Tooms
Aan: Holly; Patricia Gillot
Onderwerp: Vermaak me

Ik verveel me.

Van: Patricia Gillot
Aan: Holly; Ralph Tooms

Ralph
Het is te laat om je te vermaken, wij zijn weg.
Nu kun je een brave jongen zijn en die veiligheidscamera's in de gaten houden.
Trish

Van: Holly
Aan: Patricia Gillot
Onderwerp: Trish!

Je bent ondeugend!

Van: Patricia Gillot
Aan: Holly

Ja hè?
x
Hé, wat ga je doen – iets leuks?

Van: Holly
Aan: Patricia Gillot

Weet ik nog niet zeker, heb een uitnodiging voor een soort reünie – je-weetwel – via Jennie, maar ik heb de zenuwen, ik ben de laatste tijd een beetje aangekomen, niets past en je zal net zien dat iedereen rijk, beeld-schoon en mager is... Misschien blijf ik wel gewoon thuis met een zak popcorn en video's...

Van: Patricia Gillot
Aan: Holly

Waag het niet, je ziet er geweldig uit! Niet zenuwachtig zijn meisje!
xxx

Van: Holly
Aan: Patricia Gillot

Je bent lief, zo terug, moet me alleen even verkleden – heb straks een afspraak met een vriend in de stad.

xxxx

ZATERDAG

Van: Jason GrangerRM
Aan: Holly
Onderwerp: Dubbele misleiding – achterbakse slet

Ik ben ontsteld bij de gedachte dat jij het blijkbaar nodig vindt je beste vrienden voor te liegen. Alsof ik en Aisha niets beters te doen hebben dan rondsnuffelen in jouw privéleven! (We hebben slechts één uur giechelend achter een plantenbak in Chez Gerard verstopt gezeten toen we ons realiseerden dat we dubbel misleid waren, dus zo slim ben je nu ook weer niet!)

xx Ik bel je later gluiperd!

PS Probeer jij maar eens een uur gehurkt te zitten met een placemat op je hoofd. Het is niet grappig, ik kan amper lopen!

Maand 2, week 3

Van: Holly
Aan: Jason GrangerRM
Onderwerp: Spionnen zijn niet behulpzaam

Betr. jouw e-mail van zaterdag...
Hoop dat je niet meer strompelt. Hi hi hi.
x

Van: Jason GrangerRM
Aan: Holly

Is er dan helemaal geen vertrouwen meer tussen vrienden?

Van: Holly
Aan: Jason GrangerRM

Blijkbaar niet. Hoe was de rest van de avond met Aisha??

Van: Jason GrangerRM
Aan: Holly

Leuk, een zeer grappige avond. Hoe is jouw afspraak verlopen?

Van: Charlie Denham
Aan: Holly
Onderwerp: Herenigde vrienden

Nou, ons slimme idee lijkt niet te werken, die verf is niet opgedroogd, het is kleverig en plakkerig. Er komt nog steeds water door het plafond, maar nu druppelt er een zwarte teerachtige substantie op de mensen.
Hoe was je schoolreünie? Ben je geweest? En is die rotzak van een Toby nog op komen dagen?
Charlie

Van: Holly
Aan: Charlie Denham

Ik ben gegaan omdat Jennie zeker wist dat Toby niet zou komen.

Ze heeft echt een mooi huis, zeer smaakvol en chic, de oude groep van school was er, niemand die je echt kent.

Het was niet makkelijk om vragen te ontwijken en ik besefte dat jij gelijk had gehad, ik had beter niet kunnen gaan. Natuurlijk kwam Toby wel opdagen en toen kwam alles – jeweetwel – die dag, al die dingen, weer bij me boven. Jennie zei dat zij al net zo verbaasd was hem te zien.

En je raadt het nooit – hij KOMT hier ook werken – bij Huerst & Wright – hij begint volgende week!! Ik ben snel na zijn komst vertrokken, kon het niet aan.

Van: Charlie Denham
Aan: Holly

Van alle bedrijven die je had kunnen kiezen voor een receptiebaantje?? Je hebt niet veel geluk de laatste tijd, hè? Wat zei hij eigenlijk?

Van: Holly
Aan: Charlie Denham

Hij zag er geschrokken uit toen Jennie zei dat ik daar ook werkte. Hij zag er echt ontsteld uit en probeerde met me te praten, maar ik ben weggegaan.

Van: Charlie Denham
Aan: Holly

Natuurlijk was hij geschrokken. Met een beetje geluk doet hij misschien weer zo'n verdwijntruc. Heb je ontdekt wat er met hem gebeurd is?

Van: Holly
Aan: Charlie Denham

Ik wilde niet met hem praten en ben snel nadat hij binnen was vertrokken.

Van: Charlie Denham
Aan: Holly

O nou ja, er werken daar zoveel mensen, je komt hem waarschijnlijk toch niet tegen.

Van: Holly
Aan: Charlie Denham

Dat dacht ik ook.

xx
succes met je druipers

Van: Charlie Denham
Aan: Holly

Bedankt
Charlie

Van: Mam en Pap
Aan: Holly
Onderwerp: Single in de grote stad

Ik kwam een oud krantenartikel tegen over relaties en vond het erg interessant...
Het schijnt heel normaal te zijn om single te zijn in grote steden dus je hoeft je nergens zorgen over te maken.

Liefs Mam
xxx

Van: Holly
Aan: Mam en Pap

Dank je Mam,
bedankt hiervoor, maar ik weet dat het oké is om single te zijn in Londen – ik heb er nooit problemen mee gehad, dus je hoeft je geen zorgen te maken.
Xxxx

Van: Mam en Pap
Aan: Holly

Oké, zag alleen dat artikel en wilde dat je tevreden was met jezelf.
xxxx

Van: Holly
Aan: Mam en Pap

DAT BEN IK.
xxx

Van: Patricia Gillot
Aan: Holly
Onderwerp: Drukke dag

Maandaggekte, het wordt druk vandaag, ze blijven maar bellen!

Van: Holly
Aan: Patricia Gillot

Weet ik. Ik had er net twee in de wacht staan en vier nieuwe en een of andere vrouw die 'umde' en 'uhde', kon zich niet herinneren met wie ze vorige week had gesproken – maar moest hem weer spreken – was het een Tim, of misschien een Tom, volgens haar begon het met een T hoewel misschien ook niet en hoe dan ook – 'het was in ieder geval een man, als je daar wat aan hebt?'... ????????????

Van: Patricia Gillot
Aan: Holly

Snap niet waar je moelijk over doet, dan knallen we er toch gewoon aan iedereen een e-mail uit met de vraag wie er vorige week met een vrouw gesproken heeft?

Van: Holly
Aan: Patricia Gillot

Ik zou gewoon willen dat we op dat soort momenten iets konden zeggen als 'ik weet dat dit u als totale waanzin in de oren zal klinken, maar wij hanteren hier het ongebruikelijke beleid om onder de 400 personeelsleden meer dan één man in dienst te hebben.'

Van: Patricia Gillot
Aan: Holly

Of: 'sodemieter op stom k*twijf'?

Van: Holly
Aan: Patricia Gillot

Ja, dat zou ook helpen.

Van: Aisha
Aan: Holly
Onderwerp: Heeft ze wel of heeft ze niet?

Je hebt me nog niets verteld, dus ik gok erop – dat je vrijdag een geweldige avond Ivy wippen bent misgelopen door je als een tuthola te gedragen? Aisha x

Van: Holly
Aan: Aisha

Verkeerd gegokt juffrouw Peters.

Van: Aisha
Aan: Holly

Ik geloof het niet.
x

Van: Holly
Aan: Aisha

Ik heb een fantastische avond met hem gehad en ben zaterdag rond lunchtijd thuisgekomen.
xx
Ik wilde er gewoon nog niet over praten.

Van: James Lawrence
Aan: Holly
Onderwerp: Hoop dat je veilig thuisgekomen bent

Heb erg genoten vrijdag, hoop dat je veilig thuis bent gekomen.

Van: Holly
Aan: James Lawrence

Ja, prima. Ik vond het ook leuk.
Holly

Van: James Lawrence
Aan: Holly
Onderwerp: Vrijdagavond – een belangrijke kwestie uit de wereld helpen

Ik ben je vrijdag vergeten te vragen of je het beneden naar je zin hebt.

Van: Holly
Aan: James Lawrence

Welnu meneer Lawrence,
Wat vriendelijk dat u dat vraagt, ja het is oké, het kan soms echt een gek-
kenhuis zijn met de figuren die we hier binnenkrijgen.
Waarom? Holly

Van: Holly
Aan: Jason GrangerRM; Aisha
Onderwerp: Heb dringend advies nodig!!!!

HELP!!!!
Volgens mij heb ik net een e-mail van James verkeerd begrepen – hij zei
het onderstaande... Is dit een insinuatie of niet????
....
Ik ben je vrijdag vergeten te vragen of je het beneden naar je zin hebt.

Van: Aisha
Aan: Holly; Jason GrangerRM

Zeker weten, wat heb je geantwoord?

Van: Holly
Aan: Aisha; Jason GrangerRM

O k*t, ik heb dit geschreven, wilde brutaal en een beetje flirterig overko-
men...
....
Welnu meneer Lawrence,
Wat vriendelijk dat u dat vraagt, ja het is oké, het kan soms echt een gek-
kenhuis zijn met de figuren die we hier binnenkrijgen.
Waarom?
Holly

Van: Aisha
Aan: Holly; Jason GrangerRM

Nee, daarmee kom je over als iemand die nogal traag van begrip is – terwijl je probeert sexy te klinken. Jeetje Holly!!! Wat heb ik je nou geleerd?

Van: Holly
Aan: Aisha; Jason GrangerRM

Oké, sorry als ik wat achterloop met de Aisha-cursus, maar hou op met dat
goocheme gedoe en help me! Waar is Jason?

Van: Aisha
Aan: Holly; Jason GrangerRM

Hij is een probleem aan het oplossen, dus je zult het met mij moeten doen, graag of niet?

x

Van: Holly
Aan: Aisha; Jason GrangerRM

Graag, maar wat moet ik nou terugschrijven?

Van: Aisha
Aan: Holly; Jason GrangerRM

Wacht even, eerst moet je me de waarheid vertellen, heb je het vrijdag-avond nou met hem gedaan of niet?

Van: Holly
Aan: Aisha; Jason GrangerRM

Dat doet er niet toe, vertel ik je later wel, vertel me nou maar snel wat ik moet zeggen!!

Van: Aisha
Aan: Holly; Jason GrangerRM

Oké oké, ik ga je helpen.
Maar je moet er echt eerst mee voor de draad komen!!!
En vergeet niet, in je volgende e-mail kun je ofwel pervers ofwel – nog er-ger – frigide overkomen.

Van: Holly
Aan: Aisha; Jason GrangerRM

Aisha!!!!
Oké, niet dus, ik heb tegen je gelogen, nou goed!
En nu moet je me vertellen wat ik moet zeggen!!!

Van: Aisha
Aan: Holly; Jason GrangerRM

Oké, je moet antwoorden:
Ja, ik heb het naar mijn zin beneden – hoezo meneer Lawrence – bent u een beetje goed met uw tong?

Van: Holly
Aan: Aisha; Jason GrangerRM

WAT??????????

Van: Aisha
Aan: Holly; Jason GrangerRM

Of:
Ik wil graag beneden blijven zolang dat me opgedragen wordt?

Van: Holly
Aan: Aisha

??????????

Van: Aisha
Aan: Holly

Misschien iets over dat je het leuk vindt om mensen door je ontvangst-ruimte te zien spuiten?

Van: Holly
Aan: Aisha

NEE.

Van: Aisha
Aan: Holly

Trouwens, ik heb mannen altijd het liefst beneden – ik verleen altijd de service die ik zelf graag ontvang????

Van: Holly
Aan: Aisha

Geen van die dingen past echt bij mij, ik denk dat ik het er maar bij laat.

Van: Aisha
Aan: Holly; Jason GrangerRM

Als je dat doet, is de kans groot dat hij je een halve gare vindt, zou ik ten-minste vinden. (op een aardige manier xxx)
Dit kan jouw seksleven maken of breken, als je deze kans niet aangrijpt stuur je ons de rest van je leven plaatjes van hagedissen en bergen.

Van: Holly
Aan: Aisha

Hè?

Van: Aisha
Aan: Holly

Je vakantiekiekjes.

Van: Holly
Aan: James Lawrence
Onderwerp: Trouwens

Ik heb mannen altijd het liefst beneden – ik verleen altijd de service die ik zelf graag ontvang...

Van: James Lawrence
Aan: Holly

?????

Van: Jason GrangerRM
Aan: Holly; Aisha
Onderwerp: Nee WACHT!!!

Holly
Heb net je mails gelezen, mail dat niet naar hem!! Misschien was het wel geen insinuatie, bel hem gewoon eerst op!!! (luister niet naar Aisha)

Van: Holly
Aan: Jason GrangerRM; Aisha

JASON!
DAAR KOM JE NU MEE!!!
IK HEB HET AL GESTUURD
WAT MOET IK NU DOEN????

Van: Aisha
Aan: Holly; Jason GrangerRM

Holly
Ik moet toegeven, ik was er niet 100% van overtuigd dat het een insinuatie was, de kans is groot dat hij er niets mee bedoelde.

Maar volgens mij is het altijd het beste om de eerste stap te zetten. Spannend hè, Holly, ik ben trots op je – vuile sloerie!!!!
liefs Aisha xx

Van: Holly
Aan: Aisha

Aisha, als ik hier vanavond klaar ben, kom ik je opzoeken, berg je maar.

Van: James Lawrence
Aan: Holly
Onderwerp: Klantenservice

Na zorgvuldige overweging heb ik besloten om over vijf minuten naar beneden te komen, ik zou je graag even beoordelen op je klantvriendelijkheid, ik bedoel, je wilt in de toekomst niet te grazen genomen worden door een geheimzinnige klant.

Van: Holly
Aan: James Lawrence

Elke hulp die u mij kunt geven zal met grote dankbaarheid in ontvangst genomen worden meneer Lawrence.

Van: Holly
Aan: Aisha; Jason GrangerRM
Onderwerp: Aisha

Je moest eens weten wat je in gang hebt gezet.

Van: Jennie Pithwait
Aan: Holly
Onderwerp: Feestje zaterdagavond – alles in orde?

Hé, heb je sinds zaterdag niet meer kunnen bereiken, is alles goed met je? Waarom ben je hem gepeerd?

Van: Holly
Aan: Jennie Pithwait

Ik moest weg, had te veel gedronken en wilde je niet in verlegenheid brengen door onder de ogen van je gasten te gaan kotsen, dus het spijt me. Het

was een geweldige avond, ontzettend bedankt dat je me hebt uitgenodigd.
xxx

DINSDAG

Beste Trisha en Holly
Ik hoop dat er snel een einde komt aan dat proces, maar het is wel een nuttige katalysator geweest door een paar belangrijke vragen op te werpen wat betreft het bedienen van het schakelbord en ons huidige rooster, waardoor ik eraan herinnerd werd onze standaard arbeidstijden nog eens te bekijken.

Sommige leden van het management zowel hier als in het buitenland uiten al een tijdje hun bezorgdheid; ze hebben het gevoel dat we om succesvol te concurreren binnen de Londense markt langere diensten aan het schakelbord moeten draaien, vooral omdat een groot deel van onze cliënten uit het buitenland en dan met name Amerika belt. Het merendeel van de staf heeft een eigen nummer, maar we lopen altijd het risico een belangrijk telefoontje te missen, en dus miljoenen te verliezen.

Daarom wil ik graag nieuwe werktijden voorstellen: de vroege dienst begint om half negen en de laatste eindigt rond half 8, uiteraard zullen jullie je diensten moeten roteren.

Ik kan een rooster maken, maar als jullie denken het onderling te kunnen regelen, dan laat ik het graag aan jullie over.

Laat me weten wat jullie ervan denken.

Judy

Nog nieuws?

Ze zouden vandaag uitspraak moeten doen.

Ik heb niet veel hoop dat ze de juiste beslissing nemen.
Trish

Van: James Lawrence
Aan: Holly
Onderwerp: Cursus en evaluatie klantenservice

Holly Denham
Betr: uw evaluatie klantvriendelijkheid
Mijn oprechte verontschuldiging voor het afzeggen van onze afspraak gistermiddag, ik had te veel andere verplichtingen.
Vriendelijke groet
James Lawrence

Van: Holly
Aan: James Lawrence

Meneer Lawrence
U hoeft zich niet te verontschuldigen, ik heb geen behoefte aan uw instructies; ik denk eerder dat u degene bent die zou kunnen profiteren van enige scholing op dit gebied.
Mij is ter ore gekomen dat Judy een paar fantastische cursussen in de aanbieding heeft, u zou moeten overwegen op haar aanbod in te gaan.
Groet
Holly

Van: James Lawrence
Aan: Holly

Holly
Ik ben bang dat ik met geen van Judy's cursussen geholpen ben, maar dat ik meer heb aan een praktijkgerichte benadering en ik ben ervan overtuigd dat een vrouw met jouw kwaliteiten me daar moeiteloos de helpende hand bij kan bieden.
James

Van: Holly
Aan: James Lawrence

James
Daar twijfel ik niet aan, u mag vandaag naar beneden komen wanneer u

maar wilt om tussen Trish en mij plaats te nemen. Ik zal zelfs een schone stoel voor u zoeken om te voorkomen dat er kreukels in dat dure pak van u komen.

Holly

Van: James Lawrence
Aan: Holly

Het komt van Marks & Spencer.

Van: Holly
Aan: James Lawrence

Dat betwijfel ik.

Van: James Lawrence
Aan: Holly

Oké, misschien ook niet.
PS je zou meer lippenstift op moeten doen, ik vind dat we de receptie wat moeten opdellen – en jij?

Van: Holly
Aan: James Lawrence

Ik zal meer lippenstift opdoen als jij die afgrijselijke blingbling manchet-knopen afdoet.

Van: James Lawrence
Aan: Holly

Daar ben je dol op.

Van: Holly
Aan: James Lawrence

Ga weg. Misschien wel.

Van: James Lawrence
Aan: Holly

Ik wist het.

Van: Jason GrangerRM
Aan: Holly
Onderwerp: Waargebeurde chicklitromance????

Nog roddels?

Van: Holly
Aan: Jason GrangerRM

Iets meer contact, het wordt interessant... en jij – hoe was gisteravond?

Van: Jason GrangerRM
Aan: Holly

We zijn uit eten geweest, hebben veel gepraat, vooral over zijn werk maar het was toch leuk. Helaas is hij nu weer voor een week vertrokken, voor werk in het noorden. Arme ik, helemaal alleen.
Heb even een snelle flirt overwogen, maar Hugh blijkt weer terug te zijn bij Jemima, ik ben er kapot van.

Van: Holly
Aan: Jason GrangerRM

Ik weet het, dat gooit echt roet in het eten.

Van: Jason GrangerRM
Aan: Holly

Maarre die James – die lijkt wel potentie te hebben?

Van: Holly
Aan: Jason GrangerRM

Ja.

Van: James Lawrence
Aan: Holly
Onderwerp: Ouders op buitenlandse vakantie

Mijn ouwelui zijn dit weekend weg, ik vroeg me af of je zin had om zaterdag te komen?

Van: Holly
Aan: Jason GrangerRM; Aisha
Onderwerp: O jee

Sh*t, hij woont bij zijn ouders, dat is zó fout – hoe kan dat nou????

Van: Jason GrangerRM
Aan: Holly; Aisha

dump hem, rennen, hij is dol op zijn mammie, houdt waarschijnlijk ook van pruiken.

Van: Holly
Aan: Jason GrangerRM; Aisha

Pruiken?

Van: Jason GrangerRM
Aan: Holly; Aisha

Die gast uit die Psycho-films droeg ze, maar je moet er hoe dan ook een eind aan maken voordat hij je gaat vragen hem 'kleine Jamie' te noemen en je zaterdagavond aan huis gebonden bent en luiers verschoont en hem billenkoek geeft voordat Bob de Bouwer begint.

Van: Holly
Aan: Jason GrangerRM; Aisha

Alleen omdat hij bij zijn ouders woont?

Van: Jason GrangerRM
Aan: Holly; Aisha

Ja.

Van: Holly
Aan: Jason GrangerRM; Aisha

Echt?

Van: Jason GrangerRM
Aan: Holly; Aisha

NEE! NATUURLIJK NIET, DENK TOCH EENS NA!!!
Er is niets mis met bij je ouders wonen, volgens mij woont zelfs Sylvester Stallone nog bij zijn mammie.

Van: Aisha
Aan: Holly; Jason GrangerRM

Ha jongens
Vond dat ik ook wat moest bijdragen, allemaal leuk en aardig – maar kom
op Jason, het is niet erg sexy en loopt hij niet tegen de 40?
Ze weet het zeker als ze eenmaal zijn slaapkamer ziet, want als die vol
hangt met posters van Mam en er ergens een treintje rijdt: wegwezen.
Akkoord?

Van: Jason GrangerRM
Aan: Holly; Aisha

Aisha is gewoon chagrijnig... vanwege gisteravond.

Van: Holly
Aan: Aisha; Jason GrangerRM

O liefje, wat is er gebeurd?

Van: Aisha
Aan: Holly; Jason GrangerRM

Ik heb een of andere gast ontmoet in een club en we eindigden bij hem
thuis – jeweetwel, net als jij.

Van: Holly
Aan: Aisha; Jason GrangerRM

Nee.

Van: Jason GrangerRM
Aan: Aisha; Holly

Nee.

Van: Aisha
Aan: Holly; Jason GrangerRM

Oké, net als ik, maar ga alsjebieft niet zo opgefokt doen want dan vertel ik
niets.

Van: Holly
Aan: Aisha; Jason GrangerRM

Oké oké oké, sorry, vertel... xxxx

Van: Aisha
Aan: Holly; Jason GrangerRM

Ik ben bij hem thuis en ik was die avond zeer pikant van huis gegaan, je-weetwel, mijn haar ontkruld, mijn groene lenzen extra twinkelend en nogal op stoom. Dus we zijn bij hem thuis en we rotzooien wat en ik kom omhoog en zie in het licht van de maan zijn gezicht en hij kijkt alsof hij een spook heeft gezien, met afschuw vervuld, en ik zie mijn spiegelbeeld, en mijn haar staat alle kanten op (helemaal kroezig door de hitte in de club), grote zwarte mascaravlekken onder mijn ogen, waarvan er trouwens één groen en één bruin is.

Van: Jason GrangerRM
Aan: Holly; Aisha

Een heks!

Van: Aisha
Aan: Holly; Jason GrangerRM

Dat kun je wel zeggen, ja. Al snel daarna kwam hij met de smoes dat hij op tijd naar bed moest en ging ik weg. Zeer sneu, en dan zit ook nog een van mijn favoriete contactlenzen vast in het ondergoed van een of andere gast in Putney. Zonde. Eeuwig zonde.

Van: Holly
Aan: Aisha; Jason GrangerRM

Ik zit met mijn mond vol tanden. Ik hou van je Aish, en ik vind je sowieso leuker met bruine ogen.

xxx

Van: Holly
Aan: Holly
Onderwerp: Concept – Aan James, betr.: zaterdagavond

Ik weet niet zeker of ik zaterdagavond kan, ik had eigenlijk al plannen, kan je overdag wel ontmoeten???

Van: Jennie Pithwait
Aan: Holly
Onderwerp: Stappen met de meiden

Heb je zin om zaterdag de hort op te gaan?
Een avondje aan de zwier?

Van: Holly
Aan: Jennie Pithwait

Hai
Klinkt geweldig, hopelijk kan ik mee, wanneer moet je het uiterlijk weten?
Holly

Van: Jennie Pithwait
Aan: Holly

Nu.
Wat kan er in hemelsnaam belangrijker zijn dan een VIP-tafel bij Chinawhite?
Jennie

Van: Holly
Aan: Jennie Pithwait

Niets, maar ik moet naar mijn oom zaterdag (hij is jarig) en misschien kan ik daar niet op tijd wegkomen.

Van: Jennie Pithwait
Aan: Holly

Dat is geen probleem, we gaan daar pas om 11 uur heen.

Van: Holly
Aan: Jennie Pithwait

O, oké, ik denk dat ik dan wel klaar ben. Gaat iedereen mee?

Van: Jennie Pithwait
Aan: Holly

Natuurlijk, maar geen jongens, nou, in ieder geval niet in het begin.
Je moet komen, jij bent ondersteunend personeel – en na een paar flessen Champie heb ik je steun hard nodig!!
Jennie

Beste Holly

Je bent halverwege je proeftijd en het lijkt allemaal goed te gaan.

Mocht je met vragen zitten of advies nodig hebben waar onze afdeling je mee kan helpen, aarzel dan niet contact op te nemen.

Groeten

Roger Lipton

Van: Holly
Aan: Roger Lipton

Beste Roger

Nee, geen vragen, afgezien van het voor de hand liggende – hoe doe ik het enz?

Vriendelijke groet

Holly

Van: Roger Lipton
Aan: Holly

Beste Holly

Het is niet aan mij om in deze fase feedback te geven, maar blijf je uiterste best doen en luister naar hoger geplaatsten.

Als je het gevoel hebt dat wij je op enige wijze kunnen helpen bij het verbeteren van je vaardigheden of concentratievermogen op deze positie, laat het me dan weten.

Roger

WOENSDAG

Van: Oma
Aan: Holly
Onderwerp: Verliefde meisjes

Holly

Ik heb ooit hartstochtelijk gezoend met een meisje op school. Ik kan niet zeggen dat het beter was dan zoenen met je opa, maar ik kreeg er een ondeugend gevoel van. Ik wil alleen maar zeggen dat jouw oude oma niet zo saai is als sommige mensen denken.

Ik heb een goed leven gehad Holly, en volgens mij moet jij gewoon doen waar je zin in hebt.

xxxx

Van: Holly
Aan: Oma

Bedankt Oma.
Ik ben erg gelukkig op het moment, het lijkt allemaal erg goed te gaan, en bedankt voor de goede raad.
x liefs Holly

Van: Holly
Aan: Jason GrangerRM
Onderwerp: Ben gedumpt

Mogge
Ik heb tegen hem gezegd dat ik hem zaterdag overdag wil zien, (maar niet 's avonds) en hij heeft nog niet geantwoord...? Wat denk jij?

Van: Jason GrangerRM
Aan: Holly

Het klinkt alsof je een resolute verklaring hebt afgelegd – 'blijf met je handen van mijn zijden ponnetje af'.

Van: Holly
Aan: Jason GrangerRM

Ik wil gewoon geen risico's nemen. We werken namelijk wel samen, ik wil niet de bedrijfssloerie worden.

Van: Jason GrangerRM
Aan: Holly

Dan hoef je je niet druk te maken.

Van: Holly
Aan: Jason GrangerRM

Bovendien ga ik zaterdagavond misschien wel stappen met Jennie en haar vriendinnen.

Van: Jason GrangerRM
Aan: Holly

Heb je haar al van James verteld?

Van: Holly
Aan: Jason GrangerRM

Nee, ik denk niet dat dat een goed idee is, ik krijg de indruk dat ze hem haat. Ik denk dat ik veel beter met Jennie overweg kan als ik single ben.

Van: Jason GrangerRM
Aan: Holly

Maar dat ben je niet.

Van: Holly
Aan: Jason GrangerRM

Wel een soort van.

Van: Jason GrangerRM
Aan: Holly

Niet.

Van: Holly
Aan: Jason GrangerRM

Oké, ergens daartussen, het is de bedoeling dat je het gewoon met me eens bent. xxx

Van: Jason GrangerRM
Aan: Holly

Waarom mag Jennie hem niet, daar moet een of ander verhaal achter zitten?

Van: Holly
Aan: Jason GrangerRM

Nee, niet, ik heb het aan James gevraagd, hij zag er gekwetst uit toen ik vertelde dat zij hem niet aardig leek te vinden.

Van: Jason GrangerRM
Aan: Holly

Klikspaan.

Van: Holly
Aan: Jason GrangerRM

Weet ik!

Het was eigenlijk niet de bedoeling. Ik vroeg hem of ze het goed met elkaar konden vinden en toen hield hij er niet meer over op. Hij zei dat ze geen vrienden of zo waren, maar dat hij niet snapte waarom ze hem niet mocht.

Misschien viel ze wel op hem?

Ze is erg knap, ik hoop dat ze niet op hem valt?? O, misschien is zij hem nu pas opgevallen. O god, ze valt op hem, hè?? Wat denk jij??

Van: Jason GrangerRM
Aan: Holly

Ik denk dat je mij niet nodig hebt als je vragen stelt en die zelf beantwoordt, dus waarom laten we 'Holly's Uurtje' nu niet even voor wat het is en praten even snel bij in 'Jasons 5 minuten'?

Van: Holly
Aan: Jason GrangerRM

O, sorry, ik was vergeten dat het de laatste avond van jouw week met jouw meneer was.

Hoe is het gegaan?

Van: Jason GrangerRM
Aan: Holly

Het was leuk, heel leuk – jaaaaaaaaaaaaaaaaaaaaaaaaaaaaaaaaaaaaaaaaaaaaa-aaaaaaaaaaaaaaaaaaaaaaaaaaaaazeker wel.

Wil je echt alle gore sexy details weten?

Van: Holly
Aan: Jason GrangerRM

Weet ik niet zeker... Geintje, ik wil het graag horen!

Van: Jason GrangerRM
Aan: Holly

Liegbeest! ... ik ga ze trouwens toch niet aan jou verspillen, vertrouw ze liever toe aan waarderende homo-oren. (Zie je me al pruilen, mijn hoofd omdraaien en op een bijzonder verwijfde manier wegbenen?)

Van: Holly
Aan: Jason GrangerRM

Ja. Fabuleuze aftocht schat.
x

Van: Holly
Aan: Patricia Gillot
Onderwerp: Ik heb al mijn nagels afgebeten

En... VERTEL! Hoe is het gegaan?

Van: Patricia Gillot
Aan: Holly

Bedankt dat je me gisteren weer gedekt hebt, je vindt het vast fijn om te horen dat het afgelopen is en dat ze hun verdiende loon hebben gekregen, de ergste exemplaren zijn een paar jaar van de straat.
Ze hebben hem geen moord ten laste gelegd, maar we weten dat hij gigantisch veel schietpartijen op zijn geweten heeft. Maar toch, jeminee, ik ben zo opgelucht schat, ik kan je niet vertellen hoe blij ik ben dat ik niet meer tegen zijn gemene duivelse gezichtje hoef te kijken.
xxx

Van: Holly
Aan: Patricia Gillot

Dat is geweldig!!! Oké, dus alles is weer gewoon, terug naar school enz?

Van: Patricia Gillot
Aan: Holly

Ja, die knul van mij heeft juist gehandeld en ik ben trots op hem.
Ik zou hem alleen zo graag naar die school sturen waar jij me over verteld hebt, die al die prijzen heeft gewonnen.

Van: Holly
Aan: Patricia Gillot

Zou je kunnen doen, als hij zich tot het jodendom bekeerde – volgens mij is het alleen voor orthodoxe joden?

Van: Patricia Gillot
Aan: Holly

Toch zou het de moeite waard zijn.

Van: Holly
Aan: Patricia Gillot

O, en zijn geslacht, volgens mij is die school alleen voor meisjes.

Van: Patricia Gillot
Aan: Holly

Iets lastiger, maar toch.
Hé, twijfel een beetje over die late diensten, wat vind jij?

Van: Holly
Aan: Patricia Gillot

Ik vind het niet erg om af en toe laat te werken.

Van: Holly
Aan: Charlie Denham
Onderwerp: Exclusieve beroemdhedennachtclub?

En wanneer kan ik nou gaan opscheppen en alle meiden van kantoor naar je toesturen? Hoe lang mag mijn gastenlijst zijn??

Van: Charlie Denham
Aan: Holly

Kan nog wel even duren.
We hebben die gezondheids- en veiligheidsinspecteurs weer over de vloer gehad en door al dat water dat langs de muren loopt, hebben ze nu een probleem met die metalen lampenkappen die we gekocht hebben en willen ze dat alle bedrading geïsoleerd wordt, o en ze willen dat een 'echte' elektricien de bedrading doet, iemand met bepaalde papieren.
Gesodemieter.

Van: Jason GrangerRM
Aan: Holly
Onderwerp: Vrienden gezocht

Ik moet vanavond met je praten, ik maak me een beetje zorgen over Aisha.

Van: Holly
Aan: Jason GrangerRM

Zorgen waarover? Is alles goed met haar?

Van: Jason GrangerRM
Aan: Holly

Ja hoor, het gaat gewoon over waar ze volgens mij mee bezig is, ik vertel het je later.

Van: Holly
Aan: Jason GrangerRM

Nee nee, je kunt me niet zo in spanning laten zitten, wat voert ze in haar schild, en weet je het zeker?

Van: Jason GrangerRM
Aan: Holly

Ik denk het wel, ik wil je er niet over mailen, ik bel je straks.

Van: Holly
Aan: Jason GrangerRM

Oké.
x

DONDERDAG

Van: Patricia Gillot
Aan: Holly
Onderwerp: Dingen zien

Niet meteen kijken, maar ik weet zeker dat een van die kinderen die vrijgesproken is buiten aan de overkant van de weg zit.

Van: Holly
Aan: Patricia Gillot

Weet je dat zeker?

Van: Patricia Gillot
Aan: Holly

Volgens mij wel. Ga niet naar buiten.

Van: Holly
Aan: Jason GrangerRM
Onderwerp: Rotkerels

Ik ben vandaag naar kantoor gerend om te kijken of hij geantwoord had, maar nog steeds niets.

Dit is k*t, k*t, k*t, hij is een seksbeluste klootzak die maar aan één ding kan denken, die alleen maar in mij geïnteresseerd is om erachter te komen wat een receptioniste onder de balie draagt. Hij is een vieze, gemene, egoïstische, perverse zak.

Van: Holly
Aan: Shella Hamilton-Jones
Onderwerp: telefoontje

Shella
Jane Jenkins' dochter belde net, ze zei dat haar moeder haar zo snel mogelijk terug moest bellen.
Vriendelijke groet
Holly

Van: Holly
Aan: Jason GrangerRM
Onderwerp: En nog wat

Een zak die alleen maar harten breekt. Een gemene, kwetsende rokkenjager zonder ruggengraat.
Het leven is klote.
Die vlinders zitten weer in mijn buik en dat is zijn schuld, ik vind het afschuwelijk om me zo te voelen. Hij is een op je hart trappend verrot ei, die alleen maar de hele dag rondstampt op harten, dat is-ie.

Van: James Lawrence
Aan: Holly
Onderwerp: Zaterdag

Hai Holls, praat je niet meer tegen me?
Ik wilde alleen iets weten over zaterdag?
J

Van: Holly
Aan: Jason GrangerRM
Onderwerp: O nee!

O sh*t, o jee, o megak*t, ik heb dat antwoord nooit naar hem gestuurd, ik heb een kladje voor mezelf gemaakt... klojojo.

Van: Jason GrangerRM
Aan: Holly

Dus hij is niet langer een verrot ei?

Van: Holly
Aan: Jason GrangerRM

Nee, geen verrot ei. Hij is geweldig. xxx

Van: Holly
Aan: James Lawrence
Onderwerp: Zaterdag

Ik kom graag zaterdag, geweldig, wat een ontzettend goed idee zeg, weet niet zeker of ik 's avonds kan, ik heb waarschijnlijk al iemand iets beloofd, maar dat is niet van levensbelang.
Holls x

Van: Shella Hamilton-Jones
Aan: Holly
Onderwerp: Telefoontje

Welke dochter?????

Van: Holly
Aan: Patricia Gillot
Onderwerp: Help

O sh*t, ik heb een stommiteit begaan, help... iets met De Ville.

Van: Patricia Gillot
Aan: Holly

Probeer het nou niet schattig te laten klinken, heeft geen zin – daar is dat duivelse kreng niet gevoelig voor. Wat heb je gedaan liefie?

x

Van: Holly
Aan: Patricia Gillot

Nou, ik zat te wachten op een antwoord van een bepaald iemand over een afspraak, en ik was echt bezorgd en in de war enz., en ik kreeg vanmorgen vroeg een telefoontje van iemand die zei dat ze Jane Jenkins' dochter was en of ze haar onmiddellijk terug wilde bellen.
Ik heb geprobeerd Jane te bellen, maar ze is de hele ochtend weg, dus ik liet een boodschap achter op de voicemail van haar secretaresse... Shella, en stuurde haar ook een e-mail. Het probleem is, er is meer dan één dochter, weet niet welke het was.

Van: Patricia Gillot
Aan: Holly

Waarom heb je niet gevraagd hoe ze heette??

Van: Holly
Aan: Patricia Gillot

Omdat ik in de rats zat, en ook omdat ik waarschijnlijk zo bang werd toen ik de naam Jane Jenkins hoorde dat ik begon te trillen, en haar niet te veel vragen wilde stellen omdat ze dan ongetwijfeld over me zou gaan klagen, en dan... ik bedoel, zij moet toch zeker weten dat ze zussen heeft, zij weet toch wel dat ze geen enig kind is... ik bedoel, hoe dom kun je zijn!!!
Ze zei alleen dat ze Jane Jenkins' dochter was en of Jane haar terug kon bellen, ik had geluk dat ik haar achternaam nog kon verstaan... O héééé-éllllppp.

Van: Patricia Gillot
Aan: Holly

Als het dringend is, weet Jane Jenkins vast wel om welke dochter het gaat, dus geen paniek, en ik zou toch denken dat ze hun nummer kent. Maar Cruella zal het allemaal weer verschrikkelijk opblazen.
Je kunt er niet meer onderuit, tenzij je je naam verandert en emigreert.

x

Van: Holly
Aan: Shella Hamilton-Jones
Onderwerp: Telefoontje

Shella

Mijn oprechte excuses, het bewuste meisje zei alleen dat ze haar dochter was en praatte heel snel. Ik nam aan dat ze er maar één had, omdat ze volgens mij anders wel haar naam had gegeven.

Het spijt me ontzettend, misschien kan ze hen allebei proberen?

Hartelijke groeten

Holly

Van: Shella Hamilton-Jones
Aan: Holly

Ze heeft er drie, en met een van hen praat ze niet meer. Dus nee, zo makkelijk is het niet, het is een blunder. Eersteklas.

Van: Mam en Pap
Aan: Holly
Onderwerp: Dringend

Holly

Hou jij van lavendelpotpourri?

Liefs Mam

Van: Holly
Aan: Mam en Pap

Wat?

Van: Mam en Pap
Aan: Holly

Lavendelpotpourri, hou je daarvan, en zeg niet alleen 'wat', dat is onbeleefd schat. Mam

Van: Holly
Aan: Mam en Pap

Sorry Mam, ik zit hier een beetje in de stress, waarom wil je dat weten over lavendelpotpourri?

Liefs Holly

Van: Mam en Pap
Aan: Holly

Voor je verjaardag, ik weet dat het nog niet zover is, maar voor je het weet is het wel zover, en we moeten iets versturen, en dat gaat wel een tijdje duren nu de post naar Engeland zo slecht werkt en dus hebben je vader en ik geprobeerd iets te bedenken wat licht is en we per post kunnen versturen. En toen bedacht ik die potpourri, want dat is licht en ruikt lekker.
Wat vind je?
Mam x

Van: Holly
Aan: Mam en Pap

Ik vind het een prachtig idee Mam.
Dank je. x

Van: Holly
Aan: Holly
Onderwerp: NIET VERGETEN

Lavendelpotpourri? Is Mam in orde?

Van: Jason GrangerRM
Aan: Holly
Onderwerp: Jouw vriendin

Heb je al met Aisha gepraat?

Van: Holly
Aan: Jason GrangerRM

Ja, ik heb haar nog even kunnen spreken voordat ik naar bed ging, maar echt Jason, als ze dat al doet, heeft ze het niet aan mij bekend, misschien is het je verbeelding?

VRIJDAG

Van: Holly
Aan: Patricia Gillot
Onderwerp: Nieuwe baan voor Ralph

Hoihoi
Hoe was je ochtend – ging het wel?

Van: Patricia Gillot
Aan: Holly

Prima. Ralph heeft het maar net gered, hij kan er niet zo goed tegen als mensen het hem moeilijk maken. Je ziet de spieren onder zijn uniform verstrakken, hij zou het liefst opstaan en ze in elkaar slaan.

Van: Holly
Aan: Patricia Gillot

Opbollende spieren onder zijn uniform?? Het lijkt wel of er hier iemand op iemand valt?

Van: Patricia Gillot
Aan: Holly

Hij is mooi en je weet wat ik vind van mannen in uniform. Ik heb die gouden knopen eraf voordat jij met je ogen hebt kunnen knipperen.

Van: Holly
Aan: Patricia Gillot

Patricia!

Van: Patricia Gillot
Aan: Holly

Als jij de lift in de gaten houdt, heb ik hem binnen de kortste keren op die salontafel.

Van: Holly
Aan: Patricia Gillot

Wat heb jij vandaag!!

Van: Patricia Gillot
Aan: Holly

Het zijn m'n hormonen!
xxx

Aan de manager

Misschien is het mijn optimistische aard, maar ik hoopte dat jullie na drie mislukte pogingen om mijn defecte wasmachine weg te halen er deze keer wel in zouden slagen mij het juiste aantal mannen te sturen, op de juiste dag van de week, en dat het hun wellicht zou lukken mijn machine uit mijn keuken te verwijderen.

Er kwamen twee mannen, op de juiste dag, maar klaarblijkelijk zonder de steekkar die voor mijn bijzondere klus 'vereist' was.

Oké, als jullie je wasmachine niet voor onze flat op straat willen vinden, stel ik voor dat jullie het juiste aantal 'specialisten' sturen met het juiste gereedschap op de perfecte dag van de week, o en herinner hen er alstublieft aan met een bestelauto te komen, want ik vermoed dat ze die nodig hebben om hem thuis te brengen, en een plattegrond, een kompas, een volle tank en misschien een thermoskan koffie om ze aan de gang te houden.

O en mijn naam is Holly Denham, hoewel jullie me ongetwijfeld in de boeken hebben staan onder Dinham.

x Holly

Geef me een seintje als je binnen bent, ik weet zeker dat Aisha iets met die gast gedaan heeft, maar ik heb ook het vermoeden dat ze het met mijn baas doet. Kun je geen hobby voor haar vinden?

2???? Ik beloof je dat ik vanavond met haar zal praten, ze bedoelt het niet kwaad, ik weet zeker dat ze gewoon niet beseft in welke moeilijke positie jij daardoor zou kunnen komen.

Holly x

Kop op, het is vrijdag!

Van: James Lawrence
Aan: Holly
Onderwerp: Zeer belangrijk

Truth or dare?

Van: Holly
Aan: James Lawrence

Pardon?

Van: James Lawrence
Aan: Holly

Ik zei 'truth or dare?'

Van: Holly
Aan: James Lawrence

Hallo Holly,
Hoe gaat het met je Holly?
Of zelfs Goedemiddag Holly.
Meestal begint men een gesprek met een soort begroeting.

Van: James Lawrence
Aan: Holly

Goedemiddag juffrouw Denham.
Truth or Dare?

Van: Holly
Aan: James Lawrence

Vervelen we ons? Uitgevoetbald met de handelaren?

Van: James Lawrence
Aan: Holly

Hoor je die dingen beneden dan?
Maar dat was ik niet, hoor. Handelaren: ze kunnen zo kinderachtig zijn,
eentje doet het goed en ze beginnen een wereldkampioenschap, op mijn
afdeling zijn we een stuk volwassener.
En, komt Holly nou buiten spelen of niet?

Van: Holly
Aan: James Lawrence

Ik zeg niet dat ik meespeel, maar: 'dare'.

Van: James Lawrence
Aan: Holly

Ik daag je uit om likkend aan een lolly langs mijn bureau te lopen.

Van: Holly
Aan: James Lawrence

Viezerik.

Van: James Lawrence
Aan: Holly

En, neemt u deze uitdaging aan juffrouw Denham?

Van: Holly
Aan: James Lawrence

Nee. Ik dacht trouwens dat we dit geheim zouden houden?

Van: James Lawrence
Aan: Holly

Wat geheim zouden houden?
Hoe dan ook, er lopen de hele dag lollie likkende meisjes langs mijn bureau, niemand zal er raar van opkijken.

Van: Holly
Aan: James Lawrence

Je zou hen eens ernstig toe moeten spreken, zeggen dat ze je hielen kunnen likken.

Van: James Lawrence
Aan: Holly

Schei uit met die onzin juffrouw Denham, is het ja of is het nee?

Van: Holly
Aan: James Lawrence

Nee.

Van: Jennie Pithwait
Aan: Holly
Onderwerp: Cocktails en champagne

Holly

We zijn nu met z'n zessen zaterdagavond. Leuk dat je komt, het wordt eerst bubbels dan cocktails dan dansen (of in ieder geval proberen), te beginnen om 8 uur bij Henry.

xxx

Van: Holly
Aan: Jennie Pithwait

Super Jen, hopelijk kan ik erbij zijn, moet alleen voor die tijd ergens heen, maar zou er rond 8 uur wel kunnen zijn.

x

Van: Patricia Gillot
Aan: Holly
Onderwerp: Jouw nieuwe kerel

Wie is 'een bepaald iemand' trouwens?

Van: Holly
Aan: Patricia Gillot

Welk bepaald iemand?

Van: Patricia Gillot
Aan: Holly

Die in je e-mail van gisteren. Je zei dat je zat te wachten op een antwoord van een bepaald iemand over een afspraak.

Van: Holly
Aan: Patricia Gillot

Gewoon een gast die ik een tijdje geleden op een feestje heb ontmoet, aardig wel.

Van: Patricia Gillot
Aan: Holly

O, juist, gaat het goed?

Van: Holly
Aan: Patricia Gillot

Tot nu toe wel...

Van: Patricia Gillot
Aan: Holly

En waar werkt hij?

Van: Holly
Aan: Patricia Gillot

Bij een scheepvaartmaatschappij.

Van: Patricia Gillot
Aan: Holly

En doet wat?

Van: Holly
Aan: Patricia Gillot

Spullen verschepen.

Van: Patricia Gillot
Aan: Holly

Wat voor spullen?

Van: Holly
Aan: Patricia Gillot

Voornamelijk elektrische apparaten, hij werkt op de afdeling elektronica.

Van: Patricia Gillot
Aan: Holly

Televisies en telefoons en playstations en zo?

Van: Holly
Aan: Patricia Gillot

Ja.

Van: Patricia Gillot
Aan: Holly

Waar verscheept hij die naartoe?

Van: Holly
Aan: Patricia Gillot

Weet ik niet, er zijn blijkbaar landen die er behoefte aan hebben, en landen die ze verkopen, en hij stuurt ze van het ene naar het andere, in schepen, grote schepen.

Van: Patricia Gillot
Aan: Holly

Wat een l*lkoek! Je hebt gewoon verkering met meneer James Lawrence, jeweetwel, die man die elke keer naar je knipoogt als hij denkt dat ik met iemand aan het praten ben.

Hi hi hi
x

Van: Holly
Aan: Patricia Gillot

Hoe heb je dat gezien?
Maar dit is een héél groot geheim, vertel het alsjeblieeeeeeeeeeeft aan niemand???
Dat heb je toch nog niet gedaan, hè?

Van: Patricia Gillot
Aan: Holly

Weet Jennie het?

Van: Holly
Aan: Patricia Gillot

Nee, en ik wil ook niet dat ze het weet.
xx

Van: Holly
Aan: James Lawrence
Onderwerp: Bedankt

Erg aardig van je, maar ook een hele doos kan er niet voor zorgen dat ik de uitdaging aanneem.

Van: James Lawrence
Aan: Holly

Spelbreker.

Van: Patricia Gillot
Aan: Holly
Onderwerp: Lolly's

Van wie heb je die???? James?

Van: Holly
Aan: Patricia Gillot

Hij denkt dat hij leuk is.

Van: Patricia Gillot
Aan: Holly

Dat is ook zo schat, geef me een rode voordat je vertrekt.
xx

Van: Shella Hamilton-Jones
Aan: Holly
Onderwerp: Gesprek

Beste Holly
Ik kom zo naar beneden en ik moet met je praten. Hoe laat ben je vandaag klaar?
Shella

Van: Jason GrangerRM
Aan: Holly
Onderwerp: Horrorfilms

Tussen twee haakjes, laat je mobiel aanstaan als je bij hem thuis bent, gewoon voor het geval hij toch een beetje vreemd blijkt te zijn.
Ik zeg niet dat dat zo is.
xxx

Van: Charlie Denham
Aan: Holly
Onderwerp: Toby

Succes maandag. Geef me een seintje astie je aankijkt, dan legtie in een wip onder de groene gladiolen.

xxxx

Maand 2, week 4

MAANDAG

Van: Jennie Pithwait
Aan: Holly
Onderwerp: Zaterdagavond

Waar was je nou?????

Van: Holly
Aan: Charlie Denham
Onderwerp: Gangsterfilm

Las je e-mail – bedoelde je onder de groene zoden?

Van: Charlie Denham
Aan: Holly

Hai Holls
Was dronken zondag. Toen ik dat schreef was ik volgens mij zelfs een accent aan het nabootsen – dat accent dat ik meestal gebruik als ik moet onderhandelen met loodgieters en elektriciens (zodat ze denken dat ik wel tof ben en me niet afzetten).
Charlie

Van: Holly
Aan: Charlie Denham

Jij zei tegen me dat ze je altijd afzetten.

Van: Charlie Denham
Aan: Holly

Natuurlijk doen ze dat, want ze zien een of andere kakkerige knul een accent nadoen en verdubbelen dan onmiddellijk hun prijzen.
Heb je Toby vanmorgen al gezien?

Van: Holly
Aan: Charlie Denham

Hij kwam langslopen, maak je niet druk, geen probleem. x

Van: Holly
Aan: Jennie Pithwait
Onderwerp: Zaterdagavond

Het spijt me, ik was op de verjaardag van mijn oom en ze bleken een sur-priseparty voor hem te hebben georganiseerd (wat ik niet wist) en dat duurde uren en ik kon niet wegkomen... Sorry.
Hoe was het, wat heb ik gemist?
Holly

Van: Holly
Aan: James Lawrence
Onderwerp: Bankjongetje

Is er een bankier in de zaal?

Van: James Lawrence
Aan: Holly

Geweldig weekend, veel gelachen...
PS was dat een split die ik in je rok zag?

Van: Holly
Aan: James Lawrence

Nee.

Van: James Lawrence
Aan: Holly

Verdorie.

Van: Holly
Aan: James Lawrence

Anders nog iets?

Van: James Lawrence
Aan: Holly

Ik zal er even over nadenken.

Van: Holly
Aan: James Lawrence

Daar twijfel ik niet aan.

Van: Holly
Aan: Holly
Onderwerp: Niet vergeten

NIET VERGETEN, ROK MET SPLIT – mogelijk? Waar kopen?

Van: Shella Hamilton-Jones
Aan: Holly
Onderwerp: Parttimebaan

Beste Holly
Ik weet niet zeker of je er vandaag bent?
(Ik zag je vrijdagmorgen niet achter de balie en je was er vrijdagavond ook niet) maar mocht je er WEL zijn: bel me dan.
Groeten
Shella.

Van: Holly
Aan: Patricia Gillot
Onderwerp: O jee!

Heb een hatemail van Shella gekregen.

Van: Patricia Gillot
Aan: Holly

Dacht ik al. Ze kwam vrijdagavond vlak nadat je was vertrokken naar beneden en stormde ervandoor voordat ik het uit kon leggen.

Van: Holly
Aan: Shella Hamilton-Jones
Onderwerp: Fulltimebaan

Beste Shella
Ik ben hier en ik werk niet parttime.
Ik had vrijdagmorgen vrij en Trish en ik regelen onze werktijden zo dat we ook late diensten kunnen draaien. Vrijdag deed Trish dat. Ik zal er deze week een paar doen.
Holly

Van: Shella Hamilton-Jones
Aan: Holly

Holly
Het is fijn om te zien dat je je zo snel hebt aangepast aan flexibele werktijden, dat komt jou ongetwijfeld beter uit, ik vermoed dat de leiding er alles van weet?
Groeten
Shella

Van: Holly
Aan: Patricia Gillot
Onderwerp: Wed dat ze ook een jas van hondenvel heeft

Wat is er met haar aan de hand, ze moet me wel hebben!!! Grrrrr

Van: Patricia Gillot
Aan: Holly

Trek het je niet aan, niet vandaag, er komen er veel te veel binnen en het kan elke minuut erger worden. Daar gaan we...

Van: Aisha
Aan: Holly
Onderwerp: Even bijpraten alsjeblieft Holly

En, wat hebben jij en je treinspotter uitgevoerd?

Van: Holly
Aan: Aisha

Hai Aish
Het blijkt dat hij alleen bij zijn ouders woont omdat zijn huis wordt gerenoveerd. Schijnbaar had hij me dat al verteld toen we vorige week uit eten zijn geweest (ik luisterde niet).
Het was leuk.
x

Van: Aisha
Aan: Holly

Dat doe je bij mij ook, dat niet luisteren.

Van: Holly
Aan: Aisha

Niet waar! Ik luister altijd naar je!! Hoe is het op je werk, heb je het al goed-gemaakt met Jason?

Van: Aisha
Aan: Holly

Hij heeft er zo'n enorm punt van gemaakt, ik heb hem verteld dat ik met geen van hen iets gedaan heb en het nu ook niet meer zal doen, ik zweer het!!

Van: Holly
Aan: Aisha

Oké, misschien gelooft hij je niet, (oké, voordat je begint te tieren... ik val je niet aan) maar hij maakt zich zorgen over zijn baan, hij heeft jou die baan bezorgd, hij heeft een sollicitatiegesprek met je gevoerd en als het misgaat krijgt hij dus de schuld.

Van: Aisha
Aan: Holly

Oké oké oké, laat me met rust. Ik heb nu behoefte aan liefde en vriend-schap, niet aan gedoe. Hij is gewoon een aanstelster.

Van: Holly
Aan: Aisha

Oké liefje, ik hou echt van je, maar je moet wel aardig tegen hem zijn. Hij heeft echt zijn best gedaan om jou daar binnen te krijgen, dus probeer hem terug te betalen door te doen wat hij vraagt. Ik krijg niet de indruk dat hij het hier bij het verkeerde eind heeft.

Van: Patricia Gillot
Aan: Holly
Onderwerp: Er zit een luchtje aan

Shella heeft de pik op je en we krijgen pijn aan onze oren van de telefoon-tjes die aan de lopende band binnenkomen, een en al reserveringen, cliën-ten die in de rij staan, en jij blijft maar grijnzen als een boer zonder kiespijn, en ik weet dat je goed bent, maar je grijnst zelfs als er niemand kijkt. Wat heb je met James uitgespookt, leuk weekend gehad??

Van: Holly
Aan: Patricia Gillot

Jij hebt zulke ondeugende gedachten. Dat is niet de reden, ik ben gewoon in een goede bui.
Dat is alles.
x

Van: Patricia Gillot
Aan: Holly

O, oké dan, ik zal het er niet meer over hebben, blijkbaar is er niets gebeurd. Ik wou alleen dat ik dit weekend ook had gesekst, dat is alles.
Trish.
Hé, is die James eigenlijk een grote kerel?

Van: Holly
Aan: Patricia Gillot

Patricia!!!! Ga je schamen!!!
x

Van: Patricia Gillot
Aan: Holly

Kom op, vrolijk me een beetje op, anders vraag ik of Ralph tussen ons in komt zitten. Heerlijk.
Nu ik het daar toch over heb, misschien stuur ik hem wel een mailtje.

Van: Jason GrangerRM
Aan: Holly
Onderwerp: Ik heb met Aisha gepraat

Ik denk dat we alles opgelost hebben. Ik heb Aisha uitgelegd hoe problematisch het is om een relatie met collega's te beginnen enz en ze leek het helemaal te begrijpen.
Ik denk niet dat ze het al met een van hen gedaan heeft.
xx

Van: Holly
Aan: Jason GrangerRM

Wat fijn om te horen!!
Blij dat jullie eruit zijn gekomen.
xxx

Van: Patricia Gillot
Aan: Ralph Tooms; Holly
Onderwerp: Verzoek receptionistes...

Ralph
Holly en ik hebben dorst, kun jij voor ons misschien een paar glazen water halen.
Erg alsjeblieft?
Trisha & Holly

Van: Holly
Aan: Patricia Gillot
Onderwerp: TRISHA!

Betrek mij niet bij jouw geflirt! Hij doet het trouwens toch niet, want hij moet daar blijven, naar schermen kijken.

Van: Patricia Gillot
Aan: Holly

Ik heb dorst!!! (ik plas trouwens in mijn broek van het lachen als hij het wel doet)

Van: Holly
Aan: Patricia Gillot

Daar heb je hem!!

Van: Patricia Gillot
Aan: Holly

Wie?

Van: Holly
Aan: Patricia Gillot

Ralph!

Van: Patricia Gillot
Aan: Holly; Ralph Tooms
Onderwerp: Waterdrager

Proost Ralph! O, en volgende keer willen Holly en ik water uit de blauwe kraan – dat is kouder, oké?

Van: Ralph Tooms
Aan: Patricia Gillot; Holly

Brutaal!
Oké ik zal het de volgende keer doen. Ik moest ze snel halen. Je weet hoe Judy is als ik 's middags een beetje rond ga lopen.
Hebben jullie het druk?
Ralph

Van: Patricia Gillot
Aan: Holly; Ralph Tooms

Altijd.
Trish

Van: Aisha
Aan: Holly
Onderwerp: help ... xxxx weer in de problemen

Hai Holly
Zou je iets voor me willen doen, zou je met Jason willen praten? Ik denk dat ik hem weer kwaad heb gemaakt, maar ik weet niet zeker hoe erg het is. xxxx

DINSDAG

Van: Aisha
Aan: Holly
Onderwerp: In de problemen

Hai Holly
Heb je mijn mail van gisteravond gekregen? Ik weet het niet zeker, maar ik denk dat ik Jason echt boos heb gemaakt, kun jij daar voor mij achter komen?
xxx

Van: Holly
Aan: Aisha

Waarom??? Wat heb je gedaan?

Van: Aisha
Aan: Holly

Niks ergs, denk ik. Heef hij al iets verteld?

Van: Holly
Aan: Aisha

Nee... nog niet. Vertel??? Je bent er toch niet vandoor gegaan met zijn directeur hè?

Van: Aisha
Aan: Holly

Natuurlijk niet... dat zou ik nooit doen!! Hij heeft me verteld dat het verboden is om in de buurt van collega's enz. te komen. Dit was gewoon een gast die in het hotel verblijft.
xxxx

Van: Holly
Aan: Aisha

Een wat?

Van: Aisha
Aan: Holly

Een gast – dat is toch zeker lang zo erg niet als een collega? Ga nou niet lopen zeuren, als iemand mij gewoon eens de regels gaf zou ik me daar echt wel aan houden. Het is toch niet erg hè?

Van: Holly
Aan: Aisha

Wat heb je met die gast gedaan?

Van: Aisha
Aan: Holly

Niet veel, oké een beetje, maar je zou hem moeten zien (ik heb trouwens een foto). Hij is zo f**king sexy, hij had die gemene gangsterlook, o, en hij

is ook nog stinkend rijk. Hij was gewoon zo lekker wild.
Heerlijk!!!
xxx

Van: Holly
Aan: Aisha

Wild met wat? Je bent toch niet met hem naar bed geweest?

Van: Aisha
Aan: Holly

Nee, alleen seks, hij greep me en trok me mee naar een van de lege suites,
het was geweldig!!! Mmmmm

Van: Holly
Aan: Aisha

Je hebt hier toch niets over tegen Jason gezegd, hè?

Van: Aisha
Aan: Holly

Nee, maar hij weet het, omdat we betrapt werden.
xxx
Moet nu weg, hij komt eraan.

x

Van: James Lawrence
Aan: Holly
Onderwerp: Spoedbijeenkomst

Beste Holly Denham
Het is absoluut van levensbelang dat je naar mijn verdieping komt.
Nu meteen!
James Lawrence

Van: Holly
Aan: James Lawrence

Waarom?

Van: James Lawrence
Aan: Holly

Waarom? Moet ik een reden geven?
Schei uit met dat brutale gedoe, ik ben g*ddomme VP – beweeg dat mooie
achterste naar de lift en kom naar mijn bureau – dat is een bevel!
James

Van: Holly
Aan: James Lawrence

En wat, meneer Lawrence de VP, wilt u precies van mij?

Van: James Lawrence
Aan: Holly

Daar kom je wel achter als je hier bent, hè?

Van: Holly
Aan: James Lawrence

Het is hier erg druk, ik moet weten waarom.

Van: James Lawrence
Aan: Holly

Serieus, ik moet die afspraak met een cliënt voor volgende week bespreken, wil gewoon dat alles volgens plan verloopt.
Kun je een blocnote meenemen, o, en we zijn hier vandaag losjes gekleed,
dus je kunt wel een paar knoopjes van dat pakje van je losmaken.
James

Van: Zwangere Pam
Aan: Holly
Onderwerp: Mijn ochtend

Holly
Weet je hoe het voelt om over te geven in je eigen mond en tegelijkertijd in
je broek te plassen? In de metro? Waar mensen bij zijn? Dat is mij van-
morgen overkomen.
Zorg dat je nooit nooit nooit zwanger wordt.
Hoe is het trouwens met je?
Pam

Van: Holly
Aan: Zwangere Pam

Met mij goed, wat vervelend van dat plasgedoe. Zal wel erg lastig zijn, weten we eigenlijk al welk geslacht de baby heeft?

Van: Zwangere Pam
Aan: Holly

Nee, ze zeggen dat het nog veel te vroeg is.

Van: Holly
Aan: Zwangere Pam

Je komt er snel genoeg achter, ben zo benieuwd, het is zo spannend!
xxxx

Van: James Lawrence
Aan: Holly
Onderwerp: Spoedbijeenkomst?

Sorry dat ik zo aandring, maar ik moet dit afronden voordat ik een van de cliënten terugbel. J

Van: Holly
Aan: Patricia Gillot
Onderwerp: Bijeenkomst?

Trish, ik moet zo naar boven, iemand zeurt om een zaalcontrole. Red je het even?

Van: Patricia Gillot
Aan: Holly

Geen probleem moppie.

Van: Holly
Aan: James Lawrence
Onderwerp: Uw bijeenkomst

Beste meneer Lawrence
De volgende keer dat u me voor niets helemaal naar boven laat zeulen, stuur ik u een rekening voor verspilde bedrijfstijd & -activa.

Van: James Lawrence
Aan: Holly

Het was geen verspilling, het was essentieel voor het corrigeren van de kleine puntjes en om te kijken of je mijn advies wat betreft de knoopjes had opgevolgd.

Van: Holly
Aan: James Lawrence

Ik vind het verschrikkelijk om je uit de droom te helpen, maar zonder airco zijn die liften gewoon te warm, dat is alles.

Van: James Lawrence
Aan: Holly

Leugenaar.

Van: James Lawrence
Aan: Holly
Onderwerp: En...

Je bent een flirt.

Van: Holly
Aan: James Lawrence

Kan zijn. Volgens mij was een van die knoopjes expres losgemaakt, ja.
Holly
xx

Van: Holly
Aan: Jason GrangerRM
Onderwerp: Aisha is verliefd

Je hebt me nooit verteld dat je daar gisteravond een probleem had, is alles in orde?
Holly xx

Van: Jason GrangerRM
Aan: Holly

Heb je het over jouw geile delinquente vriendin?

Van: Holly
Aan: Jason GrangerRM

Ik heb het gehoord – vanmorgen, maar ik heb zitten wachten op jouw angstaanjagende telefoontje enz. Heeft ze problemen veroorzaakt?

Van: Jason GrangerRM
Aan: Holly

Helemaal niet.

Van: Holly
Aan: Jason GrangerRM

Echt niet?

Van: Jason GrangerRM
Aan: Holly

Nee, echt niet, voor ons 'gezicht naar buiten toe' is het eerder regel dan uitzondering om wippend in schijnbaar onbezette kamers betrapt te worden. Ik ben er erg trots op, ik moedig mijn personeel dan ook van harte aan om lekker met de gasten in het rond te rampestampen als hun hormonen hun parten spelen.
Als je ze niet kunt helpen, moet je ze naaien – is ons motto.
Zin in een beurt?

Van: Holly
Aan: Jason GrangerRM

Gaat het wel goed met je? Je klinkt een beetje manisch?

Van: Jason GrangerRM
Aan: Holly

Ik ben woedend.
Geen zorgen, ik kom er wel overheen. Een piccolo heeft hen gevonden, zijn dag kon niet meer stuk, maar zeg dat maar niet tegen Aisha, ik wil dat ze even in haar eigen sop gaarkookt.

Van: Holly
Aan: Charlie Denham
Onderwerp: Nieuws betr. vriendin van mij

Herinner jij je die vriendin van mij nog, Aisha, over wie jij zei dat ze echt heel hitsig was? Ik moet je dit vertellen omdat ik weet hoezeer je dat op prijs zult stellen, en je moet beloven het aan niemand te vertellen, hoewel je niemand kent die ik ken.

Mail me een belofte terug.

Holly

Van: Charlie Denham
Aan: Holly

Ik beloof het. Wat is er?

Van: Holly
Aan: Charlie Denham

Ze is betrapt toen ze lag te wippen met een gast van het hotel waar ze werkt!

En ze doet het ook met de hoteldirecteur! (denken we)

Van: Holly
Aan: Patricia Gillot
Onderwerp: Vriendin van mij

Ik heb net gehoord dat mijn vriendin die in een hotel werkt met een van de gasten in bed betrapt is!!!

Van: Patricia Gillot
Aan: Holly

Ik heb een vriendin die het heerlijk vindt om achter in vieze oude bestelauto's te vozen, ze kan er geen genoeg van krijgen.

Van: Holly
Aan: Patricia Gillot

Leuk.

Van: Holly
Aan: Alice en Matt
Onderwerp: Romantische samenkomst?

Ik weet dat jullie niet weten wie Aisha is, en jullie wonen in een ander land en het zegt jullie waarschijnlijk niets, maar ik moet het aan iemand vertellen en ik kan het aan niemand vertellen die zij kent, maar Aisha, een vriendin van mij, is net betrapt terwijl ze gemeenschap had met een gast in een hotel waar ze werkt, op de receptie!!

En ze doet het ook met de hoteldirecteur!!!

Het is net, ik weet het niet, een van die boeken die je leest.

xxxx

Van: Alice en Matt
Aan: Holly

Betrapt terwijl ze gemeenschap had op de receptie? Dat geloof ik niet.

Van: Holly
Aan: Alice en Matt

Nee, ze werkt op de receptie. Het was in een van de lege kamers.

Van: Alice en Matt
Aan: Holly

Oké, nou die moet geestelijk een beetje in de war zijn. Heb ik je al verteld dat ik me heb ingeschreven voor een cursus die je helpt meer innerlijke rust en mentale stimulatie te krijgen – dat zou ook wat voor haar zijn.

x

Van: Holly
Aan: Alice en Matt

Wat voor cursus?

Van: Alice en Matt
Aan: Holly

Sla nou niet meteen op tilt, maar het is een cursus hoe word ik een witte heks.

Van: Holly
Aan: Holly
Onderwerp: NIET VERGETEN

NIET VERGETEN
Dingen opzoeken over hekserij, is het een sekte – en ook – stamboom na-lopen op eerdere tekenen van gekte.

Van: Charlie Denham
Aan: Holly
Onderwerp: JE HOUDT ME VOOR DE GEK!!!!

Gòòòòòòòh hé!!! Je maakt een geintje!! Aisha is slecht!!! Dat stoute sexy nest, geweldig!!!!

Van: Holly
Aan: Charlie Denham

Dank je Charlie – op jouw reactie kan ik in ieder geval rekenen.

x

(ook al is die ietwat voorspelbaar)

WOENSDAG

Van: Aisha
Aan: Holly
Onderwerp: Problemen met Jason

Nog nieuws? Jason praat niet met me.

Van: Holly
Aan: Aisha

Het kan voor hem erg nare gevolgen hebben, ik denk dat hij nog steeds wacht om te zien wat er gebeurt.

Van: Aisha
Aan: Holly

Sh*t, ik zit in de problemen, hè?

Van: Holly
Aan: Aisha

Sorry schat – ik denk het wel.

x

Van: Aisha
Aan: Holly

Waarom ik? Mijn baan kan wel op het spel staan weet je.

x

Van: Holly
Aan: Aisha

Ik zei je toch dat hij boos is. x

Van: Aisha
Aan: Holly

Sh*t. Maar toch, wil je een foto van hem zien!!!!!?

Van: Holly
Aan: Aisha

Aisha!

Van: Judy Perkins
Aan: Holly; Patricia Gillot
Onderwerp: Jaarresultaten

Beste Patricia en Holly,

Het wordt een drukke maand voor Huerst & Wright.

We hebben het 25-jarig jubileum van ons galadiner om naar uit te kijken en nu hebben we de opdracht gekregen om de Internationale Jaarlijkse Resultaten Conferentie in ons Londense kantoor te organiseren, dus die moeten we gaan voorbereiden.

Het is 10 jaar geleden dat die conferentie hier is gehouden en toen heb ik dat zelf georganiseerd, maar met de ophanden zijnde bezetting van nog twee verdiepingen zullen jullie het ongetwijfeld met mij eens zijn dat ik er niets meer bij kan hebben.

We hebben daarom een paar opties.

De eerste is dat het wordt georganiseerd door de activiteitencommissie, waarvan beide leden relatief weinig ervaring hebben; door een van de meer ervaren PA's, deels geassisteerd door mijn team.

In dit stadium kijk ik naar alle mogelijkheden en ik zou inbreng van jullie kant enorm op prijs stellen.

Vriendelijke groet, Judy

Van: Patricia Gillot
Aan: Holly
Onderwerp: Jaarresultaten??

Dit klinkt helemaal niet leuk.

Van: Holly
Aan: Patricia Gillot

Waarom niet, wat is het?

Van: Patricia Gillot
Aan: Holly

Het is echt heel vervelend, een soort grote conferentie waar ze bespreken hoe het bedrijf het gedaan heeft – cijfermatig, heel erg veel cijfers, ontzettend saai, maar enorm belangrijk, ik herinner me de vorige nog, Judy kreeg bijna een zenuwinzinking, daarom probeert ze er nu waarschijnlijk onderuit te komen.

Van: Holly
Aan: Alice en Matt
Onderwerp: Wasmachine

Jullie zullen het niet geloven, maar het is me gisteravond eindelijk gelukt de wasmachine weg te laten halen – buiten kantooruren!!
Het is misschien raar en ik weet ook wel dat het gewoon een stomme wasmachine is, maar ik voel me een beetje sterker omdat ik voor mezelf ben opgekomen en mijn poot stijf heb gehouden, het was goed, vooral toen ik de directeur te pakken had gekregen en heb geregeld dat ze een speciaal ritje buiten kantooruren en zo maakten.
xxxx

Van: Alice en Matt
Aan: Holly

Holly lieverd,
Ik weet dat je een hekel hebt aan confrontaties, maar soms is het onvermijdelijk, ik haat het ook, volgens mij zijn Charlie en Mam de enigen in ons gezin die er goed in zijn. Trouwens, je klinkt de laatste tijd een stuk beter, misschien dat je binnenkort zelfs koers kunt zetten naar Canary Wharf – een beetje terugkrijgen van waar je recht op hebt????
xxx

Van: Holly
Aan: Alice en Matt

Dat doe ik echt nooit, het is over en uit.
x

Van: Alice en Matt
Aan: Holly

Oké. Heb jij de laatste tijd trouwens nog wat van oma gehoord? Ik maak me zorgen, ze leek afgelopen weekend erg depressief.

x

Van: Holly
Aan: Alice en Matt

Nee, niets gehoord, ik stuur haar wel een e-mail en bel haar vanavond.

x

Van: Holly
Aan: Jennie Pithwait
Onderwerp: Cadeautje voor je

O o... wat zal jij blij zijn met het cadeautje dat ik nu naar je toe stuur.

Van: Jennie Pithwait
Aan: Holly

Oooo, je maakt me nieuwsgierig, wat spannend...

Van: Jennie Pithwait
Aan: Holly
Onderwerp: Ja graag

SUPER!! Wat een prachtig cadeautje, en zo mooi verpakt in Armani. Ik weet zeker dat hij net een omweg langs mijn bureau heeft gemaakt... en nu kan ik slechts schreiend in de lucht klauwen, terwijl het laatste stukje van zijn rug verdwijnt achter de zich sluitende stalen liftdeuren, als een... F*ck, meneer Huerst komt mijn kant op. Terug naar de realiteit, later.

Van: Aisha
Aan: Holly
Onderwerp: Jeweetwel wie

Zie bijgaand.

Van: Holly
Aan: Aisha

Hoe komt het toch dat al jouw foto's van mannen vanuit die hoek zijn gemaakt???

Van: Aisha
Aan: Holly

Wil je dat echt weten?

Van: Holly
Aan: Aisha

Nee. x

Van: Aisha
Aan: Holly

Hé, maar volgens mij zou Paul best wel eens een blijvertje kunnen zijn?

Van: Holly
Aan: Aisha

Dus dit is in de hotelkamer? Je hebt er wel aan gedacht een foto te nemen maar niet om de deur op slot te doen???

Van: Aisha
Aan: Holly

Weet ik, hoef je me niet te vertellen.

Van: Holly
Aan: Aisha

Ik weet het weer – jij houdt van dat soort dingen, hè!!!! 'Gezien worden', iiie-oe – waarom heb ik jou bij Jason aanbevolen? Ik moet niet goed bij mijn hoofd zijn geweest – en jij hebt een psychiater nodig, of ik.
Werk je met Pasen?

Van: Aisha
Aan: Holly

Als ik dan nog een baan heb... jesses.
x

Van: Holly
Aan: James Lawrence
Onderwerp: Meneer Lawrence

Hallo.

Van: James Lawrence
Aan: Holly

Sorry, heb het de hele dag druk gehad, alles goed?

Van: Holly
Aan: James Lawrence

Waarom zou het niet goed met me gaan?

Van: James Lawrence
Aan: Holly

O-oo, er is hier iemand chagrijnig.

Van: Holly
Aan: James Lawrence

Helemaal niet.

Van: James Lawrence
Aan: Holly

Zin in een borrel na het werk?

Van: Holly
Aan: James Lawrence

Misschien. O verdomme, ja.

Van: James Lawrence
Aan: Holly

Ik kom zo beneden.
PS leuk die lippenstift, zeer 'gastvrij'.

Van: Holly
Aan: James Lawrence

Volgens mij haal je je weer dingen in je hoofd.

Van: James Lawrence
Aan: Holly

Nu wel. Ik zie je rond half zes.

Van: Holly
Aan: James Lawrence

x

DONDERDAG

Van: Shella Hamilton-Jones
Aan: Holly; Judy Perkins; Patricia Gillot
Onderwerp: Jaarresultaten

Beste Judy en team;
Vrolijk Pasen.
Wetende hoe belangrijk deze conferentie voor Huerst & Wright is, zou ik graag mijn naam in de hoge hoed willen gooien voor de organisatie van dit evenement.
De laatste conferentie van deze omvang was een absoluut succes. Ik weet zeker dat het voor jou essentieel is Judy om erop te kunnen vertrouwen dat de kandidaat die in jouw schoenen stapt dit met een minimum aan heisa en een maximum aan impact regelt.
Aangezien ik in het verleden al veel evenementen voor het bedrijf heb georganiseerd, bezit ik ongelooflijk veel expertise op dit gebied en samen kunnen we een van de beste conferenties die Huerst & Wright ooit heeft gehouden het licht doen zien.
Als PA van de directeur Bedrijfsfinanciën, Jane Jenkins, die de komende maanden in ons kantoor in New York zal doorbrengen, zal mijn werklast minder zijn.
Het feit dat ons kantoor is aangewezen als gastheer van de Jaarresultaten relateer ik aan Londens recentelijke prestatie de Olympische Spelen binnen te halen en ik weet dat de directeuren van dit geweldige bedrijf daar net zo over denken.
De huidige activiteitencommissie heeft weinig tot geen ervaring in het organiseren van iets op deze schaal en het zou riskant zijn om hen hiervoor in te zetten, vooral omdat jij daarbeneden een competent team van assistenten en hulpen hebt waar ik gebruik van kan maken.

Volgende week heb ik nog een beperkt aantal lege plekjes in mijn agenda om even samen te komen.

Van: Patricia Gillot
Aan: Holly
Onderwerp: Dat kreng van boven

Ik vermoord haar!!

Van: Holly
Aan: Patricia Gillot

Weet je, ze had waarschijnlijk eerst geschreven 'hulpjes' maar toen bedacht dat wij ons dat te veel aan zouden trekken.

Van: Patricia Gillot
Aan: Holly

Ze krijgt de leiding over ons... Zie je het voor je, ik denk dat ik mezelf ombreng, of haar.

Van: Holly
Aan: Patricia Gillot

Nee! Zeg alsjeblieft dat Judy dat niet goedvindt, dat zou net zoiets zijn als dat je moeder zich omdraait terwijl jij aan de leeuwen gevoerd wordt, of iets dergelijks!
getver

Van: Judy Perkins
Aan: Holly; Patricia Gillot
Onderwerp: Vervanging receptie

Beste Holly en Trisha
We krijgen op aanraden van Shella voor vanmiddag een invalkracht van www.receptiewereld.com. En voor volgende week krijgen we er nog een om Trisha te vervangen.
Ik kijk uit naar jullie inbreng voor deze vergadering over de jaarresultaten.
Judy

Holly

Hoe is het met je, hoe gaat het op je werk?

Hoe is het met Jennie? Ben je alweer bevriend met haar?

Mam

x

Van: Holly
Aan: Mam en Pap

Mam

Het is zo leuk om weer contact met Jennie te hebben. Ze is nog steeds grappig, misschien nog wel grappiger.

xxx

Van: Mam en Pap
Aan: Holly

Holly

Dat is goed nieuws, Jennie had altijd een goede invloed op je, hou dat vast.

x

Van: Jennie Pithwait
Aan: Holly
Onderwerp: Stappen in Londen

Ik en Kathy zitten te wachten op jouw 'ja', ga je mee stappen vanavond???
Je bent uitgenodigd voor een bezoek aan de beste clubs die je ooit gezien hebt. Mazzelaar.

Van: Holly
Aan: Jennie Pithwait

Ik zal eerlijk zijn: ik heb niets om aan te trekken.

Van: Jennie Pithwait
Aan: Holly

Oké, dan gaan we eerst naar mij en dan kun je iets lenen... We maken van Holly voor één keer een prinses! Als je iets morst ben je er geweest!

xxx

Van: Holly
Aan: Jennie Pithwait

Ik ga mee! Zouden jouw spullen mij wel passen?

Van: Jennie Pithwait
Aan: Holly

Neem wat schoenen mee, dan hijsen we jou wel in de rest. De koets wacht prinses!

Van: Patricia Gillot
Aan: Holly
Onderwerp: Wat zit je je op te tutten?

Waar ga je heen vanavond?

Van: Holly
Aan: Patricia Gillot

Stappen met Jennie, voel me een stuk minder glitterig dan ik vermoed dat de rest eruitziet....

Van: Patricia Gillot
Aan: Holly

Ze is een sloerie, geen zorgen, jij hebt klasse schat!

Van: Holly
Aan: Patricia Gillot

Ik wil er gewoon niet stom uitzien, haar vriendinnen zijn zóóóóó beeldig.

Van: Patricia Gillot
Aan: Holly

Je moet niet tegen hen opkijken, jij bent veel beter!

Van: Aisha
Aan: Holly
Onderwerp: Nieuwe baan

Nog steeds ruzie met Jason. Nog banen? Bij jou?

Maand 3, week 1

Van: Holly
Aan: Jennie Pithwait
Onderwerp: Vrijdagavond

Hai Jennie
Hoop dat je een lekker lang weekend hebt gehad. Bedankt voor een geweldige avond stappen, morgen krijg je je jurk terug. xxx

---

Van: Holly
Aan: Jason GrangerRM
Onderwerp: Uw mening s.v.p. meneer Granger

Je weet dat we zaterdagnacht in Oxford hebben doorgebracht, nou, er is iets wat ik maar niet uit mijn hoofd kan krijgen en er klopt iets niet.
Mail me als je binnen bent. Ik móét weten wat jij ervan denkt.
xxxx

Van: Prade@GJO.JE.COM
Aan: Holly
Onderwerp: Verzoek aan u

Mijn Heren
Ik kom naar Engeland en heb 1.000.000.00 pond uit te geven als ik aankom. Ik heb niet bankrekening, dus laat me op u rekening zetten ik betaal u 100.000 pond? Ik heb alleen uw bankgegevens nodig? Ja?
P Rade.

Van: Holly
Aan: Prade@GJO.JE.COM

Nee. Maar de laatsten die smeekten om mijn rekeninggegevens waren Administratie@securitybankingtrust.com – ik weet zeker dat ze voor u een rekening zullen openen.
Succes met uw Miljoenen.
x

Van: Jason GrangerRM
Aan: Holly
Onderwerp: Jouw stoute weekend

Mogge

Ik vermoed dat je pas net dacht aan degenen onder ons die niet zo'n lang weekend hadden waar jij zo van genoten hebt.

Van: Holly
Aan: Jason GrangerRM

Doe niet zo gemeen, ik heb je elke dag gebeld.

Van: Jason GrangerRM
Aan: Holly

Oké, maar laat ik je verzekeren:
1: Ik haat onze directeur.
2: Hij heeft mijn paasdagen verziekt
3: Ik voel me mentaal beschadigd, Holly
4: Eerlijk gezegd denk ik niet dat ik er ooit nog bovenop kom
Jason.

Van: Holly
Aan: Jason GrangerRM

Zó erg kan het toch niet geweest zijn?

Van: Jason GrangerRM
Aan: Holly

Je was er niet bij!!
Moet je je voorstellen, je bent een boze gast, je kamer is niet de luxe suite die je gereserveerd had, de tv werkt niet, de ramen kunnen niet open, de airco staat veel te hoog en je vraagt naar de receptiemanager en die komt naar je toe met een stel paashaasoren op zijn hoofd???
Kun je je voorstellen hoe moeilijk het is om serieus genomen te worden?????
Ik haat hem.

Van: Holly
Aan: Jason GrangerRM

Dat had je al gezegd. Maar vergeet het nu maar, schattepopje, het is voorbij.

xx

Van: Jason GrangerRM
Aan: Holly

En nog wat – zondagavond (erger kan niet, zou je denken) komt er een vriend van mij langs die een goddelijk lichaam heeft en betrapt mij met dat harige hoofdstukje (ik bestierf het).

Ik ga een huurmoordenaar regelen voor de directeur – ik weet zeker dat hij dit alleen heeft verzonnen om Aisha als bunny te kunnen verkleden. De hemel sta me bij.

Maar ga verder, vertel me alles over James? (Ik ben één en al oor, dùh!)

Van: Holly
Aan: Jason GrangerRM

Hoewel ik er toen ik wakker werd verschrikkelijk uitzag (na dat avondje stappen met Jennie) was het allemaal glad getrokken toen James me rond lunchtijd kwam halen.

Het was een prachtige dag. We reden naar Oxford, hebben de hele middag rondgewandeld in de stad en oude gebouwen enz. bekeken, het was schitterend.

Het was de bedoeling dat we die avond terug zouden gaan, maar na het eten belandden we in een pub en dronk James te veel (waardoor hij niet kon rijden) en dus... namen we daar een hotelkamer.

Nu komt het rare, ik was een beetje aangeschoten, maar ik weet zeker dat ik hoorde dat hij zijn naam zei tegen die portier en dat die toen zijn reservering bevestigde.

Van: Jason GrangerRM
Aan: Holly

Ja, en?
Wat is het probleem dan?

Van: Holly
Aan: Jason GrangerRM

We hadden niet gereserveerd, het was iets spontaans.

Van: Jason GrangerRM
Aan: Holly

Het lijkt er verdacht veel op Holly, dat jouw verrassende romantische wipfestijn een vooraf geregeld romantisch wipfestijn was... Ik mag die James
wel, hij is verdooooooooooorven. Hoe ziet hij er naakt uit?

Van: Holly
Aan: Jason GrangerRM

Nee hè? Hij is er toch niet van uitgegaan dat ik dat wel goed zou vinden,
wat voor soort vrouw denkt hij wel niet dat ik ben???

Van: Jason GrangerRM
Aan: Holly

Eentje die er wel voor te porren is, vermoed ik. Kom op – heeft hij haren op
zijn billen?

Van: Holly
Aan: Jason GrangerRM

NEE!

Van: Jason GrangerRM
Aan: Holly

Heb je foto's?

Van: Holly
Aan: Jason GrangerRM

Geen foto's, ik ben Aisha niet, ik beschik niet over het coördinatievermo-
gen om tegelijkertijd te vrijen en foto's te nemen.

Van: Jason GrangerRM
Aan: Holly

Verdorie, jij ook met je gebrek aan handvaardigheid.
Zijn sterkste punt?

Van: Holly
Aan: Jason GrangerRM

Zijn armen.

Van: Jason GrangerRM
Aan: Holly

Omdat ze overal tegelijkertijd zijn, als een stout-weekend-met-voorbe-dachten-rade-inktvis?

Van: Holly
Aan: Jason GrangerRM

Nee, ze zijn gewoon behaard, bruin en van onderen gespierd (en meer zeg ik niet).

Van: Jason GrangerRM
Aan: Holly

Meer heb ik ook niet nodig!
(zin in een extra persoontje?)

Van: Holly
Aan: Jason GrangerRM

Nee! xx

Van: Ralph Tooms
Aan: Holly; Patricia Gillot
Onderwerp: Hallo

Holly & Trisha
Goedemiddag dames, wilde alleen even laten weten dat ik hier klaarzit om jullie van verfrissingen te voorzien.
Ralph

Van: Patricia Gillot
Aan: Holly
Onderwerp: Stapavondje

Hij is wel erg enthousiast, hoe was vrijdagavond?

Van: Holly
Aan: Patricia Gillot

Leuk, maar wel lang, we zijn naar vier cafés en drie nachtclubs geweest, ik voelde me niet zo lekker zaterdagmorgen.
Wij zouden een keertje moeten gaan stappen, toch?

Van: Patricia Gillot
Aan: Holly

Lijkt me enig schat, maar niet deze week, misschien volgende week.

Van: Holly
Aan: Patricia Gillot

Oké.
Ik heb nog steeds verschrikkelijk veel trek, had ik tijdens de lunch maar wat meer gegeten. Met die voorverpakte salades red je het niet zo lang wanneer je de croutons en de dressing hebt weggegooid, en ik ben ook niet zo gek op sla.

Van: Patricia Gillot
Aan: Holly

Waar heb je zin in?

Van: Holly
Aan: Patricia Gillot

Een broodje kip met mayonaise.

Van: Patricia Gillot
Aan: Holly; Ralph Tooms
Onderwerp: Waterdrager

Waterdrager, mogen wij dames even je aandacht?

Van: Ralph Tooms
Aan: Holly; Patricia Gillot

Mag ik even zeggen dat jullie er vandaag beeldschoon uitzien?
Ralph

Van: Patricia Gillot
Aan: Holly; Ralph Tooms

Dat mag Ralph.
Je mag er trouwens zelf ook best wezen, welnu, beeldschone vrouwen als wij zouden geen vinger hoeven uitsteken, vind je niet?

Van: Ralph Tooms
Aan: Holly; Patricia Gillot

Willen de dames soms nog wat water? Geen probleem, ik stond toch op het punt een controleronde te maken.

Van: Patricia Gillot
Aan: Holly; Ralph Tooms

Lady Holly wil een broodje kip met mayonaise van de overkant van de straat, dus we verwachten dat je binnen 5 minuten in de houding voor ons staat, is dat begrepen?

Van: Holly
Aan: Ralph Tooms; Patricia Gillot
Onderwerp: Bezorgservice

Ralph
Dank voor de bezorging van het broodje, maar ik wil dat je de volgende keer in de houding voor ons gaat staan, oké?
Pet in de hand!
Trisha & Holly

Van: Holly
Aan: Patricia Gillot
Onderwerp: Arme Ralph

Niet te geloven dat ik dat verstuurd heb, hij heeft nog niet geantwoord Trish, hij vindt me waarschijnlijk zeer onbeleefd.

Van: Patricia Gillot
Aan: Holly

Vuil kreng, hem zo in de war brengen, schaam je Holly! Holly het kreng, wie had dat nou gedacht?

Van: Holly
Aan: Patricia Gillot

Schei uit Trisha!

Van: Patricia Gillot
Aan: Holly

O moet je jezelf toch horen! Bazig kreng! Ralph boft maar.
xxx

Van: Ralph Tooms
Aan: Holly; Patricia Gillot
Onderwerp: Dames op de receptie

Oké Holly, komt in orde.
Ralph

WOENSDAG

Van: Holly
Aan: Aisha
Onderwerp: Bel me, ik ben ongerust

Bel me als je er bent liefie, ik heb al je berichten gekregen, eerst was je aan het huilen, toen aan het lachen, en toen weer aan het huilen??
Is alles goed met je?
xxx
houvanje.

Van: Holly
Aan: Southern Services
Onderwerp: Schuldsanering – Reknr. 20000389384374 Holly Rivers

BETR.: Reknr. 20000389384374 Holly Rivers
L.S.
Ik ontving vandaag uw brief en ik vind uw taalgebruik ietwat onrechtvaardig.
Ik ben mij volledig bewust van mijn verantwoordelijkheden, maar dreigbrieven hebben alleen maar een negatief effect.
Ik weet dat mijn situatie voor uw bedrijf niet nieuw is, maar voor mij is het iets uniek eigens, iets wat even tijd heeft gekost om onder ogen te kunnen zien.
Ik doe mijn best, ik kom er wel en ik probeer me aan de financiële afspraken te houden die we gemaakt hebben – waarvan u melding maakt in uw brief.
Tot slot: ik heb de gevraagde documenten aan u verstuurd – kunt u me

alstublieft laten weten wanneer u van plan bent mijn map bij te werken, zodat mijn naam Holly Denham luidt?
Hoogachtend
Holly Denham

Van: Holly
Aan: Jason GrangerRM
Onderwerp: Aisha

Hoi Jason
Ik weet dat jij je momenteel ergert aan Aisha, maar is alles goed met haar vandaag?

Van: Jason GrangerRM
Aan: Holly

Hoezo?

Van: Holly
Aan: Jason GrangerRM

Wilde ik alleen maar weten.
xx

Van: Holly
Aan: Aisha
Onderwerp: Bel me alsjeblieft

Dat je het weet, ik heb net aan Jason gevraagd of alles goed met je is. Weet niet of je er überhaupt bent, dus wil je niet verder in de problemen brengen, kun je me alsjeblieft bellen?
x

Van: Aisha
Aan: Holly

Ik ben er, ik ben er. Waar waz jij toen ik jenosig had... zeg dat je van me houdd.

Van: Holly
Aan: Aisha

Ik hou heel erg veel van je, hoe voel je je? Heb je wel geslapen?

Van: Aisha
Aan: Holly

Nee.
Niet an Jason vertellllen.

Van: Holly
Aan: Aisha

Je had je ziek moeten melden, hoe ben je thuisgekomen?

Van: Aisha
Aan: Holly

Ik dacht gisteravond dat ik net zo goed kon gaan srtappen, ik zithier toch alleen maar te wachten tot ik ontslagen worrdt.

Van: Holly
Aan: Aisha

Ik heb geprobeerd je te bellen. Hij wil je niet ontslaan, alleen dat je je excuses aanbiedt (wist niet dat je dat nog niet gedaan had) en laat zien dat je je werk serieus neemt (wat misschien moeilijk is).

Van: Aisha
Aan: Holly

Oo, zeg dat niet, kwil hier blijven, ik ben dol op mijn wekr en ik ben gek op Jason, zit in de sh*t hè?

Van: Holly
Aan: Aisha

Hou gewoon alles op een rijtje schat, dan komt het allemaal goed. Wat is er gisteravond gebeurd?

Van: Aisha
Aan: Holly

Vertel ik mog wel, ga eerst met Jason praten en hem alles vertellen en zeggen dast ik vanhem hou.

Van: Holly
Aan: Aisha

NEE NEE, niet doen schat, volgens mij ben je nog dronken, bel me.

Van: Holly
Aan: Patricia Gillot
Onderwerp: Vrienden

Heb jij vrienden die altijd in de problemen lijken te zitten?

Van: Patricia Gillot
Aan: Holly

Ik heb alleen maar vrienden die altijd in de problemen lijken te zitten, jij
bent de enige uitzondering liefje.

x

Van: Jason GrangerRM
Aan: Holly
Onderwerp: Jouw vriendin

Moet jij me niet iets vertellen?

Van: Holly
Aan: Jason GrangerRM

Wat dan?

Van: Jason GrangerRM
Aan: Holly

Een verklaring voor wat mij zojuist is overkomen.

Van: Holly
Aan: Jason GrangerRM

Dat hangt af van wat jou is overkomen?

Van: Jason GrangerRM
Aan: Holly

In eerste instantie dacht ik dat ik beroofd werd, die alcoholdampen, wanhoop in de ogen, mijn arm in een stevige greep, maar toen dacht ik – nee
Jason, zakkenrollers kleden zich niet alsof ze in een vunzige rapvideo zitten en ze blijven niet aan één stuk doorbrallen over hun eeuwige liefde

voor je, nee, dit moet haast wel een van jouw vakkundige personeelsleden zijn!

Van: Holly
Aan: Jason GrangerRM

Maar ze is wel lief, hè?

Van: Jason GrangerRM
Aan: Holly

Ik vermoed dat jij weet wat er gisteravond met haar gebeurd is?

Van: Holly
Aan: Jason GrangerRM

Geen idee, ze is gaan stappen, dat is het enige wat ik tot nu toe weet. Ik had een paar vreemde berichten op mijn antwoordapparaat, afwisselend huilen en lachen, maar de muziek stond te hard om te horen of ze vrolijk was, of ze zat zo hard te snotteren dat ik er geen woord van kon verstaan.

Van: Jason GrangerRM
Aan: Holly

Ik heb haar naar huis gestuurd, en we hebben het goedgemaakt, godzijdank. Haar avond ging zo'n beetje als volgt:
Ze gaat met een vriendin naar een club, vermaakt zich prima, maar dan wordt haar tas met alles erin gestolen.
Haar vriendin wil naar huis, maar Aisha realiseert zich dat haar portemonnee niet gestolen is, die zit in haar kontzak – dus ze is weer helemaal blij en besluit te blijven drinken.
Dan – wordt haar portemonnee wél gestolen, meer tranen, maar dan ontmoet Aisha die Amerikaanse gast en overtuigt zichzelf ervan dat ze hem leuk vindt, erg blij, en gaat dus met hem mee naar zijn flat.
Hij laat zijn broek vallen en dan begint ze opnieuw te huilen.
Eerst raakt ze haar tas kwijt dan haar portemonnee en dan probeert ze zichzelf op te vrolijken met inhoudsloze seks maar dan heeft die gast een apparaat met het formaat van een wijnfles.
Ze zei dat zij op geen enkele manier 'DAT passend kon krijgen' (weerzinwekkende gedachte) en barstte opnieuw in tranen uit, waarop die gast haar het huis uitgooit.
Wat een lul.

Van: Holly
Aan: Jason GrangerRM

O Aish.

Van: Holly
Aan: James Lawrence
Onderwerp: Jouw cliënten

Jouw cliënten zitten hier nog steeds te wachten? Ben je ze vergeten? Guttegut

Van: James Lawrence
Aan: Holly

Nee, om je de waarheid te zeggen, ze kunnen me geen moer schelen, kun je ze niet wegsturen?

Van: Holly
Aan: James Lawrence

Sorry James, kan ik niet, heb ik het goed als ik zeg dat dit geen 'geld' cliënten zijn, zoals je ze graag noemt?

Van: James Lawrence
Aan: Holly

Nee, dit zijn wat ik noem 'l*lhannessen'.

Van: Holly
Aan: James Lawrence

Kom op, ik wil je zo graag zien, heb je vandaag je mouwen opgestroopt?

Van: James Lawrence
Aan: Holly

Jij met je armentic. Nee, heb ik niet, maar ik zou het wel kunnen doen, als jij die rok van je een beetje opstroopt?

Van: Holly
Aan: James Lawrence

Afgesproken.

Van: James Lawrence
Aan: Holly

Ik ben er voordat die dikke weer aan zijn kin kan krabben.

Van: Holly
Aan: James Lawrence

Hoe wist je dat hij dat aan het doen was?

Van: James Lawrence
Aan: Holly
Onderwerp: Oplichterij

Ik ben opgelicht.

Van: Holly
Aan: James Lawrence

Ik kreeg maar één arm om naar te kijken, dus kreeg jij maar 1 cm hoger. Trouwens, wat verwacht je nou van mij – je denkt toch niet dat ik 'm tot mijn middel optrek?

Van: James Lawrence
Aan: Holly

Luister Denham, ik wil begin volgende week een split in die rok, anders nodig ik die dikke weer uit en zeg hem dat je van hem houdt.

Van: Holly
Aan: James Lawrence

Met gemeen doen tegen mensen kom je bij mij niet ver en die split kun je wel vergeten.

DONDERDAG

Van: Holly
Aan: James Lawrence
Onderwerp: Plannen

Gaan we dit weekend iets doen? Ik ben nog niet uitgenodigd en de klok tikt door, jeweetwel, populair meisje enz?

Holly

Het is weer bijna champagnevrijdag en daar zal jij wel blij om zijn – als ik het me goed herinner waren we je vorige week kwijt en vonden we je terug gebogen over een tafel dippend met een vinger in je glas om daarna 'Holly houdt van Bolly' op de tafel te schrijven (ik neem aan dat dit Bollinger betekent en niet verwijst naar een of ander standje).

De handelsjongens gaan ook mee plus de meesten van ons team, dus we gaan gelijk uit het werk. Zie je dan.

Jennie

Van: Holly
Aan: Jennie Pithwait

Hai Jennie

Bedankt voor de uitnodiging, ik ben nog steeds aan het herstellen van vorige week – hopelijk lukt het me om Trisha ook mee te krijgen, gaan jullie weer naar clubs?

Holly

Van: Holly
Aan: Patricia Gillot
Onderwerp: Wat zijn jouw plannen Trisha?

Zin om vrijdag te gaan stappen?

Van: Patricia Gillot
Aan: Holly

Kan niet, neem mijn vader mee naar de bingo, doe ik altijd op vrijdag, hij verheugt zich erop. Maar bedankt dat je het gevraagd hebt.

xx

Van: Holly
Aan: Patricia Gillot

Je zal het niet geloven, maar ik heb nog steeds problemen met die parkeerboete die ik niet had mogen krijgen.

Van: Patricia Gillot
Aan: Holly

Ze veroorloven zich afschuwelijke f*cking vrijheden, liefje, volgens mijn Les is het één grote samenzwering.

Van: Jason GrangerRM
Aan: Holly; Aisha
Onderwerp: Verhouding, we hebben meer beschrijvingen nodig

Nou, ga verder, we staan te popelen, meer details graag Holly.

Van: Holly
Aan: Aisha; Jason GrangerRM

Zijn we weer vriendjes? Zijn jullie allebei daar?

Van: Aisha
Aan: Holly; Jason GrangerRM

Ik heb me vreselijk gedragen en Jason was terecht geïrriteerd.

Van: Jason GrangerRM
Aan: Holly; Aisha

Ze gaat zich voortaan keurig gedragen, en toch houden we van haar. Dus, ga verder, hoe ziet hij er ook alweer uit?

Van: Holly
Aan: Aisha; Jason GrangerRM

Oké, stel je een lange George Clooney voor maar ietsje minder knap, andere ogen, maar zelfde leeftijd enz.

Van: Aisha
Aan: Holly; Jason GrangerRM

Een lange George Clooney? George Clooney IS lang – heb jij dan verkering met een reus?

Van: Holly
Aan: Aisha; Jason GrangerRM

O is dat zo? Oké, Colin Firth.

Van: Aisha
Aan: Holly; Jason GrangerRM

Lijkt hij op Colin Firth?

Van: Holly
Aan: Aisha; Jason GrangerRM

Nee, niet echt, maar je snapt toch wel wat ik bedoel?

Van: Aisha
Aan: Holly; Jason GrangerRM

Nee.

Van: Jason GrangerRM
Aan: Holly; Aisha

Totaal niet ??

Van: Holly
Aan: Aisha; Jason GrangerRM

Hoe dan ook, hij heeft nog niet gebeld over het weekend. Het was de bedoeling elkaar vrijdag of zaterdag te zien, maar er staat nog niets vast. Ik
wil niet overkomen als een opdringerig plakkerig type maar het is moeilijk.

Van: Aisha
Aan: Holly; Jason GrangerRM

Los het op meisje, ondertussen willen wij weten hoe hij in bed is!?

Van: Jason GrangerRM
Aan: Holly; Aisha

Ja, doet hij dat woeste dingetje?

Van: Holly
Aan: Jason GrangerRM; Aisha

? Wat?

Van: Aisha
Aan: Holly; Jason GrangerRM

De funky boeddha?

Van: Holly
Aan: Aisha; Jason GrangerRM

?

Van: Aisha
Aan: Holly; Jason GrangerRM

DAALT HIJ AF NAAR JE BENEDENVERDIEPING!!

Van: Holly
Aan: Aisha; Jason GrangerRM

AISHA!!!

Van: Aisha
Aan: Holly; Jason GrangerRM

Wat??

Van: Aisha
Aan: Holly; Jason GrangerRM

Ik zei 'wat'? Spelen we niet meer?

Van: Jason GrangerRM
Aan: Aisha; Holly

Aisha, ga in de hoek zitten en help die gasten, je mag niet meer bij de grote mensen zitten!

Van: Aisha
Aan: Holly; Jason GrangerRM

Maar...

Van: Jason GrangerRM
Aan: Aisha; Holly

Wegwezen zei ik!

Van: Jason GrangerRM
Aan: Holly; Aisha

Zo, dat is beter. Ze weet zich gewoon niet te gedragen.
Nou, kom op, mij kun je het wel vertellen, likt-hij-lekker?

Van: Holly
Aan: Jason GrangerRM; Aisha

JASON!!!!

Van: Jennie Pithwait
Aan: Holly
Onderwerp: Gastenlijst

Betr.: Trisha – natuurlijk, hoewel ze het misschien niet zo leuk vindt in China en het is niet makkelijk voor mij om veel mensen op de gastenlijst te krijgen.

Van: Holly
Aan: Jennie Pithwait

Ze kan vrijdag sowieso niet, maar ze heeft me wel ooit verteld dat ze iemand kent die de neef is van de portier daar, dus wat dat betreft zou ze ook kunnen helpen...

Van: Londen, Deelraad Camden
Aan: Holly
Onderwerp: Mededeling Overtreding Nummer PO092384203

Geachte Holly Denham
Hartelijk dank voor uw bezwaarschrift ontvangen d.d. 19/03/2007 en uw telefoontje van hedenmorgen.
Ik heb uw zaak momenteel in behandeling, maar heb daarvoor een kopie nodig van de parkeervergunning waarvan u melding maakt in uw brief.
U zegt dat u deze vergunning duidelijk zichtbaar in uw auto had liggen en dat een van onze parkeerbeambten u desalniettemin een boete heeft opgelegd.
We hebben binnen 7 dagen een kopie van deze vergunning nodig.
Hoogachtend
Tanya Duggan

Van: Holly
Aan: Londen, Deelraad Camden

Beste Tanya

Ik bleef maar parkeerbonnen van jullie krijgen, dus ik heb expres de moeite genomen om een parkeervergunning voor een jaar te kopen.

Ik parkeerde op een van de plekken die door jullie zijn aangewezen, maar kreeg toch een boete.

Ik heb toen opgevangen dat jullie verkeerswacht de tijd van zijn leven moet hebben gehad, hij rende giechelend als een bezetene heen en weer terwijl hij bonnen op alle auto's bevestigde – vergunning of geen vergunning. Misschien was hij ziek, of gewoon sadistisch, of misschien wilde hij zijn vrijdagse bonus halen.

Die dingen gebeuren. Maar leg me alstublieft uit hoe ik een kopie van mijn vergunning zou moeten maken – ik ben benieuwd!

Groeten

Holly

Van: Londen, Deelraad Camden
Aan: Holly

Holly

Neem gewoon de vergunning mee naar een fotokopieermachine, maak een duidelijke kopie en fax die naar het nummer dat onder aan de brief staat.

Hoogachtend

Tanya Duggan

Van: Holly
Aan: Londen, Deelraad Camden

Tanya

Aha! Zie je wel, je wilt dat ik mijn vergunning achter mijn voorruit vandaan haal en een kopie maak, en als er dan niets in dat plastic hoesje zit geeft een van jouw maatjes mij weer een bon. Het is een samenzwering – (dat zei mijn vriendin Trisha al).

Holly

Van: Londen, Deelraad Camden
Aan: Holly

Holly

Kun je niet naar een plek rijden waar een fotokopieerapparaat vlak bij je auto staat?

Tanya Duggan

Van: Holly
Aan: Londen, Deelraad Camden

Ja, mijn werk. Maar dan moet ik een verkeersopstoppingsboete betalen omdat ik Londen inga.

Kun je niet ergens in jullie systeem zien dat ik er een gekocht heb, dat houden jullie vast bij, toch? (Zo niet – het zou erg verstandig zijn dat wel te doen, een opgeruimd bureau is een opgeruimde geest.)

Holly

Van: Londen, Deelraad Camden
Aan: Holly

Holly

Ik begrijp het. Wij wijzen u er echter op dat als wij deze informatie niet binnen 7 dagen ontvangen een beslissing zal worden genomen op basis van de gegevens die wij momenteel tot onze beschikking hebben.

Dank u voor uw medewerking in deze.

Hoogachtend Tanya Duggan

Van: Holly
Aan: Patricia Gillot
Onderwerp: Mededeling Overtreding

Ze willen een kopie van mijn vergunning – die kan ik er niet uithalen omdat ik dan weer een bon krijg. Weet jij iets?

Ik heb zelfs geprobeerd net te doen alsof ik een beetje geschift was, had geen effect.

Van: Patricia Gillot
Aan: Holly

Maak er een foto van.

Van: Holly
Aan: Patricia Gillot

Briljant! x

Van: James Lawrence
Aan: Holly
Onderwerp: Heb je gemist.

Heb je gemist.

Van: Holly
Aan: James Lawrence

Fijn.
Waar was je?

Van: James Lawrence
Aan: Holly

Druk druk druk.

Van: Holly
Aan: James Lawrence

Zin om vrijdag of zaterdag uit te gaan?

Van: James Lawrence
Aan: Holly

Moet het per se op een dag in het weekend?

Van: Holly
Aan: Jason GrangerRM; Aisha
Onderwerp: James is een klootzak!

Het is nu officieel, zeker weten!!!!!

Van: Holly
Aan: James Lawrence
Onderwerp: Betr.: weekend

Nee hoor, helemaal niet, waarom? Ga je mee stappen met de anderen vrijdag? Ik dacht erover maar weet het nog niet zeker.

Van: James Lawrence
Aan: Holly

Nee, ik ga niet uit met dat zootje ongeregeld, ik serveer mijn noten nog liever met stroop als ontbijt aan Anne Robinson.*

* Britse journaliste en televisiepresentatrice, voornamelijk bekend van de televisiequiz *The Weakest Link* (in Nederland opgenomen als *De Zwakste Schakel*, waarin Chazia Mourali de ijskoude presentatie van Robinson imiteert).

Van: Holly
Aan: Aisha; Jason GrangerRM
Onderwerp: Laat maar

Hij is nu weer aardig.

Van: Jason GrangerRM
Aan: Holly

O, fijn dat je ons dat vertelt, ik zal de media op de hoogte brengen.

Van: Holly
Aan: Jason GrangerRM

Prima, vertel ze maar dat Holly Denham springlevend en gelukkig is en nog steeds in staat is premières bij te wonen.

Van: Jason GrangerRM
Aan: Holly

Je hebt me verkeerd begrepen – ik dacht dat je nu weer single was dus ik heb snel een advertentie onder het kopje GEZOCHT opgegeven, met de vraag naar partners voor gestoorde seks met pastinaken en augurken – moet ik het afzeggen of zo houden? (voor een wat pittiger seksleven???)

Van: Holly
Aan: Jason GrangerRM

Zeg maar af – voorlopig in ieder geval.
xx

VRIJDAG

Van: Mam en Pap
Aan: Holly
Onderwerp: Nieuws uit Spanje

Lieve Holly
Tja – wat gebeurt hier allemaal?
Ik denk dat ik maar begin met je vader en zijn geschilder, iets wat ons volgens mij in een lastig parket zou kunnen brengen. Hij doet erg gek en het zou me niks verbazen als de Guardia Civil hier binnenkort de deur openramt en hem arresteert.

Fraude is een ernstig misdrijf hier en ik ben niet naar Spanje verhuisd om het gevoel te krijgen dat ik met Ronnie Biggs ben getrouwd, misschien dat jij eens met hem kunt praten.

Ik zal je niet vertellen wat hij in zijn schild voert, dat laat ik aan hem over, in ieder geval absoluut niet in een e-mail.

We hebben de laatste tijd niets van je gehoord, hoe gaat het op je werk?

Heb je al nieuwe vrienden gemaakt? Hoe is het met Jennie?

Je houdt ons niet echt op de hoogte van waar je allemaal mee bezig bent, hè?

Is Jennie erin geslaagd deuren voor je te openen in de bankwereld? Ik zat te denken dat je vader en ik misschien eens met haar ouders kunnen gaan praten, ik denk dat ik, als ik mijn best doe en wat ga graven, hun adres wel kan vinden, zei jij niet dat ze een vakantiehuisje in Puerto Banús hadden? Misschien kunnen je vader en ik daar een keer naartoe gaan en wat Denham-pr doen, wat vind je daarvan?

Liefs Mam.

Van: Holly
Aan: Mam en Pap

Hai Mam

Je klinkt nogal boos over alles en ik snap niet waarom – ik hou contact met je en heb een paar dagen geleden nog gebeld, dus ik vind het een beetje oneerlijk. Ik hou erg veel van je – maar er is niet zoveel gebeurd de laatste tijd. Wat is dat gedoe met Pap?

Tot slot, ga alsjeblieft alsjeblieft geen 'Denham-pr' verrichten, dat is echt echt niet nodig.

Ik zou niet weten wat ik in de bankwereld zou moeten doen, en ik ben erg tevreden met mijn receptiewerk en ik wil hier blijven.

Holly

x

Van: Mam en Pap
Aan: Holly

Holly

Ik heb je gezegd dat ik niets kan vertellen over je vader en prima, als je niet wilt dat ik met Jennies ouders praat zal ik dat niet doen.

Ik probeer alleen maar een hulpvaardige zorgzame moeder te zijn maar als jij niet wilt dat ik me ermee bemoei begrijp ik dat.

Mam.

Van: Holly
Aan: Mam en Pap

Word alsjeblieft niet boos, ik bel je vanavond. Eigenlijk heb ik wel een nieuwtje dat je vermoedelijk wel leuk vindt om te horen – ik heb een vriendje en hij is erg leuk en werkt bij de bank.

Alsjeblieft, goed nieuws voor je.

Hou van je.

xxx

Van: Mam en Pap
Aan: Holly

Holly

Wat een geweldig nieuws! We zijn allebei heel blij voor je.

Wat doet hij bij de bank?

Liefs Mam.

x

Van: Holly
Aan: Mam en Pap

Hij is VP Mam (vicepresident) (iets Amerikaans)

x

Van: Mam en Pap
Aan: Holly

VICEPRESIDENT VAN DE BANK?????

Van: Holly
Aan: Mam en Pap

Nee Mam, het is niet wat je denkt, er zijn veel VP's, maar ja, het is best hoog.

x

Van: Mam en Pap
Aan: Holly

Ik ga het opzoeken op internet, vicepresident, ik ga het aan je vader vertellen – hem afleiden van andere zwendelpraktijken die hij misschien in zijn hoofd heeft zitten.

xx

Van: Holly
Aan: Jennie Pithwait
Onderwerp: Vanavond

Hai Jennie
Ik kan niet komen vanavond, sorry sorry sorry, maar ik moet onverwacht weg dit weekend.
Vergeef het me alsjeblieft.
Holly
xxx

Van: Patricia Gillot
Aan: Holly
Onderwerp: Sexy ondergoed

Hé, wat staat er nou op je beeldscherm?
Dat heeft volgens mij niets te maken met het reserveren van een vergaderzaal, meer met een zoektocht naar sexy slipjes!
Stiekemerd!

Van: Holly
Aan: Patricia Gillot

Van mijn broer – hij denkt dat het leuk is om mij deze links te sturen en ik heb het per ongeluk geopend.
Het is om gek van te worden, maar ik hou van hem.

Van: Bestellingen@ietsvoorhetweekend
Aan: Holly
Onderwerp: Iets voor het weekend

BETR. 8989832942 Holly Denham
Hartelijk dank voor uw bestelling, we hopen dat onze producten u bevallen.
A39 MINI – SPLITROK SATIJN

Van: Jason GrangerRM
Aan: Holly
Onderwerp: Ze globaliseren!!

Dat ongelooflijk sexy stelletje krijgt eindelijk het publiek dat het verdient – Amerika!!!

Van: Holly
Aan: Jason GrangerRM

Wie?

Van: Jason GrangerRM
Aan: Holly

Kom nou toch Holly, denk eens na... Je zou trots op ze moeten zijn, ze zijn het meest glorieuze gevierde beroemde stel in Engeland??

Van: Holly
Aan: Jason GrangerRM

Zingt hij?

Van: Jason GrangerRM
Aan: Holly

Mmmm, zou kunnen.

Van: Holly
Aan: Jason GrangerRM

Is zij model?

Van: Jason GrangerRM
Aan: Holly

Ja! Fijn, blij om te merken dat al die nummers van Celebrity & Glossy die ik in je huis heb rondgestrooid zich terugbetalen!!! Hij is een dekhengst en zij – nou, zij is zo roze dat ik me misschien wel voor haar zou bekeren...

Van: Holly
Aan: Jason GrangerRM

Pete en Kate.

Van: Jason GrangerRM
Aan: Holly

10 punten voor dat meisje daar achterin.

Van: Holly
Aan: Jason GrangerRM

Val jij op Pete Doherty??

Van: Jason GrangerRM
Aan: Holly

Niet dat Pete en Kate glorieus gevierde beroemde Engels stel, dat andere Pete en Kate glorieus gevierde beroemde Engels stel – Katie Price en Peter André*.
Maar je mag de punten houden omdat ik merk dat er wat verwarring is.
Hoe is het trouwens met je vanmorgen?

* Katie Price is een Brits naaktmodel, beter bekend onder haar modellennaam Jordan. Zij is met name bekend vanwege enkele opeenvolgende borstvergrotingen, en wordt mede daardoor ook wel 'de Britse Pamela Anderson' genoemd. Ze is getrouwd met Peter André. Peter André is een Britse singer/songwriter en tv-persoonlijkheid die in de jaren negentig een korte maar heftige carrière in de popmuziek beleefde.
Tegenwoordig houdt Peter zich voornamelijk bezig met presenteren op de Britse televisie.

Van: Holly
Aan: Jason GrangerRM

Hoe nichterig kun je zijn!?

Van: Jason GrangerRM
Aan: Holly

Nu we het daar toch over hebben, Aisha en ik gaan naar de GAY vanavond... Dat meisje moet een beetje lol maken.

Van: Holly
Aan: Jason GrangerRM

O, het is dus alleen voor haar?

Van: Jason GrangerRM
Aan: Holly

Uiteraard, ik ben een gelukkig getrouwd man.

Van: Holly
Aan: Jason GrangerRM

Geweldig, dus het is nu 'Aisha en Jason' wat de klok slaat, hè, bedankt dat je mij ook hebt uitgenodigd.

Van: Jason GrangerRM
Aan: Holly

O, zeik niet hollypopje, ik weet dat je dit weekend met James bent.
xxx

Van: Holly
Aan: Oma
Onderwerp: Paps olieverfschilderij

Hoi Oma,
Heerlijk om weer eens met u te praten en ik vond het vervelend om te horen dat u – voor de zoveelste keer – een beetje in het onzekere bent gelaten over wat u moet doen met de computer. Hoop dat hij het nu weer doet en dat u mijn e-mail krijgt. Weet u trouwens iets over Pap en zijn geschilder?
Holly
x

Van: Oma
Aan: Holly

Holly
Je bent geweldig. Ik voelde me zo'n imbeciel, dagen achter elkaar staren naar die computer om er dan achter te komen dat het ding gewoon vast-zat, en toen het heerlijke gevoel van het zien van al die aardige brieven/e-mails die geduldig op me hadden gewacht.
Je vader en ik halen kattenkwaad uit. Iemand heeft hem een tijdje geleden gevraagd een portret van zijn baby te schilderen en toen ging het als een lopend vuurtje door de stad en iedereen had het erover hoe goed het was. Dus voor hij er erg in had kwamen er elke dag mensen met babyfoto's aan-zetten en had hij acht opdrachten voor babyportretten. Je vader schildert omdat hij het leuk vindt om landschappen met olieverf te maken, geen oliebaby's, maar je moeder was zo trots op hem dat hij van haar geen op-drachten mocht weigeren.
En toen ben ik me ermee gaan bemoeien Holly. Ik heb tegen hem gezegd dat hij alleen de ogen, neus en mond van één baby moest schilderen en daar acht kopieën van moest maken. Dan hoefde hij er alleen nog maar wat haar of babykleertjes bij te schilderen om er een uniek exemplaar van te maken en niemand zou dat in de gaten hebben.
Het ging allemaal wonderbaarlijk goed en je moeder zou het nooit hebben

gemerkt als ik mijn grote mond niet voorbij had gepraat.

Ik was op een maandag bij je ouders en toen kwam er iemand zijn schilderij ophalen.

Ze zeiden hoe prachtig het portret was en dat die kleine echt de ogen van haar vader had, en toen stootte ik je vader aan en zei gniffelend dat ze dus in feite de ogen van Jose van nummer 10 had.

Dat hoorde je moeder en ik denk dat ze toen boos is geworden. Dat is dus het grote nieuws uit Spanje, mijn hele maand is weer goed.

Ik heb een paar goede ideeën bedacht voor nieuw kattenkwaad dat je vader en ik kunnen uithalen bij die bank van jou.

(grapje, geen zorgen.)

Mis je ontzettend

Liefs Oma

xxxx

Van: Jason GrangerRM
Aan: Holly
Onderwerp: Romantisch tussendoortje

En waar neemt hij je mee naartoe?

Van: Holly
Aan: Jason GrangerRM

Weet ik nog niet, heeft hij niet verteld.

Van: Jason GrangerRM
Aan: Holly

Hoe laat haalt hij je dan op?

Van: Holly
Aan: Jason GrangerRM

Weet ik niet – wacht nog steeds op een telefoontje enz...?

Van: Aisha
Aan: Holly; Jason GrangerRM
Onderwerp: Ik hoorde het net!

Ik hoorde net dat hij je heeft laten zitten, dat stuk sh*t.

Van: Holly
Aan: Aisha; Jason GrangerRM

BEDANKT JASON!
Hij heeft me niet laten zitten, ik denk dat hij het gewoon erg druk heeft vandaag.

Van: Aisha
Aan: Holly; Jason GrangerRM

Jaaa, druk vandaag – dat hoor ik ook vaak, het zijn gewoon allemaal fuc*kers, echt. Ga lekker met ons stappen.
xxx

Van: Holly
Aan: Aisha; Jason GrangerRM

Aisha, zorg alsjeblieft dat je die sterren op de juiste plek zet!! – Jason, ben je daar??

Van: Aisha
Aan: Holly; Jason GrangerRM

Hij is zo terug, hij ziet eruit alsof hij het erg druk heeft. Wij gaan dus naar GAY, ga je mee??

Van: Mam en Pap
Aan: Holly
Onderwerp: De bankier

Holly
Ik heb het opgezocht op internet op Wikipedia en er staat: Ook in de zakenwereld komt de term vicepresident vaak voor. Zo'n vicepresident is bijna nooit de opvolger van de nummer één, maar één van vaak tientallen of honderden managers op het niveau van, of direct onder, het dagelijks bestuur van het bedrijf.
Dat klinkt dus veelbelovend, toch?
Liefs Mam

Van: Holly
Aan: Mam en Pap

Ja Mam, dat klinkt veelbelovend.

Van: Aisha
Aan: Holly; Jason GrangerRM
Onderwerp: James

Hé, misschien gaat hij met die vrienden boven stappen??? en heeft hij er nog niet aan gedacht jou daarvan op de hoogte te brengen, de kl**thommel?

Van: Holly
Aan: Aisha; Jason GrangerRM

Heb jij niks te doen? Waarom ga je Jason niet helpen?

Van: Aisha
Aan: Holly; Jason GrangerRM

Hij lijkt alles onder controle te hebben, o nee, dat is niet zo, ik ga me er niet mee bemoeien.

Van: Holly
Aan: Aisha; Jason GrangerRM

Is dat niet precies wat je zou moeten doen als zijn receptioniste?

Van: Aisha
Aan: Holly

Reageer je woede nou niet op mij af, ze hebben mij zo vaak laten zitten!

Van: Holly
Aan: Aisha; Jason GrangerRM

Hij heeft me NIET LATEN ZITTEN!

Van: Mam en Pap
Aan: Holly
Onderwerp: De bankier

Weet jij hoeveel van die VP's er bij jullie werken?

Van: Holly
Aan: Mam en Pap

Nee Mam.

Van: Mam en Pap
Aan: Holly

O, nou ja, het klinkt allemaal goed, ik zal je niet langer ophouden.
Je hebt het daar vast erg druk, je vader en ik zijn erg trots op je.
Liefs Mam

Van: Zwangere Pam
Aan: Holly
Onderwerp: Raar maar waar

Er zit vandaag meer ontlasting in mijn onderbroek dan ik heb gegeten, ik
kan niks binnenhouden, heb je tijd om te praten liefie?
Pam

x

Van: Holly
Aan: Zwangere Pam

Nee, sorry Pam, ik bel je dit weekend wel op, dan kun je me er alles over
vertellen.

xxx

Van: Holly
Aan: James Lawrence
Onderwerp: Het weekend

Niets van je gehoord – kun je me alsjeblieft vertellen wat er aan de hand
is???

Maand 3, week 2

MAANDAG

Van: Alice en Matt
Aan: Holly
Onderwerp: Het Spaanse leven

Hai Holls,

Ik moet je dit gewoon vertellen omdat ik weet hoe gek je bent op onze slangen.xx

We komen net terug van de dierenarts. Bobby (de slang) is niet in orde. Hij is het grootste dier van Matt, 2 meter lang en 5 kilo spieren schoon aan de haak dus ik ben meegegaan om Matt te helpen dragen.

Ik denk dat we hem zijn antibioticaspuiten voortaan zelf moeten geven omdat de dierenarts volgens mij niet staat te springen om hem weer terug te zien.

In de kamer ernaast zaten heel veel andere mensen met hun huisdieren op hun beurt te wachten (voornamelijk Engelsen die hun hond/kat geruststelden door te zeggen dat de operatiekamer van de dierenarts een geweldige plek is).

Weet je, de kop is niet eens zozeer het probleem, die kun je vastdrukken, maar terwijl je die bek in de gaten houdt heb je de neiging de rest van zijn lichaam te vergeten – en dat begon vrolijk de boel in mekaar te slaan (Bobby houdt wel van een potje vernielen).

We staan daar allemaal tegen elkaar te schreeuwen, er valt glas op de grond aan diggelen, ik trap in die puinhoop op Matts voet en krijg uiteindelijk die naald in mijn hand. 'Het is maar antibiotica, geen zorgen' zei de dierenarts, terwijl het bloed uit mijn hand stroomt.

Ik kan je vertellen dat die huisdieren ernaast er niet meer zo enthousiast uitzagen.

We kwamen naar buiten en ik heb nog nooit een rij met zulke totaal andere gezichten gezien, een vrouw snakte naar adem toen ze Bobby zag, en Matt wijst naar haar keffertje en zegt: 'hou die maar goed vast schat, hij heeft een éénhapsformaat en deze hier heeft de dierenarts al doorgeslikt!' (ik schaamde me dood)

Ik weet niet hoe we dat gaan doen, hem die injecties elke dag zelf geven de komende week.
Hoe is het met jou vanmorgen?

Van: Aisha
Aan: Holly; Jason GrangerRM
Onderwerp: Je zit in de problemen

Je zit in de problemen dame. Ik belde net naar je werk en je vriendinnetje Trisha vertelde dat je er nog niet was!!!

Van: Judy Perkins
Aan: Holly; Patricia Gillot
Onderwerp: Bijeenkomst

Beste Holly & Trisha
Ik wil graag een bijeenkomst met jullie beleggen. Het liefst volgende week, kunnen jullie me laten weten of dinsdag om 6 uur jullie schikt?
Groeten, Judy

Van: Holly
Aan: Judy Perkins

Hai Judy
Ja, afgesproken.
Groeten Holly

Van: Holly
Aan: Patricia Gillot
Onderwerp: Bijeenkomst?

Gaat die bijeenkomst over mij? Wat is er gebeurd?

Van: Patricia Gillot
Aan: Holly

Sorry, ik was mijlenver weg, geen paniek, ze denkt dat jij op de vijfde verdieping zalen aan het controleren was. Dit gaat over dat jaarresultatengedoe.
xxxx
Vertel eens iets over je weekend?

Van: Holly
Aan: Patricia Gillot

Het was fantastisch. Jij bent een slechte vrouw...

Van: Patricia Gillot
Aan: Holly

Ik moest het hem beloven schat, ik stond vrijdag te trappelen om het je te vertellen, maar dat heb ik niet gedaan – ik was een brave meid en heb mijn mondje dichtgehouden!!

Van: Holly
Aan: Patricia Gillot

Ik dacht dat hij het was vergeten, echt waar.

Van: Jason GrangerRM
Aan: Holly; Aisha
Onderwerp: Vuile telaatkomster

Ik hoorde het net van Aisha – je bent nog niet eens binnen!!! En waarom krijg ik geen berichten meer??? Geen update sinds zaterdag? We moeten antwoorden hebben en wel nu!

Van: Holly
Aan: Patricia Gillot
Onderwerp: Mijn weekendje

Wat heeft hij vrijdag dan tegen je gezegd?

Van: Patricia Gillot
Aan: Holly

Hij stond gewoon ineens hier en zei dat ik ervoor moest zorgen dat je niet boos weg zou lopen, gekke tuttebel – hij boft maar, want je zag eruit alsof je er vreselijk de pest in had tot je hem zag, had ik maar een camera gehad.

Van: Holly
Aan: Patricia Gillot

Raad eens waar we naartoe zijn geweest...

Van: Patricia Gillot
Aan: Holly

Nou?

Van: Holly
Aan: Patricia Gillot

Hij had er een jurk voor gekocht....?

Van: Patricia Gillot
Aan: Holly

Ik ben dol op die man!

Van: Holly
Aan: Patricia Gillot

en een hoed...

Van: Patricia Gillot
Aan: Holly

Mazzelaarster, heeft hij je mee naar de paardenraces genomen?

Van: Holly
Aan: Patricia Gillot

Heb gewoon een superweekend gehad. Ik heb zelfs nog op een paard gewed.

Van: Patricia Gillot
Aan: Holly

Bofkont.

Van: Holly
Aan: Aisha; Jason GrangerRM
Onderwerp: Mijn ochtend

Hai jongens
Het houdt maar niet op hier, we lopen van hot naar her enz. Ik kon zondag niet bellen want ik had geen telefoon meer (laten vallen in de wc).
Ik heb volgens mij maar 2 uur geslapen en begin daar nu echt last van te krijgen.
xxxx

Van: Jason GrangerRM
Aan: Holly

Ik ben blij dat je niet geprobeerd hebt hem eruit te vissen – vertel me dat eens chique vriendin van me – die een potje hooghartig stond te zijn met koninklijke hoogheden bij de paardenraces... Je zat zaterdag toch niet met één arm halverwege een plee in Aintree* hè? Nee hè?

* Renbaan in de buurt van Liverpool

Van: Holly
Aan: Jason GrangerRM; Aisha

Natuurlijk niet. Ik heb een borstel gebruikt.

Van: Jason GrangerRM
Aan: Holly; Aisha

O Holly.

Van: Holly
Aan: Aisha; Jason GrangerRM

En een paar velletjes wc-papier.

Van: Jason GrangerRM
Aan: Holly; Aisha

Ik hoop dat je je metgezel niets verteld hebt over je avonturen? Mannen hebben daar iets mee, vrouwennagels moeten tot in de perfectie gemanicuurd zijn, niet druipen van de poep.

Van: Holly
Aan: Jason GrangerRM; Aisha

Natuurlijk heb ik dat niet gedaan! Trouwens, waar is Aisha? Ik heb haar advies nodig.

Van: Jason GrangerRM
Aan: Holly; Aisha

Ons vrolijke stoeipoesje is gaan lunchen, als ze terug is zal ik tegen haar zeggen dat jij van haar diensten gebruik wilt maken.

Van: Charlie Denham
Aan: Holly
Onderwerp: HOLLY DENHAMS ABONNEMENT OP HETE NAAKTE MEISJES

Had afgelopen vrijdag weer een inspectie, dus wat schietgebedjes zouden wel van pas kunnen komen (als jij dat aan Alice kunt doorgeven).

Ook is het me gelukt een paar plaatselijke kunststudenten over te halen om mij wat beelden uit te lenen, en ik kreeg een stelletje oude kooien om hitsige meisjes in te laten dansen – tussen twee haakjes, ken jij nog hitsige meisjes die het leuk zouden vinden om een zweterig avondje in een kooi door te brengen – bij voorkeur kronkelend????

Charlie

Van: Holly
Aan: Charlie Denham

Nee – gek hè?
PS betr. jouw onderwerpveld – ?!!

Van: James Lawrence
Aan: Holly
Onderwerp: Maandagmelancholie

Mis je, schatje popje scheetje sappig aardbeienslipje.

Van: Holly
Aan: James Lawrence

Had jij niet gezegd dat we het koosnaampjesstadium nog niet bereikt hadden?

Van: James Lawrence
Aan: Holly

Weet ik dropje, maar ik voel me roekeloos.

Ik belde je net en had een heerlijk vunzig gesprek met een oversekste retiradefiguur in Liverpool.

Pas nadat ik had toegestemd in een marathonwipsessie over de achterkant van een stortbak besefte ik dat jij het niet was, maar een gast met de naam Doug en dat ik degene was die over de stortbak moest hangen.

Ik heb beleefd geweigerd.

Hoe is het trouwens met je?

Van: Holly
Aan: James Lawrence

Goed. Ik kan nog steeds niet geloven dat ik dat met mijn mobiel heb gedaan. Ik schaam me dood, ik kan nu dus geen foto's van de parkeervergunning maken. Shit!

Van: James Lawrence
Aan: Holly

Wat heb je toch een interessante hobby's.

Van: Holly
Aan: James Lawrence

Nee, dat heeft te maken met een boete – lang verhaal.

Van: James Lawrence
Aan: Holly

Is rommelkontje moe?

Van: Holly
Aan: James Lawrence

Rommelkontje?
Vraag me af of je het al helemaal in de vingers hebt. Hoe dan ook, dat ben ik niet, maar Aisha – mijn vriendin die dol is op bijnamen.

Van: James Lawrence
Aan: Holly

O, ik weet het weer, die 'hitsige' vriendin over wie je het had – enne, wanneer ga ik haar ontmoeten?

Van: Holly
Aan: James Lawrence

Als Pasen en Pinksteren op één dag vallen.

Van: James Lawrence
Aan: Holly

Is dat een definitief nee?

Van: Holly
Aan: James Lawrence

Ik heb het druk, en moet jij je niet eens gaan bezighouden met een of andere deal?

Van: James Lawrence
Aan: Holly

Ik stond op het punt daar zelf mee te komen, maar ik ben blij dat jij de eerste stap hebt gezet, kom op, kun je niet wat eerder weg vandaag?

Van: Aisha
Aan: Holly
Onderwerp: Kreeg net je bericht

Sorry, ik heb het erg druk gehad – je weet hoe het is als je je baan waardeert en je werk serieus neemt... Hoe is het met dat vuile-telaatkomersgevoel??????

Van: Holly
Aan: Aisha

Slecht, ik wilde jouw advies hebben – hoe kom je de dag door als je niet geslapen hebt?

Van: Aisha
Aan: Holly

O, heel makkelijk, ik ga meestal praten met ene Trevor, maar jij hebt waarschijnlijk liever een paar espresso's.

DINSDAG

Van: Holly
Aan: TOTAALTELEFOONVERZEKERING
Onderwerp: Schadeclaim

L.S.
Ik heb een verzekering voor mijn mobiel en ik heb nu een nieuwe nodig alstublieft.
Ik heb de mijne laten vallen toen ik uit de bus stapte en die is nu helemaal plat.

Kunt u me laten weten wat ik moet doen om een nieuwe te krijgen?
Groeten
Holly Denham

Van: TOTAALTELEFOONVERZEKERING
Aan: Holly

Betr.: 23400000000089888
Beste Holly Denham
Hartelijk dank voor uw e-mail.
Het regelen van een vervangende telefoon voor u is een fluitje van een cent. U hoeft alleen maar de brokstukken van uw oude telefoon op te sturen en dan zorgen wij dat u een nieuwe toegestuurd krijgt.
Hartelijk dank.
Hoogachtend
Frank Didman

Van: Holly
Aan: Aisha; Jason GrangerRM
Onderwerp: Elke raad is welkom

Hoi duo,
Ik probeer iets te regelen voor een nieuwe telefoon, maar ze willen de brokstukken zien. Wat moet ik doen?

Van: Jason GrangerRM
Aan: Holly; Aisha

Welke brokstukken, ik dacht dat je hem in de wc had laten vallen?

Van: Holly
Aan: Jason GrangerRM; Aisha

Ik dacht dat ik misschien niet gedekt was tegen ongelukjes op het toilet, dus ik heb gelogen.

Van: Jason GrangerRM
Aan: Holly; Aisha

Wat heb je nou van je moeder geleerd?

Van: Holly
Aan: Jason GrangerRM; Aisha

Dat je over 3 dingen mag liegen: je leeftijd, de prestaties van een man in bed, en het recept voor haar vleespastei – (dat is een Denham-geheim). Ik zweer je dat ze me dat verteld heeft.

De kans is zeer klein dat ik ooit zal moeten liegen over een pastei, dus die verruil ik voor schadeclaims bij de verzekering.

??? wat vinden jullie? ☺

Van: Jason GrangerRM
Aan: Holly; Aisha

Je verruilt een leugen over een pastei voor eersteklas verzekeringsfraude? Ik vraag me af of de rechter dat als een eerlijke ruil beschouwt, ondanks die toegevoegde smiley...

Van: Holly
Aan: Jason GrangerRM; Aisha

Meen je dat serieus?

Van: Jason GrangerRM
Aan: Holly; Aisha

Natuurlijk niet. Regel gewoon een oude telefoon en rij eroverheen – probleem opgelost.

Van: James Lawrence
Aan: Holly
Onderwerp: Dringend vergaderverzoek

—Accepteer— —Twijfel— —Wijs af— —Stel nieuwe tijd voor—
VERGADERVERZOEK VOOR HOLLY DENHAM OM 15.00 UUR

Van: Holly
Aan: James Lawrence

—Twijfel—
Ik herinner me de laatste vergadering, om er zeker van te zijn dat het om een echte vergadering gaat wil ik weten:
A: Waar de vergadering over gaat
B: Waar de vergadering wordt gehouden
Holly

Holly

In antwoord op je vragen:

A: Waar de vergadering over gaat

Jouw gebrek aan respect voor hoger geplaatsten en jouw vermogen om professioneel te communiceren

B: Waar de vergadering wordt gehouden

In de lift om ongeveer 15.03 – waar ik onze nieuwste en ondeugendste receptioniste op grondige wijze linguïstisch zal evalueren

Ik zal de lift om exact 15.02 uur voor je naar beneden sturen.

Ik verwacht dat je daarin op me staat te wachten als ik om 15.03 uur op de vierde verdieping binnenstap.

Voor eventuele vragen kunt u mijn secretaresse bellen

James Lawrence

Een zeer belangrijk persoon.

PS Ik verwacht dat de drie bovenste knoopjes van je pakje en blouse losgemaakt zijn – sloerie-uiterlijk essentieel.

Ik krijg jullie nog wel! Wat gij niet wilt dat u geschiedt...

O, hoi Holly

Hoe staat het ermee, wij hebben het erg druk, nog nieuws?

Ja, daar trap ik niet in!! Ik hoorde Aisha op de achtergrond lachen!!

HA HA HA HA

Wat was dat grappig, heb je het echt hardop gezegd?

Van: Holly
Aan: Aisha; Jason GrangerRM

Ja,

Geen zorgen, jouw tijd komt nog wel... jullie tijd!

PS Ik kreeg net een e-mail van James die me vroeg hem in de lift te ontmoeten...

Van: Patricia Gillot
Aan: Holly
Onderwerp: Waar ging dat over?

Wat zei je nou net tegen hem?

Van: Holly
Aan: Patricia Gillot

Ik kreeg een telefoontje van iemand die zei dat hij een dringende boodschap had voor een van de heren op de receptie – ene meneer De Peijper – ze zeiden dat zijn voornaam Wil was. DUS ik vroeg aan onze cliënten of een van hen een wilde pijper was. Fijn.

Het bleken Jason en Aisha te zijn – had het kunnen weten.

Van: Patricia Gillot
Aan: Holly

Gelukkig hebben ze je niet verstaan meisje. Had slecht kunnen aflopen, dat moet je hun betaald zetten.

Van: Jason GrangerRM
Aan: Holly; Aisha
Onderwerp: Spannend zeg – lift – ontmoeting?

VERTEL??? Ga je het doen????

Van: Aisha
Aan: Holly; Jason GrangerRM

Natuurlijk gaat ze het doen!

Van: Holly
Aan: Aisha; Jason GrangerRM

Nee, ik ga niet.

Van: Aisha
Aan: Jason GrangerRM; Holly

Ik zou wel gaan!!!

Van: Jason GrangerRM
Aan: Holly; Aisha

Helaas denk ik niet dat Holly naar een plaatsvervangster vroeg, Aisha.
James = Holly's vriendje
Dave, Peter, Paul, Matthew, Mark, Luke en een ontelbaar aantal Johns =
Aisha's vriendjes.

Van: Aisha
Aan: Jason GrangerRM; Holly

Je bent niet grappig Jason. Nou, kom op Hollybolly – ga je erheen?????

Van: Holly
Aan: Aisha; Jason GrangerRM

NEE.
Sh*t. Ik weet het niet.

Van: Jason GrangerRM
Aan: Holly; Aisha
Onderwerp: Iemand heeft ooit gezegd...

De klok tikt door.
KOM OP HOLLY. Tik tak tik tak tik tak, je hebt nog 7 minuten om te beslissen.

Van: Aisha
Aan: Holly; Jason GrangerRM

Kom op Holly, doe het doe het doe het doe het!!!!!!!!!

Van: Holly
Aan: Aisha; Jason GrangerRM

Oooooooooooooooooooooo weet het niet.

Van: Jason GrangerRM
Aan: Holly; Aisha

Het spijt me, ik zal je wat dit betreft moeten opjagen, ik moet je definitieve antwoord hebben, je hebt nog minder dan 2 minuten over!!!!

Van: Holly
Aan: Aisha; Jason GrangerRM

Nee.

Van: Jason GrangerRM
Aan: Holly; Aisha

Nog 30 seconden, is dat je definitieve antwoord?

Van: Holly
Aan: Patricia Gillot
Onderwerp: Vergadering – sorry

Sorry Trisha, ben helemaal vergeten dat ik boven een vergadering heb, moet nu weg, sorry.

xxx

Van: Jason GrangerRM
Aan: Holly; Aisha
Onderwerp: Romantiek of vunzigheid, we moeten het weten???

Wat gebeurt daar? Laat ons niet in het ongewisse????

Van: Holly
Aan: Aisha; Jason GrangerRM

Automatisch antwoord bij afwezigheid: Romantiek of vunzigheid, we moeten het weten???
Helaas ben ik afwezig, neem voor dringende zaken alstublieft contact op met Patricia Gillot op Pgillot@HuerstWright.com
En anders ben ik snel weer terug.
Hartelijke groeten
Holly Denham

Van: Patricia Gillot
Aan: Holly
Onderwerp: Welke vergadering?

Ik zie nergens een vergadering in de agenda staan, waar ben je geweest en waarom zie je er zo verhit uit?

Van: Holly
Aan: Patricia Gillot

Sorry Trish, ik had niet zo lang weg willen blijven, ik werd op de terugweg vastgehouden door Judy, die wilde praten over dat conferentiegedoe.

Van: Patricia Gillot
Aan: Holly

Op de terugweg waarvan?

Van: Holly
Aan: Patricia Gillot

Van mijn vergadering.

Van: Patricia Gillot
Aan: Holly

Met wie?
Ik weet heus wel waar je naartoe bent geweest deugniet, je bent weer naar die kerel van je toe geweest, hè, o, ik wou dat ik een bedrijfsromance had, het is niet eerlijk.

Van: Holly
Aan: Patricia Gillot

Ralph?

Van: Patricia Gillot
Aan: Holly

Zou ik niet kunnen, dolgraag willen, maar niet kunnen, misschien is het wel leuk om hem te koppelen aan dat onbeschofte kreng.

Van: Holly
Aan: Patricia Gillot

Mevrouw Huerst? Ze zou die arme Ralph met huid en haar opeten.

Van: Holly
Aan: Jason GrangerRM; Aisha
Onderwerp: Zijn jullie daar?

Ik heb het gedaan.

Mijn hart gaat nog steeds tekeer – maar vooral omdat ik dacht dat ik in de problemen zat toen Judy me bij m'n kraag pakte, maar toen bleek dat ze alleen over werk wilde praten.

Ik pakte de lift en ging naar de vierde verdieping...

Van: Jason GrangerRM
Aan: Holly; Aisha

En????

Van: Holly
Aan: Jason GrangerRM; Aisha

We gingen naar de kelder...

Van: Aisha
Aan: Jason GrangerRM; Holly

Holly!!!

Hou op met dat puntje puntje puntje gedoe, vertel ons alles, we willen het weten, heeft hij je genomen in de kelder???

Van: Holly
Aan: Aisha; Jason GrangerRM

Ik wilde even de tijd nemen om dit te schrijven, oké.

Vanaf het begin...

Ik nam de lift naar de vierde verdieping, hij stapte de lift in, pakte me beet en we begonnen te zoenen.

Maar het was zo hartstochtelijk, hij trok mijn haar naar achteren en kuste me op de mond, ik kwam weer omhoog voor een nieuwe kus en hij hield even mijn haar vast en lachte, het was ongelooflijk ranzig! Toen hij me zo vasthield keek hij naar de liftknopjes en drukte op de kelder...

Ik heb de deuren helemaal niet open horen gaan – ik denk dat hij zijn voet ertussen heeft gezet, maar eerlijk gezegd dacht ik er helemaal niet over na, hij kneep met zijn hand in mijn billen en ik kon hem voelen – (tegen me aan drukkend).

Ik zal verder niet in de details treden, veel meer hebben we niet gedaan (oké, dit moet ik nog wel vertellen, want ik weet dat Aisha trots op me zal zijn, op een bepaald moment beet hij hard in mijn borst en daar werd ik helemaal gek van).

Help, ik wil niet door de receptie gaan dansen en zingen, vinden jullie dat ik moet zingen???

Van: Jason GrangerRM
Aan: Holly; Aisha

Niet zingen, bij alles wat je lief is, GA NIET ZINGEN!!
Hou van je.
x Jason

WOENSDAG

Van: Toby Williams
Aan: Holly
Onderwerp: Jennie's feestje

Holly
Aangezien we nu collega's zijn en jij al zo snel na mijn komst vertrok bij Jennie, dacht ik dat het verstandig zou zijn om de strijdbijl te begraven als je dat wilt en deze week een borrel te gaan drinken.
Toby

Toby Williams, Vice President Bedrijfsfinanciën, H&W, High Holborn WC2 6NP

Van: Holly
Aan: Charlie Denham
Onderwerp: Toby

Het eerste contact is gelegd... hij stuurde me net een e-mail.

Van: Aisha
Aan: Holly
Onderwerp: Ketel verwijt de pot

Vertel me eens Holly, hoe voelt het nou om zo'n slet te zijn????
Wippen in de kelder, naar het werk komen zonder geslapen te hebben, wat is de volgende stap? Ik vermoed dat het niet lang duurt voor je van bil

gaat op de balie en Trisha de pasjes tussen jouw benen door moet overhandigen?
Goedemorgen.

Van: Holly
Aan: Aisha

Heel grappig, maar niet echt eerlijk – ik heb eigenlijk niet zoveel gedaan in de kelder en ik ben NOOIT tegen JOU uitgevallen.

Van: Aisha
Aan: Holly

Nooit uitgevallen??
En die preek van een half uur dan toen ik betrapt was in de hotelkamer!!!!!
'Aisha, je neemt je werk niet serieus, je laat je team stikken, je laat Jason stikken, Aisha kun je je lusten niet in bedwang houden?????!'
Ik zat te denken, misschien moet je een T-shirt aantrekken als je weer in zo'n bui bent, iets als 'holly is hitsig' zodat mensen weten dat ze uit jouw buurt moeten blijven, tenzij ze de lift ingesleurd willen worden voor een gangbang à la holly... O en hij zat met zijn vingers aan mijn knoopjes, o en de deuren gingen dicht, o en... is dit Holly Denham of Jackie Collins?
Je lijkt ineens een heel ander mens.
ha ha ha ha ha ha haa ha dat is mijn laatste woord, ik ga, dag hitsige holly
xxxx

Van: Holly
Aan: Aisha

Aisha Peters! Jij vindt jezelf ontzettend grappig, hè? Ik wacht gewoon wel tot je van je voetstuk valt en dan zien we het wel, ja inderdado.

Van: Charlie Denham
Aan: Holly
Onderwerp: L*l

En wat zei die klootzak?

Van: Holly
Aan: Charlie Denham

Iets over een borrel gaan drinken!!!!????

282

Van: Charlie Denham
Aan: Holly

Ik vermoord hem, zeg tegen hem dat je broer nog steeds met hem wil praten, dringend.

Van: Holly
Aan: Charlie Denham

Bedankt, maar ik wil niet dat jij iets doet.

xxxx

Hoop dat je club er beter uitziet, ik denk dat het verstandig is die kunst er neer te zetten – over die kooien heb ik mijn twijfels.

x

Van: Holly
Aan: Toby Williams
Onderwerp: Nee, dank je

Ik zit bij de receptie, jij bij Bedrijfsfinanciën. Ik ben jouw collega niet en – rot op.

Van: Toby Williams
Aan: Holly

O, zit het zo?

Van: Holly
Aan: Toby Williams

Ja.

Van: Randolph Timothy Huerst
Aan: Holly
Onderwerp: 25-JARIG JUBILEUM HUERST & WRIGHT

Beste Holly

Zoals jullie hier in Londen weten, zal Huerst & Wright de komende maand met trots het 25-jarig bestaan van zijn Europese Hoofdvestiging gedenken.

Om deze mijlpaal te vieren organiseren we een galadiner in het Dorchester en ik wil absoluut duidelijk stellen dat ik verwacht dat iedereen daarbij aanwezig zal zijn.

Het wordt een fantastische avond en ongetwijfeld een geweldige manier om deze veelbelovende dag een plek in de geschiedenisboeken te geven. Voor deze speciale gelegenheid zijn ook partners welkom.

Randolph Timothy Huerst, Huerst & Wright

Van: Holly
Aan: Patricia Gillot
Onderwerp: Daten

Ik ben net mee uitgevraagd door die boef van een Randolph.

Van: Patricia Gillot
Aan: Holly

Ik ook, in het Dorchester, eerlijk gezegd heb ik er geen zin in. Misschien nodig ik hem wel bij ons in de buurt uit, kunnen we een biertje drinken in de Gun en daarna met de voetjes van de vloer bij Waterman (daar is meestal een disco rond elf uur). Rond middernacht zal hij willen kotsen in het struikgewas en daarna kan hij van desastreuze Dan een lift naar huis krijgen.
Hé, je moet naast mij gaan zitten, kunnen we lachen.

Van: Holly
Aan: Patricia Gillot

Natuurlijk doe ik dat. xx

Van: James Lawrence
Aan: Holly
Onderwerp: 25-JARIG JUBILEUM HUERST & WRIGHT

Jubileumsh*t.
Ik ga alleen naar dat slijmerige gebeuren als ik voor ons een suite kan boeken, dan laten we ons gezicht zien tijdens de speech van de oude man en gaan vervolgens weer naar boven om wat collegiaal te netwerken.
Wat zeg jij Denham?
PS Hoe is het met de tepel?

Van: Holly
Aan: James Lawrence

Pijnlijk. Je hebt ervoor gezorgd dat ik nauwelijks kan dansen.

Van: James Lawrence
Aan: Holly

Dan dans je maar niet, je zit bij de receptie Holly, niet bij Dancing with the Stars.

Van: Holly
Aan: James Lawrence

Nou ja, ik ga sowieso met Trisha.

Van: James Lawrence
Aan: Holly

Dan zal ik dus maar een grotere suite boeken.

Van: Holly
Aan: Zwangere Pam
Onderwerp: Babykleertjes, jongen of meisje?

Hoe is het gegaan vandaag, weten we al of het een jongetje of een meisje is?

Van: Zwangere Pam
Aan: Holly

Hoi Holly
Sorry, ik was net vergeten dat je niet kon praten.
Ik heb vandaag een scan gehad en had een verschrikkelijke reis ernaartoe.
Het lijkt alsof je je recht op privacy opgeeft als je zwanger bent – iedereen wil je buik aanraken en grijpt ernaar voordat je nee kunt zeggen.
Ik kon niet wachten om het geslacht van de baby te horen vandaag en was zo over mijn toeren dat ik iets waanzinnigs heb gedaan.
Kun je even kletsen of heb je het druk?

Van: Holly
Aan: Zwangere Pam

Hai
Nee ik ben er ik ben er, ga verder.
xxx

Van: James Lawrence
Aan: Holly
Onderwerp: Vergeet het je steeds te vragen

Wie is Toby?

Van: Holly
Aan: Charlie Denham
Onderwerp: Zus heeft advies nodig

Ik ga dolgelukkig lunchen, kom terug en ineens gaat alles fout.

Ik heb je hulp nodig, heb ik je verteld dat ik verkering heb met iemand van mijn werk? Eigenlijk weet ik wel dat ik dat niet heb gedaan, maar dan weet je het nu, het is zo en hij is echt een aardige gast, maar hij heeft me net gevraagd wie Toby is.

Wat moet ik zeggen (Toby werkt toevallig op dezelfde verdieping)?

Holly

PS geeft niet als je helemaal geen advies hebt, ik weet dat je een man bent en dat je moeite hebt met gevoelige zaken.

x

Van: Oma
Aan: Holly
Onderwerp: Geweldig nieuws Holly

Lieve Holly

Het was zo fijn om je weer te zien toen je hier was.

Wat zou ik het heerlijk vinden als je wat vaker naar Spanje zou komen, al was het maar voor een weekend. Ik weet dat jij zegt dat het duur is, maar sinds je moeder me heeft laten zien hoe het moet, heeft jouw ouwe oma ontdekt dat ze behoorlijk goed met de computer kan omgaan.

Ik heb op een site vluchten gevonden van maar 20 pond, moet je je voorstellen! Ik heb ze ook jouw e-mailadres en naam gegeven, zodat ze je elke dag informatie kunnen sturen.

Liefs Oma xxxx

Van: DE GOEDKOOPSTE VLUCHTEN
Aan: Holly
Onderwerp: GOEDKOPE VLUCHTEN!!!

Holly Denham
DE GOEDKOOPSTE VLUCHTEN
VLIEG NAAR MALTA VANAF 19 POND!!!!!
Log gewoon in op onze site!!!!!
7 DAGEN PER WEEK/24 UUR PER DAG GEOPEND
BEL OF GA NAAR DE SITE

Van: Kortingen bij U-Vliegt-Wij-Betalen
Aan: Holly
Onderwerp: Koopjes Koopjes Koopjes

KOOPJES KOOPJES KOOPJES
U VLIEGT WIJ BETALEN!!!!!!
U staat nu ingeschreven bij ons netwerk en ontvangt onze AANBIEDIN-
GEN!!!!!!
GEWOON DE GOEDKOOPSTE VLUCHTEN!!!!!!!

Van: GOEDKOPE VLUCHTEN VOOR IEDEREEN ALTIJD.COM
Aan: Holly
Onderwerp: Gaat u ervandoor?

Dan hoeft u niet verder te kijken.
Wij hebben goedkope vluchten voor iedereen altijd, daarom heten we
'goedkope vluchten voor iedereen altijd', raar maar waar!!!
Als u vandaag een vlucht boekt, krijgt u een gratis vliegtuig/hoed.
COOL!!!!
BOEK VANDAAG VOORDAT ZE WEG ZIJN!!!!!!

Van: Zwangere Pam
Aan: Holly
Onderwerp: Dus...

Holly
Ik ging naar de wc met dat bakje en ik was op van de zenuwen omdat ik
dacht, als het een meisje is, kan ik haar allemaal roze dingen aantrekken
en dan kunnen we samen gaan stappen als meisjes onder elkaar, maar
dan zou ik me waarschijnlijk meer zorgen maken, dus het zou misschien
beter zijn als het een jongetje was en toen liet ik dus dat bakje in de plee
vallen!!!

Jij kent dat wel, van je mobielplee-ervaring, en zonder na te denken dook ik erin en haalde het eruit vol met wat er nog in de pot zat, en ik denk – het is oké het is oké, ze komen er nooit achter, het is trouwens één pot nat.

Dus ik loop ermee terug, en dan dringt ineens tot me door waar ik mee bezig ben, maar zij betrapt me dus moest ik uitleggen dat ze deze niet kon gebruiken omdat die vol pies zat, o god Holly ben ik aan het doordraaien??

Van: Vluchten naar de Maan en terug
Aan: Holly
Onderwerp: Het is uw geluksdag

VLUCHTEN VLUCHTEN VLUCHTEN VLUCHTEN VLUCHTEN VLUCHTEN
EN
VLUCHTEN VLUCHTEN VLUCHTEN VLUCHTEN VLUCHTEN EN NOG MEER VLUCHTEN!!!!!!!
U kunt voor minder dan 50 pond op vakantie!!
U kunt...
Paella eten aan de Costa del Sol vanaf 20 pond (Spanje)
Pizza eten in de Sixtijnse Kapel vanaf 29 pond (Italië)
Hamburgers eten in Central Park vanaf 80 pond (VS)
Boek nu!! Voordat ze weg zijn!!!!

Van: Holly
Aan: Oma
Onderwerp: Oma – Goedkope vluchten

Dank u wel Oma,
erg aardig van u om mij in te schrijven, ik zal zeker naar die aanbiedingen kijken.
Maar u hoeft mijn naam nergens anders meer op te geven hoor, ik denk dat het zo wel lukt. Heel erg bedankt.
Veel liefs
xxxxx Holly

Van: James Lawrence
Aan: Holly
Onderwerp: TOBY

Heb je mijn e-mail over Toby gekregen?

Van: Vluchten naar de Maan en terug
Aan: Holly
Onderwerp: Voordat u ook maar iets anders doet...

... BOEK EEN VLUCHT!!!!!!!!!
U weet dat u het wilt!!!!
U kunt voor minder dan 50 pond op vakantie!!
U kunt...
Paella eten aan de Costa del Sol vanaf 20 pond (Spanje)
Pizza eten in de Sixtijnse Kapel vanaf 29 pond (Italië)
Hamburgers eten in Central Park vanaf 80 pond (VS)
Boek nu!! Voordat ze weg zijn!!!!

Van: Holly
Aan: Vluchten naar de Maan en terug

Hartelijk dank voor uw informatie, maar:
Die vluchten zijn maar enkele reizen en de terugvluchten kosten 200
pond plus 100 pond luchthavenbelasting plus BTW.
Dus ja, als ik slechts 50 pond had dan ZOU IK in Spanje paella kunnen
eten, maar zonder terugvlucht zou ik dat van de bodem van een afvalbak
op het strand schrapen en het van een hete teenslipper eten.
DUS LAAT ME ALSJEBLIEFT MET RUST
(en haal me uit uw systeem)

Van: Holly
Aan: Zwangere Pam
Onderwerp: Zwangerschap is prachtig! ECHT WAAR

Ga nou niet lopen piekeren dat je gek bent, dat ben je echt niet.
xxxxx zwanger zijn is zwaar, maar het is ook iets heel moois.xxx
En, vertel, krijg je een jongen of een meisje?

Van: Zwangere Pam
Aan: Holly

Prachtig?? Zwangerschap??
Je zou me moeten zien, ik ben moddervet, mijn vingers zijn opgezwollen
tot het formaat van hamburgers en mijn benen zien eruit als boomstam-
men.

Ik zweet, ik heb pijn, en Holly, ik kots.

Nee ik heb geen idee wat de baby is, die verpleegster joeg me echt de stuipen op het lijf, uit wat ik heb gezien ga ik het leven schenken aan een kleine sneeuwstorm voor de kust van Schotland. Ze bleef maar een stuk plastic tegen het licht houden en zeggen 'daar is zijn hoofdje, en daar is zijn lichaampje' en nu realiseer ik me dat ze gewoon gestoord was.

Ze doet dit waarschijnlijk al zoveel jaar dat ze de weg kwijt is.

Ik wed dat andere stellen scans krijgen en naar perfecte plaatjes van duidelijk afgetekende baby's kijken – mijn verpleegster had een apparaat dat jaren geleden gestopt is met werken en opnieuw ingesteld moet worden, maar nee, zij denkt dat ze een baby ziet.

In ieder geval is het er maar een.

Liefs Pam

Van: Holly
Aan: Zwangere Pam

Sorry dat ik al een tijdje uit beeld ben, zullen we iets afspreken dit weekend, ik weet zeker dat je er prachtig uitziet!

xxx

Van: Holly
Aan: Charlie Denham
Onderwerp: Waar zit je?

Ik heb geprobeerd je mobiel te bellen maar ik kom er niet doorheen, jij bent de enige die van Toby weet, dus ik wil het gewoon even met je bespreken.xxxx

Sh*t.

Ik ben echt gek op die gast – en ik hem heb nog niet teruggemaild. Ik zal gewoon iets moeten verzinnen.

x

Van: Holly
Aan: James Lawrence
Onderwerp: Toby

Ja, ik heb gehoord dat Toby hier is komen werken, hij is gewoon iemand van school, ik had niet zoveel contact met hem.

xxxx

Van: Patricia Gillot
Aan: Holly
Onderwerp: Weet je het zeker???

Vind je het niet erg om de late dienst te draaien?

Van: Holly
Aan: Patricia Gillot

Nee, geen punt, ik wil voortaan best van 11 tot 6 werken.
xxxx
fijne avond!

DONDERDAG

Van: Holly
Aan: James Lawrence
Onderwerp: Autoproblemen

Goedemorgen James,
Heb jij je auto hier?

Van: James Lawrence
Aan: Holly

Nee, maar Ian wel, ik weet zeker dat je die wel even van hem mag lenen, waar ga je heen?
J

Van: Holly
Aan: James Lawrence

O super, kan ik hem rond de lunchpauze lenen, ik ben maar even weg, wat voor auto is het?

Van: James Lawrence
Aan: Holly

Een Mini volgens mij.

Van: Holly
Aan: James Lawrence

O, daar heb ik niks aan, ken je nog iemand anders hier die me zou kunnen helpen?

Van: James Lawrence
Aan: Holly

Wat is er mis met de Mini??

Van: Holly
Aan: James Lawrence

Niet zwaar genoeg, lang verhaal.
xx

Van: James Lawrence
Aan: Holly

Waarom denken vrouwen toch dat mannen ophouden vragen te stellen als ze een paar x'jes onder hun e-mail schrijven?

Van: Holly
Aan: James Lawrence

Geen idee.
xx

Van: James Lawrence
Aan: Holly

Ik ken wel een opschepper met zo'n tractor hier, ik kan hem bijna aanraken...
Xx

Van: Holly
Aan: James Lawrence

Oké, de reden waarom een Mini niet zo goed is – ik heb ook een Mini, en ik heb vanmorgen geprobeerd om over mijn mobiel heen te rijden maar dat werkte niet, dus heb ik een zwaardere auto nodig, lang verhaal.

Van: James Lawrence
Aan: Holly

Er zijn andere manier om je telefoon te grazen te nemen als hij ondeugend is geweest, hoor, je kunt hem gewoon voortaan Japans laten praten, hem het zwijgen opleggen of hem gewoon het privilege van batterijen ontzeggen.

Alles goed met je Holly, kun je het werk wel aan? J

Van: Holly
Aan: Alice en Matt
Onderwerp: Vluchten – probleem

Hai

Oma is zo lief, maar ze begint te denken dat ik gierig ben... en begrijpt niet waarom ik geen geld heb om vaker te vliegen.

Toen ik zei dat het duur was, is ze op zoek gegaan naar vluchten.

Van: Alice en Matt
Aan: Holly

Ha lieverd

Maak je niet druk, ik zal even met haar praten, zonder dat ze het in de gaten krijgt.

xxx

Van: James Lawrence
Aan: Holly
Onderwerp: Verveling

Holly

Als het gewoon een kwestie is van een saaie lange lunchpauze doorkomen, schijnt backgammon goed te helpen, hoewel dat het uiteraard niet haalt bij de opwinding van het vermorzelen van een telefoon, maar ja, wat wel, en bovendien, als je na afloop de pionnen opruimt en de verleiding om het bord in de fik te steken kunt weerstaan, kun je het nog een keer gebruiken?

Van: James Lawrence
Aan: Holly
Onderwerp: De redding is altijd nabij

Ik heb dit voor je gevonden...
Dacht dat het misschien zou kunnen helpen

Heb jij soms het gevoel dat iedereen je dwarszit?
Krijg je vaak vreemde blikken van collega's?
Maken je vrienden zich weleens zorgen over jouw geestelijke gezondheid?
Word je soms blind van woede?
Zo ja, dan heb je misschien wel last van stress en woede-aanvallen
Schrijf je vandaag nog in voor onze cursus woedebeheersing
Je bent niet de enige!!!
Woede&StressBeheersing-UK.CB

Van: James Lawrence
Aan: Holly
Onderwerp: Toby

Die Toby hè, weet je zeker dat je hem niet beter kent dan je zegt???

Van: Holly
Aan: Charlie Denham
Onderwerp: Help

Help.
Ik zit zwaar in de nesten en je neemt je telefoon niet eens op. Help Charlie help.

Van: Charlie Denham
Aan: Holly

Hai
Kreeg net je berichten enzo en e-mail, sorry zit zelf ook zwaar in de nesten met gedoe hier.
Ik zou je vooral aanraden niet te liegen, omdat mannen praten, en hij er dan toch achter komt, maar aan de andere kant moet je hem natuurlijk ook niet alles vertellen.
Charlie

Van: Holly
Aan: Charlie Denham

Te laat, ik heb al gelogen. Aaaaaaaaaaaaaaaa
Holly

Van: Jennie Pithwait
Aan: Holly
Onderwerp: Aarde aan Holly...

Hai

Ik heb geen kans gehad je terug te bellen want het was hier de afgelopen dagen een gekkenhuis. Maar goed, wat heb je de laatste tijd uitgevoerd, waar ben je geweest, vertel me alles???

Jennie

Van: Holly
Aan: Jennie Pithwait

Niks bijzonders eigenlijk, we moeten snel weer een keer gaan stappen. Verdomme, er komen allemaal cliënten binnen, bel je later.

xxxx Holly

Van: Holly
Aan: Aisha; Jason GrangerRM
Onderwerp: Smoesjes verzinnen

Hebben jullie ook van die dagen waarop je in één keer door al je leugens ingehaald lijkt te worden???

Van: Holly
Aan: James Lawrence
Onderwerp: Toby

Het is hier beneden een gekkenhuis nu, dus ik kan niet weg, maar ik bel je zodra ik even wat lucht heb. Er is iets meer uit te leggen.

x

Van: Aisha
Aan: Holly
Onderwerp: Liegen

Ja ik ben ooit betrapt met 30 gram dope in mijn doos (verpakt in cellofaan). Ik zei dat het daar zat omdat ik gewoon niet meer door kon slikken. Ik weet hoe je je voelt.

x

Van: Holly
Aan: Aisha

???

Van: Jason GrangerRM
Aan: Holly
Onderwerp: Aisha

Wat een heerlijk mens is het toch, hè? Aisha vertelde me net tussen neus en lippen door welk stukje proza ze je gemaild heeft. Maar geen zorgen Hollypopje, mensen vergeven een leugentje om bestwil. Ik bel je vanavond.

x

Van: James Lawrence
Aan: Holly
Onderwerp: Interessant... Dus Toby was je eerste vriendje???

Je hoeft me niet meer te bellen! Je bent dus blijkbaar een liegende, samenzwerende snol die zonder enige twijfel al eerder iemand van de andere sekse heeft gezoend.
Hoe kan ik nou ooit de uitnodiging om vanavond bij jou thuis te komen eten accepteren?
J

Van: Holly
Aan: James Lawrence

Gaan we vanavond samen eten?

Van: James Lawrence
Aan: Holly

Natuurlijk, ik ben dol op liegende, samenzwerende snollen.
Als jij je enge bewaakster kunt overhalen een peuk te gaan roken kunnen we rollebollen achter die ongelooflijk opgeruimde receptiebalie, als we tenminste niet gestoord worden door een van je vorige vlammen. Gewoon uit interesse – zitten er nog meer verstopt in het gebouw?

Van: Holly
Aan: James Lawrence

Geen een – eerlijk. En ze is niet eng, ze is geweldig, en tot slot: ik weet niet wat er bij 'rollebollen' komt kijken.

Van: James Lawrence
Aan: Holly

Toby zei van wel...

Van: Holly
Aan: James Lawrence

Toby is niets meer dan een waardeloze, vieze nietsnut.

Van: James Lawrence
Aan: Holly

Echt? Ik moet toegeven dat hij een beetje goedkoop overkomt (als dat de juiste term is).

Van: Holly
Aan: James Lawrence

De spijker op zijn kop!

Van: James Lawrence
Aan: Holly

Dus, vanavond?

Van: Holly
Aan: James Lawrence

Op de gebruikelijke plek aan het eind van de straat – 19.10 uur?
Holly
x
PS Over bureaus gesproken... hoe is het met jouw rampplek????

Van: James Lawrence
Aan: Holly

De werkster heeft vrij gehad, misschien kun jij even naar boven komen met een stofdoek?

Van: Holly
Aan: James Lawrence

Misschien kun jij mijn reet likken?

Van: James Lawrence
Aan: Holly

Misschien doe ik dat wel.

Van: Holly
Aan: James Lawrence

Misschien, o, ik moet aan het werk, zie je later lover... xxxxx

Van: James Lawrence
Aan: Holly

Geweldig zoals jij je puntjes gebruikt, daar gaan je gedachten van afdwalen...
O, over dwalende gedachten, mijn bureau, werksters en uniformen gesproken, er is één ding dat Toby gezien heeft en ik niet en dat vind ik helemaal niet eerlijk...

Van: Holly
Aan: James Lawrence

Dat kun je wel vergeten! (Het past trouwens toch niet meer.)

Van: James Lawrence
Aan: Holly

Geen punt, ik heb gehoord dat ze bij de meeste respectabele seksshops wel rubberen sletterige schooluniformen hebben.

Van: Holly
Aan: Jason GrangerRM; Aisha
Onderwerp: Kinky

Hé, nog niet veel gehoord van jullie vandaag, hoop dat jullie lol hebben, ik ben veeeeeeeeeeeeeeeeel gelukkiger nu.
xxxx
PS die relatie met James is behoorlijk intensief.

Van: Jason GrangerRM
Aan: Holly; Aisha

Holly
Je kunt niet KINKY typen bij het onderwerpveld en het dan intensief noemen!!!!

Kom op Holly, heeft James je gevraagd dingen te doen die je normaal gesproken niet doet?
Jason x

Van: Holly
Aan: Jason GrangerRM; Aisha

Vroeger had ik al dit soort dingen niet eens overwogen, maar we hebben gewoon zoveel plezier samen. Ik ben zo gelukkig nu.

Van: Jason GrangerRM
Aan: Holly

IK WEET DAT JE GELUKKIG BENT – Ik ben je beste vriend!!!!
Ik zou zeggen: ga ervoor en als ik denk dat ik weet wat jij bedoelt, dan vind je het waarschijnlijk heerlijk.
xxx
(Ik heb Aisha even uit deze mail weggehaald omdat ik haar sowieso even heb weggestuurd voor een boodschap.)

Van: Holly
Aan: Jason GrangerRM

??? Wat denk jij dat hij heeft gevraagd dan?

Van: Jason GrangerRM
Aan: Holly

Of hij mag doen wat ik vaak doe, wat prima is, echt, maar je moet er wel voor zorgen dat hij veel KY-glijmiddel gebruikt, o, en je kunt misschien beter ook wat poppers kopen.
xxx
Wat spannend!!

Van: Holly
Aan: Jason GrangerRM

GETVER!!! NEE!!! Dat bedoelde ik helemaal niet!!

Van: Holly
Aan: Jason GrangerRM
Onderwerp: Jason!

Ben je er nog!!!! Dat bedoelde ik helemaal niet!!!!!!!!!
Jason??????

Van: Oma
Aan: Holly
Onderwerp: Regen

Holly
Hallo lieverd, ze zeggen dat het hier misschien gaat regenen. Eerder deze week gebeurde dat ook, maar toen sliep ik, ach we zien wel wat er gebeurt. Jaren geleden, tijdens onze huwelijksreis in Schotland, heb ik toen het regende voor je opa geposeerd als een ballerina. Ik weet niet of je je dat nog herinnert maar je ouders hebben een foto die je opa heeft gemaakt aan de muur hangen. Wat zou ik dat graag nog een keer doen.
Liefs oma x

VRIJDAG

Van: Holly
Aan: Oma
Onderwerp: Regen

Oma
Ik was al weg toen u me gisteren die e-mail stuurde, maar natuurlijk herinner ik me de foto, u zag er schitterend uit, en u moet gewoon voor ballerina gaan spelen als het regent!!!
Liefs Holly

Van: Patricia Gillot
Aan: Holly
Onderwerp: Laat

Judy vroeg waar je was, ik zei dat je gebeld had – problemen met de metro.

Van: Holly
Aan: Patricia Gillot

Het spijt me enorm Trish, dat nieuwe rooster ook en ik was vergeten dat ik er om 10.00 uur moest zijn. Het lukte me gewoon niet om op tijd te zijn.
xx

Van: Patricia Gillot
Aan: Holly

Geeft niks schat, jij dekt mij zo vaak.

x

Van: Holly
Aan: Judy Perkins
Onderwerp: Sorry dat ik te laat was

Hai Judy
Sorry dat ik vanmorgen te laat was, er waren weer toestanden met de metro.
Vriendelijke groet
Holly

Van: James Lawrence
Aan: Holly
Onderwerp: Marbella

Kwam er net achter dat die trip naar Marbella vrijdag doorgaat – ik moet daar absoluut het weekend heen, ik kan voor jou ook een ticket regelen als je zin hebt om mee te gaan.
Misschien kunnen we rond de lunch even als verrassing bij je ouders langswippen? Wat denk je?
J

Van: Jennie Pithwait
Aan: Holly
Onderwerp: Galadiner

Kom jij ook naar dat galadiner volgende maand – dan kom je zeker wel naast mij zitten?
Jennie

Van: Holly
Aan: Jennie Pithwait

Natuurlijk!! We moeten met zijn allen bij elkaar gaan zitten, dat wordt lachen. Ik heb er zin in.

Wat ga je dit weekend doen, hoe was het werk afgelopen week?
Holly

Van: Judy Perkins
Aan: Holly
Onderwerp: Betr.: Laat

Geen punt Holly, de metro is altijd verschrikkelijk, wat was er nu weer?

Van: Holly
Aan: Judy Perkins

Judy
Er zat een metrostel vast in een tunnel, duurde uren, afschuwelijk.
Holly

Van: Judy Perkins
Aan: Holly

O jeetje, welke lijn?

Van: Holly
Aan: Patricia Gillot
Onderwerp: Problemen!

Sh*t, nu wil Judy weten welke lijn!?

Van: Patricia Gillot
Aan: Holly

Oké, kijk even op de website van de metro, want ik weet dat Judy dat ook zal doen, dat heeft ze me een keer verteld.

Van: Holly
Aan: Patricia Gillot

Ik zie geen enkele lijn met problemen, jij? Er moet er toch één zijn, DIE ENE KEER DAT JE WILT DAT ZE PROBLEMEN HEBBEN, SODEJU!!!

Van: Patricia Gillot
Aan: Holly

Niets schat? Geen enkel brandje, mankementje, zelfs niemand die zich ervoor heeft gegooid? Niets?

Van: Holly
Aan: Patricia Gillot

Wacht – kleine vertraging op de Circle-lijn!!! En ook een paar kleine op die van Hammersmith en City? Wacht, kijk eens bij de Metropolitanlijn!!!

Van: Patricia Gillot
Aan: Holly

Ernstige vertraging op de Met-lijn! Bingo!!!
We hebben een winnaar, stuur die e-mail schat.
xxx

Van: Holly
Aan: Judy Perkins
Onderwerp: Metro-ellende

De Metropolitanlijn, echt gruwelijk.
Holly

Van: James Lawrence
Aan: Holly
Onderwerp: Marbella???

Moet het nu weten, ik boek de tickets – heb je zin om je familie te verrassen??
J

Van: Jason GrangerRM
Aan: Holly
Onderwerp: Kate of Britney?

Aan welke kant sta jij in het hele Kate-of-Britneydebat?

Van: Holly
Aan: Jason GrangerRM

Verveel je je?

Van: Jason GrangerRM
Aan: Holly

Heel erg.

Van: Holly
Aan: Jason GrangerRM

Oké, wat dacht je ervan mij te helpen met het 'moet Holly met James naar Spanje gaan?'-debat?

Van: Jason GrangerRM
Aan: Holly

Heeft hij je dat gevraagd????

Van: Holly
Aan: Jason GrangerRM

Ja.

Van: Jason GrangerRM
Aan: Holly

Nou het antwoord is natuurlijk JA JA JA!!!

Van: Holly
Aan: Jason GrangerRM

Ik weet het nog niet zo zeker.

Van: Jason GrangerRM
Aan: Holly

Hij heeft je toch niet gevraagd om verkleed in een of ander raar pakje te gaan, hè?
Zeg alsjeblieft dat hij je niet in 10 kilo rubber en met een slang in je kont in het vliegtuig laat zitten? Zo ja, dan moet je serieus nadenken over de zoete implicaties daarvan als je landt in Malaga, maar toch, neem een lege emmer en een stelletje droge sponzen en nog wat extra KY-glijmiddel mee en het komt allemaal goed. Misschien val je ook nog wat af???

Van: Holly
Aan: Jason GrangerRM

NEE! En hou op over konten en KY-glijmiddel, dat is niet leuk, je gaat te veel met Aisha om!!!
x

Van: Jason GrangerRM
Aan: Holly

PRIMA!!!!!

Van: Holly
Aan: Jason GrangerRM

Ik maakte maar een grapje. xxx

Van: Jason GrangerRM
Aan: Holly
Onderwerp: KONTJES KY KONTJES KY KONTJES KY KONTJES KY KONTJES KY KONTJES KY

KONTJES KY KONTJES KY KONTJES KY KONTJES KY KONTJES KY KONTJES KY KONTJES KY KONTJES KY KONTJES KY KONTJES KY

Van: Holly
Aan: Jason GrangerRM

Ben je klaar?

Van: Jason GrangerRM
Aan: Holly

KONTJES KY KONTJES KY KONTJES KY KONTJES KY KONTJES KY KONTJES KY KONTJES KY KONTJES KY KONTJES KY KONTJES KONTJES KY

Van: Holly
Aan: Jason GrangerRM

U bent verschrikkelijk kinderachtig meneer Granger. Waar is Aisha?

Van: Jason GrangerRM
Aan: Holly

Niet in de buurt, maar waarom wil je dan niet naar Spanje? xxx

Van: Holly
Aan: Jason GrangerRM

Weet ik niet, misschien maak ik me te druk, we zouden op bezoek moeten bij mijn familie en het is allemaal nogal pril...

Van: Mam en Pap
Aan: Holly
Onderwerp: Ik ben erg boos op je Holly

Holly
Heb jij oma voorgesteld om vandaag in de regen te gaan dansen?
Mam

Van: Holly
Aan: Mam en Pap

Ja, ze vertelde me over die keer op haar huwelijksreis toen ze als een ballerina in de regen danste.
Jeweetwel – die foto die jullie aan de muur hebben hangen waarop ze ronddraait in die prachtige lange jurk.
Waarom, heeft het geregend?

Van: Mam en Pap
Aan: Holly

Nee Holly, die foto in die lange jurk is jaren later genomen.
Ze had het over die andere foto die aan JOUW muur in JOUW gang hangt, die waarop ze op één been balanceert op het gras bij het meer, ze is, zoals je weet, ongekleed, naakt!!!
Ik heb me nog nooit zo geschaamd, toen we haar net voor de gebruikelijke lunch gingen ophalen, stond ze rond te draaien op het grasveld, naakt als een pasgeboren baby, omringd door sprakeloze mensen die op bezoek gingen bij hun familieleden. Ze zijn zich doodgeschrokken, volgens mij ligt een van die oude kerels nog op de verkoeverkamer.
Kun je alsjeblieft wat voorzichtiger zijn met waar je haar toe aanzet?
Mam

Van: Holly
Aan: James Lawrence
Onderwerp: Marbella

Hai James

Volgens mij zijn al mijn familieleden weg komend weekend, dus dat gaat niet lukken. Maar ik zou het heerlijk vinden om mee naar Marbella te gaan!!!

xxxxx

Van: James Lawrence
Aan: Holly

Fijn, wij gaan de bloemetjes buitenzetten.

Van: Holly
Aan: James Lawrence

PS Heb mezelf in de nesten gewerkt vanmorgen... omdat ik te laat was.

Van: James Lawrence
Aan: Holly

Niet mijn schuld. Jij begon ermee.

Van: Holly
Aan: James Lawrence

Inderdaad. x

Van: Jennie Pithwait
Aan: Holly
Onderwerp: Liegen tegen vrienden???

Ik vermoed dat je op een bepaald moment wel ophoudt met tegen me te liegen – ik bedoel, voor de meeste oprechte mensen is dit meestal belangrijk tussen vrienden. Ik ga nu naar huis, dag hoor.
Jennie

Van: Holly
Aan: Mam en Pap
Onderwerp: Oma

Sorry Mam.
Ach nou ja, ik weet zeker dat het geen kwaad kan en ik weet zeker dat zij er erg van heeft genoten.

xxx

Holly

Sprak net met Mam en hoorde dat ze je verteld heeft over Oma.

Het sneue is dat ze dachten dat ze dronken was en dat ze nu een hele maand niet mag drinken. Natuurlijk hoeft oma helemaal niet dronken te zijn om zoiets te doen, zo is ze gewoon, ontzettend grappig. Uit wat ik gehoord heb, moet ze echt een show opgevoerd hebben, haar eigen versie van het Zwanenmeer voor een verbijsterd publiek in ligstoelen.

Maar zou jij haar vanavond even kunnen bellen en haar een beetje opvrolijken?

xxx

Alice

Maand 3, week 3

MAANDAG

Van: Mam en Pap
Aan: Holly
Onderwerp: Ons reisje naar Engeland

Holly

Wij zijn nog steeds van plan om deze zomer te komen en nu hebben je vader en ik iets leuks bedacht. We zouden graag een paar oude vrienden weer ontmoeten, degenen die we een tijd niet gezien hebben, een soort reünie. Zouden we dat in jouw huis kunnen doen? Het zou echt geweldig zijn om hun te laten zien hoe goed het met je gaat en misschien kunnen er een paar blijven logeren? Wat vind je?

Liefs Mam

xxx

PS Hoe is het met James? We weten zo weinig van hem, je hebt ons bijvoorbeeld niet verteld in wat voor auto hij rijdt of waar zijn ouders wonen...

Van: Holly
Aan: Jennie Pithwait
Onderwerp: Vergeef me vergeef me vergeef me vergeef me

Heb je me al vergeven... heel erg alsjeblieft?
Ik heb je het weekend een paar keer geprobeerd te bellen om het uit te leggen.

xxxx

Holly

Van: Holly
Aan: Jason GrangerRM; Aisha
Onderwerp: Mijn weekend

Hai

Ik heb James weer gezien (en zwangere Pam).

Is een van jullie daar? Ik móét iemand over mijn weekend vertellen, hoe was dat van jullie?

xxxxx

Van: Aisha
Aan: Holly

Hai
Jason is ergens boven problemen aan het oplossen, het is druk hier, kunnen we bijpraten na het uitchecken?

xx

Van: Holly
Aan: Patricia Gillot
Onderwerp: Mogge

Mogge, leuk weekend gehad?

Van: Patricia Gillot
Aan: Holly

Oké, heb vrijdavond op de eerstehulppost doorgebracht met onze Anthony. Hij had gevochten op school, blijkt dat hij een gebroken rib heeft.

Van: Holly
Aan: Patricia Gillot

Wat afschuwelijk, is hij oké?

Van: Patricia Gillot
Aan: Holly

Nee, hij heeft een gebroken rib!? En toen vond ik zaterdagmorgen, je gelooft het niet, twee platgeslagen vissen bij de voordeur.

Van: Holly
Aan: Patricia Gillot

Een cadeautje?

Van: Patricia Gillot
Aan: Holly

Ja hoor, schat, natuurlijk, zo doen we dat in de East End – wist je dat niet?

Van: Holly
Aan: Patricia Gillot

Nee, waarom?

Van: Patricia Gillot
Aan: Holly

Nou gewoon, bij ons in de buurt geven we elkaar altijd vis en patat als bedankje, niet wat jullie kakmadammen doen met jullie bonbonnetjes, nee, wij zetten een zak patat bij iemands voordeur, ja en bedankt hè, hier is je patat, eet maar lekker op.
JE MAAKT ME AAN HET LACHEN!!!

Van: Holly
Aan: Patricia Gillot

Sorry sorry sorry, oké, maar die vissen dan?

Van: Patricia Gillot
Aan: Holly

Die kwamen uit onze tuin, Les zijn goudvissen. Les denkt dat het een waarschuwing is, of een wraakmoord of zoiets.

Van: Holly
Aan: Patricia Gillot

Bedoel je – net als dat paardenhoofd in iemands bed in die film?

Van: Patricia Gillot
Aan: Holly

Zoiets ja, waarom zit je nou weer te lachen!!!

Van: Holly
Aan: Patricia Gillot

Vissen?? Ergens anders zou het waarschijnlijk als een kwajongensstreek worden beschouwd, maar in East End is het een maffiamoord – hier met je geld, anders gaan de vissen eraan.
hihihi
Ik ben weg voordat je me kunt pakken! Plaspauze.
xxx

Van: Holly
Aan: Aisha; Jason GrangerRM
Onderwerp: Weekend?

Is daar iemand? Ik wil NOG STEEDS iemand over mijn weekend vertellen???

xxxxxx

Van: Holly
Aan: Patricia Gillot
Onderwerp: Wapenstilstand? xxxx

Oké, maar hoe was de rest van je weekend?

Van: Patricia Gillot
Aan: Holly

Niet goed, zondag zijn we naar de marathon van Londen gaan kijken.

Van: Holly
Aan: Patricia Gillot

O, ik ook!! Ik ben met James gegaan...

Van: Patricia Gillot
Aan: Holly

En ik met Les... Hij werd stomdronken, ging vechten, naar de EHBO (WEER), kwam terug, werd boos over die vissen, trapte mot met de buurman en bracht de nacht door in een cel. Ik heb het grootste deel van de nacht geprobeerd hem daar uit te praten.
Hoe was jouw zondag?

Van: Holly
Aan: Charlie Denham
Onderwerp: Luister en huiver

Charlie
Verstop je vreemde vrienden, begraaf onze dope, was je grondig achter je oren en doe een schietgebedje, MAM KOMT NAAR ENGELAND.
xxx

Van: Charlie Denham
Aan: Holly

Hai Holly
Ja, ik was vergeten dat ze zou komen, enne... welke vreemde vrienden?
Charlie

Van: Holly
Aan: Charlie Denham

Vreemde vrienden – die heb je echt wel – wat dacht je van Plakkerige Pete?

Van: Charlie Denham
Aan: Holly

Hij heet Rubberen Ron en dat weet je heel goed.

Van: Holly
Aan: Charlie Denham

O, en nog wat, moet je horen – Mam en Pap willen een reünie organiseren met hun vrienden... in mijn prachtige huis???? ... Waar ze allemaal zullen blijven slapen!!!!???? Sh*t.

Van: Charlie Denham
Aan: Holly

Dat kan interessant worden, geen paniek, we bedenken wel wat.
Nou – wij hadden vrijdag de inspectie.

Van: Holly
Aan: Charlie Denham

Sorry, vergeten te vragen... hoe is het gegaan?

Van: Charlie Denham
Aan: Holly

Eerst ging het allemaal helemaal niet zo slecht.
MAAR er stond nog een metalen plaat (we hebben een metalen bar) tegen een muur en Ron vond dat hij die weg moest halen. Hij begon hem over de grond te slepen terwijl ik rustig met de gezondheids- en veiligheidsbeambten aan het praten was, maar achter hen zag ik Rubberen Ron de plaat over een radiokabel slepen, er volgde een enorme knal (toen de kabel brak

en de plaat tot leven bracht) en ik zag hem heel even oplichten en door de lucht springen en toen werd het helemaal donker. Ze vroegen me wat dat was, ik zei dat er waarschijnlijk een stop was gesprongen, toen jammerde Ron in het duister, maar hij slaagde erin zichzelf weg te slepen voordat de lichten weer aangingen, het was op het nippertje.

Hij is oké, een beetje bont en blauw natuurlijk, maar het grote nieuws is... dat ik denk dat we goedgekeurd gaan worden. Rubberen Ron zei dat nu we klaar zijn het wellicht een goed idee is om dat hele veiligheidsdvd-gebeuren te doen.

Van: Holly
Aan: Charlie Denham

Dat zeg ik je AL DE HELE TIJD!!!

Van: Charlie Denham
Aan: Holly

Nee – hij denkt dat we een veiligheidsvideo moeten MAKEN. Jeweetwel – mensen laten zien hoe ze buiten gevaar kunnen blijven.

'Deze week laten we u zien hoe Ron zichzelf geëlektrocuteerd heeft, 100 gasten heeft vergast en een spijker door zijn voet heeft geslagen, volgende week ziet u hoe ik mijn haren en een arm ben kwijtgeraakt en waarom ik geen kinderen meer kan krijgen.'

Wat vind je?
Charlie

Van: Holly
Aan: Charlie Denham

Ik vind je gestoord, maar erg grappig. Ik zou toch gedacht hebben dat Rubberen Ron voldoende geïsoleerd was tegen dit soort dingen??

Van: Charlie Denham
Aan: Holly

ha ha
Charlie

Van: Jennie Pithwait
Aan: Holly
Onderwerp: Leuk geprobeerd

Luister Holly, het kan me niets schelen met wie je wipt, maar dat stiekeme gedoe en er dan Trisha alles over vertellen en mij niet, dat doet me beseffen hoe weinig waarde jij aan onze vriendschap hecht.

Van: Holly
Aan: Jennie Pithwait

Ik kon het niet verborgen houden voor Trish – ze zit naast me en ik wilde het jou niet vertellen omdat ik dacht dat je een hekel aan hem had.

Van: Jennie Pithwait
Aan: Holly

O laat me niet lachen, je dacht zelfs dat ik op hem viel, of hem op zijn minst erg leuk vond, dat heb je ingesproken op mijn antwoordapparaat, en DAAROM heb je het me niet verteld!!!

Van: Holly
Aan: Jennie Pithwait

Ik wist gewoon niet wat ik moest denken, ik wist alleen dat het erg goed ging en ik wilde niet dat het fout zou gaan. Het spijt me heel erg, je bent mijn vriendin en ik heb je nooit met opzet boos willen maken. Dit soort dingen kunnen vrienden elkaar toch zeker wel vergeven, pleeeeeeeeeeeeeeeeeeeeease.

Van: Patricia Gillot
Aan: Holly
Onderwerp: Vanavond

Vind het verschrikkelijk om slecht nieuws te brengen, maar je weet toch nog wel met wie we vanavond een afspraak hebben?

Van: Holly
Aan: Patricia Gillot

O, ik was haar helemaal vergeten.

Van: Patricia Gillot
Aan: Holly

De Drakenvrouwe in hoogsteigen persoon – maar goed dat het vandaag Sint-Jorisdag is.

Van: Holly
Aan: Patricia Gillot
Onderwerp: Ik zit in de problemen

Jennie is echt heel erg boos op me... Heb je gezien hoe ze net naar me keek?

Van: Patricia Gillot
Aan: Holly

Ja, alsof ze een klap op haar blotebillengezicht had gehad.

Van: Holly
Aan: Patricia Gillot

Ik had niet tegen haar moeten liegen.

Van: Patricia Gillot
Aan: Holly

Je bent beter af zonder haar, dat noemt ons maar 'ondersteunend personeel', dat kreng.
En, ben je klaar voor Shella Cruella?

Van: Holly
Aan: Patricia Gillot

Nee, ik weet zeker dat ze ons ergens over gaat uitfoeteren, ik hoop maar dat je die laarzen hebt meegenomen. ZEG DAT JE DIE LAARZEN BIJ JE HEBT!!!

Van: Patricia Gillot
Aan: Holly

Die met die stalen neuzen? Nee, die heb ik thuis gelaten, samen met de patat.

Van: Holly
Aan: Mam en Pap
Onderwerp: Komst naar Engeland

Hai Mam
Hartstikke leuk om jullie weer te zien en ik weet dat Charlie dat ook vindt. Ik zou dolgraag mijn huis beschikbaar stellen voor jullie reüniefeestje,

maar ik heb besloten het te verhuren. Het is eigenlijk veel te groot, en ik kan op een veel kleinere plek wonen.

Maar ik zou jullie natuurlijk wel graag ontvangen; een gezellig etentje in mijn nieuwe huis (waarschijnlijk heb ik plaats voor 8 mensen max). Het enige verschil is dat ze nergens kunnen slapen. Maar jij en Pap mogen in mijn bed, en ik heb een slaapbank.

Wat vind je?

xxxx Holly

Van: Holly
Aan: Charlie Denham
Onderwerp: Charlie

Ik kreeg een ingeving over dat huizengedoe, ik heb Mam en Pap verteld dat ik het ging verhuren.

xx

DINSDAG

Van: Holly
Aan: Jason GrangerRM
Onderwerp: Wat een nacht

Ik werd midden in de nacht wakker en raad eens wie er naast me lag?

Van: Jason GrangerRM
Aan: Holly; Aisha

Toby Maguire* spiernaakt, met uitzondering van een beetje spinrag over zijn edele delen, dat uitnodigend glom in het maanlicht?

*Amerikaans acteur die voornamelijk bekend werd door zijn rol in *Spider-Man* als Peter Parker/Spiderman.

Van: Holly
Aan: Jason GrangerRM; Aisha

O, zijn we in een grappige bui vandaag, Jason?

Nee, maar goed, je hebt het nu verpest. Ik wilde vertellen dat ik wakker werd naast de PA die zo'n hekel aan me heeft – Shella. Ik zei, wat doe jij in mijn bed? En toen zei zij: 'Nou, Holly (ze zei de H zoals altijd... alsof ze iets ophoest) je bent vergeten mijn vergaderzaal te reserveren en dus blijf ik hier net zo lang liggen tot je dat doet.'

Het was verschrikkelijk verontrustend, ik kon haar er niet uit krijgen.

Van: Aisha
Aan: Holly; Jason GrangerRM

Denk je dat dit een of andere fantasie is die je over haar hebt?

Aish

Van: Holly
Aan: Jason GrangerRM; Aisha

Nee Aish,

het was niet seksueel, het komt gewoon omdat ik de zenuwen van haar krijg.

Van: Aisha
Aan: Holly; Jason GrangerRM

En waar was James al die tijd?

Van: Holly
Aan: Jason GrangerRM; Aisha

Die was er niet, we slapen niet elke nacht bij elkaar.

Van: Aisha
Aan: Holly; Jason GrangerRM

Misschien moet je dat wel doen, als ik jou was zou ik hem elke nacht suf rampetampen.

Van: Jason GrangerRM
Aan: Holly; Aisha

Daar heb je een punt, Aish, enne... als James in je bed had gelegen, was er ook geen ruimte overgebleven voor PA's hè? Je moet het hem vertellen.

Van: Holly
Aan: Aisha; Jason GrangerRM

Ik ben nu weg, bedankt voor het advies.

PS – herinner me net dat Trisha en ik jullie nog terug moeten pakken – hou jullie ogen open!

Van: Nick
Aan: Holly
Onderwerp: Huur

Holly

Dit is gewoon een e-mail om je te herinneren aan de huur van deze maand, ik weet dat je huisbaas verwacht dat je op tijd bent en ik dacht dat het misschien wel handig was jou daaraan te herinneren.

Het beste

Hoogachtend

Nick Harkson

Van: Patricia Gillot
Aan: Holly
Onderwerp: Vuil kreng

Dat was lachen gisteravond.

Van: Holly
Aan: Patricia Gillot

Om de een of andere reden heeft Shella echt een pesthekel aan me en ik denk niet dat ze het er voor mij hier makkelijker op gaat maken.

x

Van: Patricia Gillot
Aan: Holly

Echt niet, blijf op je hoede.

Van: James Lawrence
Aan: Holly
Onderwerp: Toby

Die Toby lijkt me wel een toffe peer. Zou jij het vervelend vinden als wij goede maatjes werden?

Van: Charlie Denham
Aan: Holly
Onderwerp: Mijn geweldige supercoole zus

Wat weet jij over het verlenen van vergunningen? Charlie

Van: Holly
Aan: James Lawrence
Onderwerp: Toby

Wat?

Van: Holly
Aan: Charlie Denham
Onderwerp: ?????

Ik weet niets over het verlenen van vergunningen en jouw coole zus is nu dus erg achterdochtig.

Van: Charlie Denham
Aan: Holly

Geen zorgen, je hoeft niets te weten, je hoeft alleen maar een paar formulieren te tekenen.

Van: Holly
Aan: Charlie Denham

Wat voor formulieren?

Van: James Lawrence
Aan: Holly
Onderwerp: Toby

Ik heb hem uitgenodigd om met ons mee naar Spanje te gaan, hoop dat dat goed is?

Van: Holly
Aan: James Lawrence

Natuurlijk is dat goed, ik zat te denken, waarom nodig je je ouders ook niet uit, mijn moeder staat te popelen om ze te ontmoeten en, nou ja, het wordt zo langzamerhand ook wel tijd, vind je niet?

Van: Patricia Gillot
Aan: Holly
Onderwerp: Jouw weekend

Vergeten naar jouw weekend te vragen, was het leuk met die zwangere vriendin van je, je hebt haar toch dit weekend gezien? Klaagt ze nog steeds zo?

Van: Holly
Aan: Patricia Gillot

Ze heeft er erg veel moeite mee. Ze heeft altijd hoofdpijn, is altijd misselijk en heeft mij er in haar eentje van overtuigd nooit aan kinderen te beginnen. Haar e-mails zijn een soort bombrieven, ik durf ze bijna niet meer te openen want er zou weleens een foto van iets engs bij kunnen zitten dat ze graag met me wil delen.
Zwanger zijn is toch niet zo erg, toch?

Van: Patricia Gillot
Aan: Holly

Hoezo? Is James tegen jou al over kinderen begonnen?

Van: Holly
Aan: Patricia Gillot

Nee, zomaar.

Van: Werkwinkel.com
Aan: Holly
Onderwerp: Uw inschrijving is verwerkt

Gefeliciteerd
Uw gegevens zijn verwerkt in onze databank.
Vanaf nu ontvangt u informatie over banen die voldoen aan de criteria die u heeft aangegeven.
Succes met uw zoektocht naar een baan.
Afdeling Registratie

Van: Aisha
Aan: Holly
Onderwerp: Mijn riem

Hé, verliefd meisje – heb je nog aan mijn riem gedacht?

Aish

Van: Holly
Aan: Aisha

Die ligt onder mijn bureau, tot zo (17.00 uur).

Van: Holly
Aan: Charlie Denham
Onderwerp: Wat voor formulieren?

Ik ben net terug van de lunch – wat wil je dat ik doe?

Van: Charlie Denham
Aan: Holly

Ik zal open kaart met je spelen, het is een beetje lastig om voor die vergunning iemand te vinden die geen strafblad heeft, het lijkt wel of iedereen er
tegenwoordig een heeft, in feite zijn jij en oma de enige mensen die ik
KEN die geen strafblad hebben.
En ik kan me oma niet in rubber voorstellen, gelukkig.
xxxx

Van: Holly
Aan: Charlie Denham

Ik mag toch hopen dat je je mij ook niet in rubber kunt voorstellen viezerik. Maar goed:
1: Ik ga me niet verantwoordelijk stellen voor een club waar ik niet eens
werk.
2: Rubber? Jij zei dat het een normale club was met heel veel vreemde
kunst?
Holly

Van: James Lawrence
Aan: Holly
Onderwerp: SPANJE

Oké, laten we mijn ouders noch Toby meenemen oké? Wat is er met je aan
de hand?
Maar het lijkt me ontzettend leuk om de Denhamclan te zien – wat deed je
zus ook alweer?

Van: Holly
Aan: James Lawrence

Tuinarchitectuur, samen met haar man.

Van: James Lawrence
Aan: Holly

Leuk, en wat doet je broer?

Van: Holly
Aan: James Lawrence

Hij heeft een boekwinkel.

Van: James Lawrence
Aan: Holly

Super, waar?

Van: Holly
Aan: James Lawrence

Israël.

Van: James Lawrence
Aan: Holly

Echt?

Van: Holly
Aan: James Lawrence

Ja.

Van: James Lawrence
Aan: Holly

Wat ben jij toch een ongelooflijk liegbeest Denham.

Van: Charlie Denham
Aan: Holly
Onderwerp: Betr.: Normale club met vreemde kunst

Ik heb 'ongebruikelijke kunst' gezegd, en dat is het ook, voornamelijk naakte lichamen die zich bezighouden met kinky-seksshowtjes, maar dat doet geen afbreuk aan het feit dat ik jou nodig heb om als stroman voor de club te dienen en de rol van vergunninghouder te spelen??

Charlie

Van: Holly
Aan: Charlie Denham

Wat voor soort club is het dan?

Van: Charlie Denham
Aan: Holly

Een fetisjclub.

Van: Holly
Aan: Charlie Denham

Je maakt een grapje – absoluut niet!

Van: Charlie Denham
Aan: Holly

O, kom op, het is net zoals een gewone club, er is alleen meer te zien, en je maakt een stuk sneller vrienden?

Van: Holly
Aan: Charlie Denham

Ga weg.

Van: Jason GrangerRM
Aan: Holly
Onderwerp: Wat ik denk

Holly
Ik heb er vandaag veel over nagedacht en ik denk niet dat je James je familie moet laten ontmoeten, nog niet.

xxxx

Bovendien, heb je je benen laten ontharen??
Heb je een zonnebank geboekt?
Heb je een afspraak met de manicure gemaakt? (volgens mij zien ze er verschrikkelijk uit)
Tot slot: welk ondergoed heb je ingepakt, ik ben ongerust.

Van: Holly
Aan: Jason GrangerRM

Familie – we zitten op dezelfde golflengte.
Maar wat betreft de rest – je maakt me zenuwachtig, ik maak me helemaal
niet druk om die dingen, hij heeft me al naakt gezien, met het licht uit. We
zijn al een tijdje bij elkaar, alles is goed.

Van: Jason GrangerRM
Aan: Holly

Het is niet allemaal goed, je staat op het punt een land binnen te gaan vol
prachtige, stijlvolle vrouwen die weten hoe ze zich moeten kleden, hoe ze
moeten lopen, praten en lunchen zonder jus te morsen en die alles zullen
doen jouw perfecte huwelijksmateriaal in hun gemanicuurde klauwen te
krijgen. En jij hebt niet eens een strijdplan?
Maar als jij denkt dat alles goed is, hoef je je geen zorgen te maken.
Moet ervandoor.
xxx

Van: Holly
Aan: Jason GrangerRM
Onderwerp: Hart-stikke te gek

Oké, ik laat absoluut mijn bikinilijn harsen. Goed – ik heb het druk, plekken bezoeken, mensen zien.
xx

Van: Jason GrangerRM
Aan: Holly

...en ergens in Londen staat een stelletje harsstrips angstig op hun beurt te
wachten in de rij.
xxx

WOENSDAG

Van: Mam en Pap
Aan: Holly
Onderwerp: Jouw huis

Goedemorgen lieverd, wat ontzettend jammer dat je besloten hebt je huis te verhuren vóór onze reünie, maar ik heb een oplossing bedacht. Verhuur het gewoon voor een korte periode, een maand of zo, je vader kan volgende week komen om je te helpen met het ondervragen van potentiële huurders. Dan kunnen we ons reünietje toch in juni in jouw huis houden! Omdat ik weet hoe weinig tijd we hebben om alles in gang te zetten, heb ik een advertentie gezet op een paar websites daarover en hun jouw telefoonnummer gegeven. Ik ga nu een vlucht voor je vader boeken.

Liefs Mam

x

Van: Holly
Aan: Mam en Pap

Mam
Las net je e-mail.
Bedankt dat je zo bezorgd bent – en hulpvaardig, er is al een aardige stroom telefoontjes op gang gekomen.
Maar boek geen vlucht voor Pap! Ik kan mensen best zelf ondervragen en trouwens met 1 maand verhuren staat het huis een paar weken leeg voordat jullie komen en dat is zonde van het geld.
Groeten Holly

Van: Southern Services Schuldsanering
Aan: Holly
Onderwerp: Betr.: Reknr. 20000389384374 Holly Rivers

BETR.: Reknr. 20000389384374 Holly Denham
Beste Holly Denham
Hartelijk dank voor uw e-mail van jongstleden. Onze bestanden zijn inmiddels bijgewerkt; uw nieuwe achternaam is nu: Denham.
U ontvangt ook een bevestiging per post.
Hoogachtend
Douglass Granger, Hoofd Incasso

Van: Aisha
Aan: Holly
Onderwerp: Kont

Mooie achterkant.

Van: Holly
Aan: Aisha

Gò, dank je Aish en jouw achterkant mag er ook wezen.

Van: Aisha
Aan: Holly

Niet het jouwe – dat van James.

Van: Holly
Aan: Aisha

– ?

Van: Aisha
Aan: Holly

Mooie sterke handen ook, ik hou van handen.

Van: Holly
Aan: Aisha

Wat fijn.

Van: Aisha
Aan: Holly

Uniform is ook mooi. Soldaatjes, hmmmmmmmm.

Van: Holly
Aan: Aisha

Dat was Ralph in dat uniform, James was de gast met wie ik aan het praten was (hoewel ik een soort van dankbaar ben dat je niet over hem gefantaseerd hebt).

Van: Aisha
Aan: Holly

Ik weet wie het was – ik maakte een grapje over dat uniform. James was dat sexy ding in pak, erg mooi, zeer kostschool, zelfverzekerd rugbytype, goed pak.

Van: Charlie Denham
Aan: Holly
Onderwerp: Kleine gunst

Nou kom op, ik kan hier echt geen kant op en je weet dat ik het je niet zou vragen als ik iemand anders zou kennen. Ik ben je broer hoor, en ik vraag je om een kleine gunst.
Charlie

Van: Holly
Aan: Charlie Denham

Kleine gunst? Jij hebt een club die straks vol zit met in rubber gehulde seksverslaafden (waarschijnlijk allemaal aan de crack) die god weet wat doen, vies, getver, en jij wilt mijn naam op de voordeur?

Van: Charlie Denham
Aan: Holly

– ja.

Van: Holly
Aan: Charlie Denham

NEE!!!!

Van: Zwangere Pam
Aan: Holly
Onderwerp: Hai

Ik heb net op mijn voet gekotst.
Pam x

Van: Mam en Pap
Aan: Holly
Onderwerp: Het is geen probleem

Hai
Je hoeft niet te eindigen met 'Groeten' schat, gewoon 'Liefs Holly' is genoeg.
En het was ook een beetje aan de late kant, ik mail je je vaders schema.
Mam

Van: Holly
Aan: Mam en Pap

Weet ik Mam – ik had het druk en lette niet op wat ik schreef.
Welk schema?

Van: Mam en Pap
Aan: Holly

Holly
Zijn vluchtschema natuurlijk en ik hoop dat je wat beter je best doet om te kijken wat je typt als je naar andere banken schrijft.
Mam

Van: Holly
Aan: Mam en Pap

Ik schrijf niet naar andere banken Mam – weet je eigenlijk wel wat ik hier doe??
En waarom laat je Pap hier naartoe komen, dat is volslagen onzinnig, kun je me het voortaan eerst vragen voordat je dingen gaat regelen???

Van: Mam en Pap
Aan: Holly

Hij komt om je te helpen schat, om die mensen te ontmoeten die volgende maand in je huis willen gaan wonen. Het is erg belangrijk dat je het juiste type mensen krijgt, ik heb gelezen dat je aardig wat kunt verdienen als je voor een korte verhuurperiode een verstandige keuze maakt.
Hoe dan ook, het is wel duidelijk dat je het zelf niet kunt regelen, anders zou je niet in een flat zijn getrokken voordat je je huis had verhuurd. Toch?
Mam

Van: Ralph Tooms
Aan: Holly
Onderwerp: Service

Kan ik een boodschap voor je meenemen uit de stad, Holly?
Ralph

Van: Holly
Aan: Ralph Tooms

Nee, bedankt.
Holly

Van: Ralph Tooms
Aan: Holly

Wil je dat ik me stipt om 4 uur bij je kom melden?

Van: Holly
Aan: Ralph Tooms

NU NIET Ralph ik heb het druk

Van: Holly
Aan: Map en Pap
Onderwerp: Geregel

Jij bent echt ongelooflijk Mam!!!!!!

Van: Mam en Pap
Aan: Holly

Dank je schat, jij ook.
xxx Mam
PS Zorg wel dat hij schone lakens op zijn bed heeft en het zou erg aardig van je zijn als je hem van het vliegveld haalde.

Van: Holly
Aan: Ralph Tooms
Onderwerp: Service

Ralph, je bent een goeie jongen, sorry dat ik zo onaardig was. Heb gewoon een rotdag.
Holly

Van: Holly
Aan: Zwangere Pam
Onderwerp: Jouw bericht

Hoi Pam
Wat rot van die kots. Beterschap.
Holly
xx

Van: Charlie Denham
Aan: Holly
Onderwerp: Club

En?

Van: Holly
Aan: Jason GrangerRM
Onderwerp: Heeeeeeeeeelp

Zeg alsjeblieft dat je net zo'n rotdag hebt als ik Jason, ik heb het gevoel dat ik aan alle kanten word aangevallen door krankzinnigen!!!

Van: Holly
Aan: Jason GrangerRM
Onderwerp: JASON!

WAAR ZIT JE???!!!!!!

Van: Charlie Denham
Aan: Holly
Onderwerp: Nog vacatures?

Zijn er nog vacatures?
Ik bedoel ik zit binnenkort zonder werk, zonder nachtclub in aanbouw, en dan heb ik het nog niet eens over mijn enorme schuldenlast.
Charlie
x
PS Ik heb heel vaak wat voor jou gedaan.

Van: Holly
Aan: Charlie Denham

Noem er eens een!

Van: Charlie Denham
Aan: Holly

Toby.

Van: Patricia Gillot
Aan: Holly
Onderwerp: Alles oké?

Je ziet er niet zo best uit?

Van: Holly
Aan: Patricia Gillot

Ik heb net een geest gezien.

xxx

Van: Jason GrangerRM
Aan: Holly; Aisha
Onderwerp: ???

Eerlijk gezegd ik-heb-liever-dat-een-seksverslaafde-nymfo-mijn-vriendje-ontmoet-dan-Jason-Holly, mijn middag is ook niet zo geweldig geweest.

Van: Holly
Aan: Aisha; Jason GrangerRM

Sorry Jason, maar Aisha als je daar bent, wil je dan alsjeblieft aan Jason uitleggen dat het gisteravond gewoon de bedoeling was dat je je riem kwam ophalen, meer niet?

Van: Aisha
Aan: Holly; Jason GrangerRM

Grrrrrrrrrrrr

Van: Jason GrangerRM
Aan: Holly; Aisha

Is het omdat ik homo ben Holly? Is dat het?

Van: Holly
Aan: Jason GrangerRM; Aisha

Tuurlijk, ja, dát is het.
Doe niet zo vervelend, ik heb een rotdag gehad.

Van: Aisha
Aan: Holly; Jason GrangerRM

Grrrrrr

Van: Jason GrangerRM
Aan: Holly; Aisha

Ben niet vervelend, plaag je alleen.
Sorry, maar ik moet dit geplaag eventjes afbreken... Wil jij aan het gesprek deelnemen Aisha, of blijf je doorgaan met grrrrrrrrrrrr – hm?

Van: Aisha
Aan: Holly; Jason GrangerRM

Grrrrrrrrrr

Van: Holly
Aan: Jason GrangerRM; Aisha

Wat is er met haar aan de hand?

Van: Jason GrangerRM
Aan: Holly; Aisha

Ze is de hele dag al krols, net alsof er een uitgehongerde wolf naast je zit, ik overweeg haar naar huis te sturen voordat ze iemand aanvalt.
Hoe was James eigenlijk?

Van: Aisha
Aan: Jason GrangerRM; Holly

Leuk, mooi kontje.
Ja, ik zou hem wel een beurt geven.
Mag ik nu naar huis Jason, als je me niet laat gaan laat ik je mijn tieten zien?

Van: Jason GrangerRM
Aan: Holly; Aisha

Wegwezen!

Van: Judy Perkins
Aan: Holly; Patricia Gillot
Onderwerp: Vergadering maandag

Beste Patricia & Holly

Ik vond onze vergadering afgelopen maandag erg productief en ik heb contact gehad met PZ, Shella en het management om tot het beste plan de campagne te komen.

Ik heb jullie zienswijzen wat dit betreft meegenomen en zal binnen een paar dagen in staat zijn een duidelijker beeld te schetsen van wie er leiding gaat geven aan de conferentie.

Begrijp wel dat het uiteindelijk niet mijn beslissing is.

Judy

Van: Holly
Aan: ChezGerardCoventGarden
Onderwerp: Sollicitatie

Geachte heer of mevrouw

Hoewel ik, zoals u in mijn cv kunt zien, niet over recente ervaring in de bediening beschik, had ik tijdens mijn universiteitsperiode regelmatig een vakantiebaantje als serveerster.

Ik ben leergierig, representatief, enthousiast, bereidwillig en denk dat dit een terrein is waarop ik echt zou kunnen uitblinken.

Met vriendelijke groet

Holly Denham

Van: Holly
Aan: Jennie Pithwait
Onderwerp: Mis je

Mis je.

x

Van: Holly
Aan: Charlie Denham
Onderwerp: Jouw club

Oké dan, prima, je kunt mijn naam op die vergunning zetten, maar niet omdat ik je wat schuldig ben, gewoon omdat je mijn broer bent en ik van je hou, ook al ben je meestal een egoïstische klootzak.

x

Wat moet ik eigenlijk doen?

Van: Charlie Denham
Aan: Holly

Je bent de bovenstebeste Holly, je hebt mijn hachie gered.
Oké, het enige wat je moet doen is een paar vragen beantwoorden.

Van: Holly
Aan: Charlie Denham

– Oké.

Van: Charlie Denham
Aan: Holly

Voor de rechter.

Van: Holly
Aan: Charlie Denham

Prima.

Van: Charlie Denham
Aan: Holly

Morgen.

Van: Holly
Aan: Charlie Denham

O nee, alsjeblieft niet Charlie!

Van: Charlie Denham
Aan: Holly

Kom op, je zei dat je me zou helpen.

Van: Holly
Aan: Charlie Denham

Ja Charlie,
volgende week – jou helpen, volgende maand – jou helpen.
Ik ga morgenavond naar Spanje??

Van: Charlie Denham
Aan: Holly

Volgende maand hoef je me niet te helpen, de zitting is morgen, ga alsjeblieft? Als je dat niet doet, zijn er straks heel veel zielige viezerikken die
nergens heen kunnen...

Van: Patricia Gillot
Aan: Holly
Onderwerp: Wat vind je daar nou weer van

Heb je Judy's e-mail gelezen? 'Niet mijn beslissing' – zegt ze, dat klinkt
helemaal niet goed, ik reken erop dat we volgende week Shella hier hebben zitten...

Van: Holly
Aan: Patricia Gillot

Ik geloof dat ik een griepje voel opkomen.

Van: Patricia Gillot
Aan: Holly

Nee, dat doe je niet, als zij hier is, ben jij hier, ik ga niet in mijn eentje bij
haar zitten!

Van: Holly
Aan: Patricia Gillot

Ik denk dat het Pfeiffer is.

Van: Patricia Gillot
Aan: Holly

Jij bent niet ziek.

Van: Holly
Aan: Patricia Gillot

Moet je mijn voorhoofd voelen, het is erg heet.

Van: Patricia Gillot
Aan: Holly

Jij voelt zo meteen mijn hand – op je wang kletsen.

Van: Patricia Gillot
Aan: Holly
Onderwerp: Wat vind je daar nou weer van, deel 2

Wedden dat de cliënten het wel leuk vinden. Waar heb jij vanmorgen eigenlijk je vrije uren doorgebracht, op een leuke plek?

Van: Holly
Aan: Patricia Gillot

Zonnebank, Kilburn High Road.

Van: Patricia Gillot
Aan: Holly

Maar wat moeten we nou met Shella?

Van: Holly
Aan: Patricia Gillot

Geen idee, we moeten om te beginnen uitkijken met onze e-mails. We hebben een soort code nodig.

Van: Patricia Gillot
Aan: Holly

Jaaa, als jij ziet dat ik mijn arm omhoogsteek en die vervolgens laat neerkomen op haar achterhoofd – betekent dat dat ze me woest heeft gemaakt.

Van: Holly
Aan: Patricia Gillot

Klinkt goed.

x

Trouwens ik denk dat er toch niet genoeg ruimte is met mijn grote voeten en ligt het nou aan mij of liggen alle winkels echt vol met babykleertjes? NIETS PAST. NOOIT.

Van: Holly
Aan: Jason GrangerRM
Onderwerp: Schoenen

Heb geen schoenen. ☹

Van: Jason GrangerRM
Aan: Holly

– Nou en?

Van: Holly
Aan: Jason GrangerRM

Heb geen schoenen. ☹

Van: Jason GrangerRM
Aan: Holly

Ja, daaaag.

Van: Holly
Aan: Jason GrangerRM

Ik baal ervan! Ze passen nooit en ik eindig altijd in tranen. ☹

Van: Jason GrangerRM
Aan: Holly

Ik heb het niet zo op de blikken die ik krijg toegeworpen als ik op zoek ben naar maatje 44. Ze denken dat ze voor mij zijn.

Van: Holly
Aan: Jason GrangerRM

IK HEB GEEN MAAT 44!

Van: Jason GrangerRM
Aan: Holly

Oké, 43 dan, en toch doe ik het niet.
Ik wacht buiten op je.

Van: Holly
Aan: Jason GrangerRM

☺

Van: Jason GrangerRM
Aan: Holly

ALLEEN BUITEN!

Van: Holly
Aan: Jason GrangerRM

☹

Van: Jason GrangerRM
Aan: Holly

Moet ervandoor, er zit een duif op tafel 5, dat stomme beest vloog naar binnen en ging rechtstreeks naar het restaurant, en uiteraard valt duiven vangen onder mijn functieomschrijving.

Van: James Lawrence
Aan: Holly
Onderwerp: Borrel

De hele verdieping gaat straks borrelen, kom je ook?

Van: Holly
Aan: James Lawrence

Lijkt me enig, maar ik kan niet.

Van: James Lawrence
Aan: Holly

Waarom niet?

Van: Holly
Aan: James Lawrence

Studeren.
Ik vertel het je wel een andere keer.

Van: James Lawrence
Aan: Holly

Klinkt goed. Oké, ik haal je morgen op.

J

Hé, ik vind jouw vriendje Toby een seksistische sukkel, een grote l*l.

Van: Holly
Aan: James Lawrence

Waarom? Wat heeft hij gedaan?

Van: James Lawrence
Aan: Holly

Hij loopt gewoon dingen over jullie daar bij de receptie te roepen. Geen zorgen, ik heb al met hem gepraat.

Van: Judy Perkins
Aan: Holly; Patricia Gillot; Dave Otto; Ralph Tooms; Samantha Graham; Kristan
Onderwerp: Galadiner

Beste allemaal,

Het galadiner in het Dorchester ter viering van het 25-jarig jubileum van onze Engelse vestiging nadert met rasse schreden en ik heb nog niet van jullie gehoord wie er een partner meeneemt. Ik heb al jullie namen op de gastenlijst gezet omdat deze avond zoals jullie weten van essentieel belang is en ik verwacht dat alle mensen van mijn afdeling aanwezig zullen zijn.

Dus namen alsjeblieft mensen, ik moet het uiterlijk maandag weten om te garanderen dat ze op de lijst komen.

Hoogachtend

Judy

VRIJDAG

Van: Holly
Aan: James Lawrence
Onderwerp: Spanje

Hai schat

Hoop dat je een leuke avond hebt gehad gisteren en je niet al te belabberd voelt.

Ik ben gepakt en gezakt en verheug me op Spanje (maar laten we volgende

keer naar een wat minder warme plek gaan, waar ik meer kleren aan kan!!).
Holly

Van: Alice en Matt
Aan: Holly
Onderwerp: Kaarsen

Hai Holly
Weet jij waar ik kaarsen zou kunnen krijgen?

Van: Holly
Aan: Alice en Matt

Spanje (ik denk niet dat die illegaal zijn Alice).

Van: Jason GrangerRM
Aan: Holly
Onderwerp: Strijdplan

Hoe zie je eruit?

Van: Holly
Aan: Jason GrangerRM

Aangekleed – zo goed als maar kan.
Bikini's zijn een andere zaak – alleen van de gedachte krijg ik al kippenvel.

Van: Jason GrangerRM
Aan: Holly

Weg met dat kippenvel, heb je niets aan.
Oké, laten we onze checklist even doorlopen:
Benen...

Van: Holly
Aan: Jason GrangerRM

Onthaard!

Van: Jason GrangerRM
Aan: Holly

Wenkbrauwen...

Van: Holly
Aan: Jason GrangerRM

Onthaard!

Van: Jason GrangerRM
Aan: Holly

Oksels...

Van: Holly
Aan: Jason GrangerRM

Onthaard!

Van: Jason GrangerRM
Aan: Holly

Voorbips?

Van: Holly
Aan: Jason GrangerRM

Onthaard.

Van: Jason GrangerRM
Aan: Holly

Prima, Braziliaans?

Van: Holly
Aan: Jason GrangerRM

Nee – Hollywood, dacht ik – als je 't doet moet je 't goed doen.

Van: Alice en Matt
Aan: Holly
Onderwerp: Heksen

Ik weet dat je hier kaarsen kunt kopen, maar ik heb er heel veel nodig – voor mijn heksenwerk.
Ik vind het steeds leuker, het is zo verhelderend Holly, echt. Volgens mij zou jij een geweldige heks zijn, wat denk jij?
xxx

Van: Holly
Aan: Alice en Matt

Ik denk dat ik al genoeg problemen heb – zonder ook nog eens een heks genoemd te worden.
Maar ik hou van je.
(wil niet onbeleefd zijn)
xxx
Kijk op internet voor goedkope kaarsen.

Van: Holly
Aan: Jason GrangerRM
Onderwerp: Strijdplan

Waar waren we? Nog niet klaar toch?

Van: Jason GrangerRM
Aan: Holly

Nog maar net begonnen:
Voeten...

Van: Holly
Aan: Jason GrangerRM

Gepedicuurd.

Van: Jason GrangerRM
Aan: Holly

Handen?

Van: Holly
Aan: Jason GrangerRM

Gemanicuurd.

Van: Jason GrangerRM
Aan: Holly

Achtertuin...

Van: Holly
Aan: Jason GrangerRM

Gras gemaaid en struiken gesnoeid.

Van: Jason GrangerRM
Aan: Holly

Brave meid.
(hoewel ik geen idee heb waar je het over hebt)
Zonnebank?

Van: Holly
Aan: Jason GrangerRM

Hele lichaam – bruinspray, en ook massage, gezichtsbehandeling en cellulitisbestrijder.

Van: Jason GrangerRM
Aan: Holly

Tevreden.

Van: Alice en Matt
Aan: Holly
Onderwerp: Heksen

Heb een website alleen voor heksen gevonden en ze verkopen alles wat ik nodig heb, en je krijgt ook punten voor elke keer dat je koopt!
xxx
Hartstikke bedankt.
Alice

Van: Holly
Aan: Alice en Matt

Geweldig.
Maarre... die punten – is dat net zoiets als airmiles?
Ik snap namelijk dat dat erg handig kan zijn. In plaats van vanuit de verte te beheksen, kun je per bezem gaan, zorg je wel dat het inclusief bezembelasting is?
Holly

Van: Alice en Matt
Aan: Holly

Je bent niet grappig.

Van: Jason GrangerRM
Aan: Holly
Onderwerp: Strijdplan

Hoe zit het met fase twee?

Van: Holly
Aan: Jason GrangerRM

Tja, kleding, na fase één is mijn geld zo'n beetje op, dus ik zoek het in combinaties... Holly
Trouwens, vind jij mijn familie een beetje vreemd?

Van: Jason GrangerRM
Aan: Holly

Vreemd is niet het goede woord. Fase drie?

Van: Holly
Aan: James Lawrence
Onderwerp: Hoe is 't?

Heb je niet binnen zien komen, ben je er al?

Van: Holly
Aan: Jason GrangerRM
Onderwerp: Fase drie

Fase drie???? Fase drie??
WAT IS IN HEMELSNAAM FASE DRIE???
Je gaat me toch niet vertellen dat ik er eentje vergeten ben?

Van: Jason GrangerRM
Aan: Holly

Tja, dat is de fase waarin je net doet alsof je die hele reis totaal vergeten bent!!!!

Van: Holly
Aan: Jason GrangerRM

Jason,
In de afgelopen dagen ben ik geplet, gestompt, geplukt en gladgestreken.

Ik ben ingespoten, geverfd, afgesponst en geparfumeerd.

Er is achter de schermen meer werk verricht aan dit lichaam dan aan mijn Mini en die, heb ik ontdekt, bestaat eigenlijk uit twee auto's.

Ik ben klaar voor vertrek en zie er goed uit, dat weet ik omdat Ralph steeds om opdrachten vraagt... dus ga me niet vertellen dat ik net moet doen alsof ik het allemaal vergeten ben, want dat wil ik niet! Ik wil voorpret hebben. (Trouwens, hij zal me nooit geloven, ik heb mazzel als hij me nog herkent.)

Aaaagh, sorry, het is allemaal een beetje veel, en daar komt nog bovenop dat ik nu de vertegenwoordiger ben van een fetisjclub en nog steeds niets van James heb gehoord.

Holly

PS Ik heb hem al gemaild, twee keer, opgemerkt dat ik meer kleren wilde dragen.

PPS Zeg maar niets, ik weet dat dat geen goede zet was.

PPPS Ik heb trouwens een hekel aan spelletjes spelen, dat weet je best.

Van: Holly
Aan: Jennie Pithwait
Onderwerp: Jennie

Zijn we nog steeds vriendinnen?
Ik mis je???

Van: Jennie Pithwait
Aan: Holly

Pardon?
Ik weet niet waar je het over hebt, Holly, we zijn altijd vriendinnen geweest, wat mij betreft is er niets aan de hand.
Jennie

Van: Holly
Aan: Jennie Pithwait

O fijn!
Geweldig weekend dan.
Holly
xxx

Van: Oma
Aan: Holly
Onderwerp: Spanje

Holly

Wil je dat ik je nog bij een paar andere luchtvaartmaatschappijen inschrijf? Ik zit er nu naar te kijken en stuur er zo een paar naar je toe.

xxxx

Liefs Oma

Van: Holly
Aan: Oma

Oma

Doe dat alstublieft niet, ik heb er echt al heel veel, ontzettend bedankt.
Bent u na het vermaken van de troepen nog steeds op rantsoen?
Holly

Van: Oma
Aan: Holly

Holly

Ik was niet de 'troepen aan het vermaken' lieverd, ik stond te strippen voor de troepen. Het was zo leuk, ik danste en danste, het was de eerste keer dat ik het hier echt naar mijn zin had.
Ze hebben me niet op rantsoen gezet, maar totaal drooggelegd.
Ik ben geen kind, ik vind het niet leuk om er als een behandeld te worden.
Van je Oma x

Van: Jennie Pithwait
Aan: Holly
Onderwerp: Spanje

Ik hoor dat je naar Spanje gaat – geniet ervan hè?
Jennie

Van: Jason GrangerRM
Aan: Holly
Onderwerp: Middag

Al wat van hem gehoord?

Van: Holly
Aan: Jason GrangerRM

Geen woord, ik wil aandacht, het is zinloos om er zo goed uit te zien als je geen aandacht krijgt.

Van: Jason GrangerRM
Aan: Holly

Zal ik je iets grappigs vertellen om je op te vrolijken?

Van: Holly
Aan: Jason GrangerRM

Ja, doe dat alsjeblieft, ik verveel me kapot. Zelfs het commanderen van Ralph wordt eentonig, Trish heeft hem een tijdje in de hoek laten staan, tot Judy langskwam en hem wegstuurde (het is de bedoeling dat hij pasjes controleert).

Van: Jason GrangerRM
Aan: Holly

Klop klop?

Van: James Lawrence
Aan: Holly
Onderwerp: Sorry dat ik zo laat ben

Afschuwelijke kater, voel me geradbraakt. Je ziet er fantastisch uit.

Van: Holly
Aan: James Lawrence

Dank je.

Van: James Lawrence
Aan: Holly

Ik heb een paar cadeautjes voor je familie.
Whisky voor je ouwe.

Van: Holly
Aan: James Lawrence

Dat is aardig, ik dacht dat we afgesproken hadden niet naar hen toe te gaan.

Van: Jason GrangerRM
Aan: Holly
Onderwerp: Hé

Ik zei: klop klop!

Van: James Lawrence
Aan: Holly
Onderwerp: Nee, foutje

Ik heb voortreffelijke champagne voor hem?

Van: Holly
Aan: James Lawrence

Hè?

Van: James Lawrence
Aan: Holly

Je klinkt chagrijnig, dus ik dacht dat dat zou helpen?

Van: Holly
Aan: James Lawrence

Sorry, ben helemaal niet chagrijnig, ik zat gewoon na te denken over dat jij mijn ouders gaat zien.
Ontzettend veel zin in Spanje en het is erg lief van je dat je eraan gedacht hebt cadeaus voor hen te kopen, ik twijfel gewoon.
xxxx

PS Katerig zie je er ook goed uit.

Van: James Lawrence
Aan: Holly

Jaaa, hoe goed?

Van: Holly
Aan: James Lawrence

– Lekker.

Van: Jason GrangerRM
Aan: Holly
Onderwerp: Hallo??? IS DAAR IEMAND???

KLOP KLOP???

Van: Holly
Aan: Jason GrangerRM

James kwam net binnen.
Fascinerend dat ik twee dagen bezig ben om er perfect uit te zien en dat hij om tien voor vier binnen komt kuieren met een kater, niet eens de moeite heeft genomen om zich te scheren en er beter uitziet dan ooit.
MANNEN HEBBEN HET MAKKELIJK.
Sorry, dat moest ik even kwijt... Wie is daar?
PS Sorry als ik te veel met mezelf bezig ben, ik wil echt absoluut weten wie daar is.
xxx
Sorry...
Wie is daar?
EN hij wil mijn familie zien????
SORRY, dat is genoeg.
Wie is daar?

Van: Jason GrangerRM
Aan: Holly

Wat maakt het uit wie daar is?? (Ik moest het trouwens toch nog verzinnen.)
Volgens mij moet jij er lang en hard over nadenken of je hem OOIT IEMAND van jouw familie wilt laten zien.
xxx
En dat is allervriendelijkst bedoeld.

Van: James Lawrence
Aan: Holly
Onderwerp: Ben ik lekker genoeg om op te eten?

Nou?

Van: Holly
Aan: James Lawrence

Ga nou niet te ver meneer, je bent laat.

Van: James Lawrence
Aan: Holly

Dat is zo, en het spijt me, echt heel heel erg.
James
PS Ga als de sodemieter die lift in, Denham, ik móét even vergaderen.

Van: Holly
Aan: James Lawrence

Vergeet het maar.
Je zult moeten wachten.
x

Van: Holly
Aan: Jason GrangerRM
Onderwerp: Het probleem is

Hij is gewoon zo lekker ruig...
Maar goed, terug naar de beschikbare opties.
Ik heb een lijstje van de plussen en minnen over het verrassen van de familie in Spanje gemaakt:

De Plussen
Geweldig om de familie te verrassen, en Mam zou dol op James zijn, en zou me niet meer aan mijn kop zeuren over dat ze hem wil zien.

De Minnen
Matt en Alice zouden midden in een of andere vreemde slangenjacht kunnen zitten.
Mam is erg moeilijk in de omgang.
Matt en Alice zouden midden in een of andere vreemde slangenjacht kunnen zitten, verkleed als heksen.
De Guardia zou midden in het afvoeren van Pap kunnen zitten vanwege de massaproductie van baby's.
Oma zou weleens opnieuw midden in een striptease kunnen zitten.
Ik heb James nog steeds niet verteld waar ik vroeger mijn geld mee ver-

diende, hij denkt dat ik altijd als receptioniste heb gewerkt.
O, en hij weet niet dat ik getrouwd ben geweest.
Wat vind jij?

Van: Jason GrangerRM
Aan: Holly

Denk je dat je verliefd op hem bent?

Van: Holly
Aan: Jason GrangerRM

– Ja

Van: Jason GrangerRM
Aan: Holly

Dan zou ik dit weekend thuisblijven en de telefoon niet opnemen, bij
voorkeur met een laken over je hoofd (hij kan in zijn eentje naar Spanje
VOOR HET GEVAL jij daar tegen je familie aan loopt).
xxx
PS Volgens mij moet je hem snel de waarheid vertellen x
PPS Zit jouw vader echt in de massaproductie van baby's?

Van: Holly
Aan: Jason GrangerRM

Alleen in de vorm van schilderijen.

Van: Jason GrangerRM
Aan: Holly

Dat is een opluchting, ik wist dat er het een en ander in jouw familie speel-
de, maar dit zou zelfs voor jou de kroon spannen.

Van: Holly
Aan: Jason GrangerRM

Bedankt. Waarom dat laken?

Van: Jason GrangerRM
Aan: Holly

Weet niet, paste gewoon mooi in het plaatje.
x

Van: Jason GrangerRM
Aan: Holly
Onderwerp: STOP

Volgens mij kreeg ik net een dronken voicemailbericht van jou waarin je zegt dat je hem meeneemt om de familie te verrassen... SLECHT SLECHT SLECHT idee, stop NU. Ik heb vier berichten op je antwoordapparaat achtergelaten om je tegen te houden.

Aan de andere kant, als jij je mails pas maandag weer leest, en het nu maandag is, dan hé liefie, geen paniek, het is niet verkeerd, het is allemaal goed en ik weet zeker dat hij nog steeds van je houdt, niets wat we niet kunnen regelen, geen zorgen xxx bel me.

Maand 3, week 4

MAANDAG

Van: Jason GrangerRM
Aan: Holly
Onderwerp: BEN JE DAAR HOLLY?

Heb je mijn e-mail gekregen????

Van: Aisha
Aan: Holly; Jason GrangerRM
Onderwerp: Mijn weekend

Ik ben altijd dol geweest op maandagen, maar meestal omdat ik dan sinds de zaterdag ervoor nog steeds aan het feesten ben. Dat werkgedoe is echt klote.

Van: Patricia Gillot
Aan: Holly
Onderwerp: Onder wie we gaan werken

Ik heb Judy vanmorgen gesproken.
Ze laten ons vandaag horen wie de leiding krijgt over de organisatie van de jaarresultaten.

Van: Jason GrangerRM
Aan: Holly; Aisha
Onderwerp: Romantisch weekend

Kun je me mailen als je er bent Holly, ik ga dood van de spanning. (én van Aisha's luchtje)

Van: Aisha
Aan: Holly; Jason GrangerRM
Onderwerp: Romantisch weekend

Ja Holly, praat alsjeblieft tegen ons, ik ga dood van Jasons gevoel voor humor, hij is zo verdomd grappig.
Aish

Van: Jason GrangerRM
Aan: Holly; Aisha

Het stinkt hier de tent uit Holly.
Er is zelfs eten teruggestuurd in het restaurant omdat de eieren volgens de gasten naar goedkope parfum smaakten.

Van: Aisha
Aan: Holly; Jason GrangerRM

Wat een flikker is hij toch.
Ik heb niet meer op dan normaal en het is ook nog eens reteduur.
Aish

Van: Holly
Aan: Jason GrangerRM; Aisha
Onderwerp: Kinderen, kinderen

Hou daarmee op! Anders worden jullie uit elkaar gehaald en moeten jullie voortaan achter aparte balies zitten.

Van: Jason GrangerRM
Aan: Holly; Aisha

We zullen ons gedragen als jij ons over je weekend vertelt.
Jason

Van: Holly
Aan: Jason GrangerRM; Aisha

Nou:
Zaterdagavond had ik besloten dat het een fantastisch idee was, laten we de familie verrassen, er zondagmorgen met James naartoe rijden, hem aan Mam voorstellen.
De volgende dag wist ik amper waar we naartoe gingen tot we halverwege hun huis waren – op minder dan een uur rijden.
Dus toen James uitstapte om te tanken, heb ik Mam gebeld – haar gezegd niets werkgerelateerds of echtgenootgerelateerds te vertellen en meer kon ik er niet uitkrijgen voordat hij weer instapte.

Van: Jason GrangerRM
Aan: Holly; Aisha

Wacht even, hoe is het zaterdag gegaan?

Van: Holly
Aan: Jason GrangerRM; Aisha

Tot dat moment was de reis goed verlopen. Sliepen vrijdag en zaterdag in een geweldig hotel en ik ontdekte zijn benen. Heb ik jullie al verteld dat zijn benen prachtig en behaard en bruin zijn en hij er super uitziet in een korte broek?

Van: Patricia Gillot
Aan: Holly
Onderwerp: Jouw stelletje

Ga je nou niet zitten drukken schat, je kunt dat stelletje best aan.

Van: Jason GrangerRM
Aan: Holly; Aisha
Onderwerp: Dingen in korte broeken

Nee dat heb je niet verteld, vind dat je dat wel zou moeten.

Van: Holly
Aan: Jason GrangerRM; Aisha

Heb ik jullie verteld dat toen hij gewikkeld in zo'n zachte witte hotelhanddoek uit de badkamer kwam – ik mezelf achterover op het bed wierp en mijn hoofd onder mijn boek moest verbergen, omdat ik lag te giechelen als een meisje van acht?
Heb ik jullie verteld dat hij zo'n oude scheerkwast gebruikt als hij zich scheert? Hij ruikt naar Dunhill scheerzeep en haarcrème en het is bedwelmend. Had ik jullie dat al verteld?

Van: Aisha
Aan: Holly; Jason GrangerRM

Ben ik een Bouquetreeksje aan het lezen?

Van: Holly
Aan: Jason GrangerRM; Aisha

En dat hij het bed opkroop, mijn boek weglegde en mijn handen vasthield terwijl hij mijn hals kuste?

Van: Aisha
Aan: Holly; Jason GrangerRM

Het is waar, ik lees een Bouquetreeksje, kun je het een beetje pittiger maken Holly, vertel eens hoe groot zijn stijve mannetje was?

Van: Jason GrangerRM
Aan: Holly; Aisha

Let niet op haar Holly, dit is meer dan genoeg voor mijn zuivere geest.

Van: Holly
Aan: Jason GrangerRM; Aisha

Dank je Jason!!

Van: Jason GrangerRM
Aan: Holly; Aisha

En zijn ballen, klein en strak of groot en bungelend?

Van: Patricia Gillot
Aan: Holly
Onderwerp: Lachen

Iets grappigs?

Van: Holly
Aan: Patricia Gillot

Ik zit een zaal te reserveren en vergeet het eten erbij te boeken.

Van: Patricia Gillot
Aan: Holly

Ja ik kan me voorstellen dat dat heel grappig is.
Liegbeest. x

Van: Holly
Aan: Jason GrangerRM; Aisha
Onderwerp: Meer

Ik probeer te schrijven, maar we hebben het hier nogal druk.
x

Van: Jason GrangerRM
Aan: Holly; Aisha
Onderwerp: Het lid op de neus krijgen

Je had het over zijn ballen, ga door.

Van: Holly
Aan: Jason GrangerRM; Aisha

Heb ik nog iemand gebeld in het weekend?

Van: Jason GrangerRM
Aan: Holly; Aisha

Inderdaad, en een sms met 'help me hier maandag aan herinneren'.

Van: Aisha
Aan: Holly; Jason GrangerRM

O, ik snap ineens Jasons grap over het lid op de neus, leuk, grappig.

Van: Jason GrangerRM
Aan: Holly; Aisha

Zo sloom is ze nou ook met klanten.

Van: Aisha
Aan: Holly; Jason GrangerRM

Ik weet niet of je mij gebeld hebt Holly, maar er stond wel een bericht op
mijn antwoordapparaat dat klonk alsof iemands telefoon in zijn zak was
aangegaan terwijl die aan het wandelen was, of echt heel slome, saaie automatische seks had – dat was jij niet, toch?

Van: Holly
Aan: Aisha; Jason GrangerRM

Nee, dat was ik niet.
Op weg daarnaartoe zaten we in de businessclass, dronken champagne en
kregen eersteklas eten.
Hij maakte allemaal grapjes en dat leidde mij af van de reis, – ook toen we
door een wolk vlogen en ik dacht dat het vliegtuig in brand stond – tot hij

uitlegde dat het rode knipperlichtje onder de vleugel de witte wolk kleurde en dus was er niks aan de hand.

Zaterdag heb ik de hele dag heerlijk bij het zwembad zitten lezen – terwijl hij allerlei vergaderingen had, maar tegen de tijd dat we terugvlogen voelde ik me gewoon raar.

Mam en Pap waren oké, Alice en Matt konden niet komen, die waren in Madrid om kikkervisjes of hagedissen of zoiets te kopen, en daarna wipten we langs bij oma, die heel blij was mij weer te zien, ontzettend tactvol was en kleren aan had.

Dus eigenlijk moet ik gewoon blij zijn.

Van: Jason GrangerRM
Aan: Holly; Aisha

Dus er is niets faliekant fout gegaan????

Van: Holly
Aan: Aisha; Jason GrangerRM

Jij zei dat ik hem alles moest opbiechten Jason.

Dus ik heb hem een PAAR dingen verteld toen ik besefte dat er niets klopte.

Na het eten bij mijn ouders heb ik hem apart genomen en hem verteld dat... ik getrouwd ben geweest (maar het niet leuk vind om erover te praten) en dat mijn ouders dachten dat ik nog steeds een groot huis had.

Ik verwachtte dat hij geschokt zou zijn, maar hij leek er niet mee te zitten.

Hij was gewoon zichzelf, grapjes makend, maar misschien wat afstandelijk.

Zou zijn werk geweest kunnen zijn, misschien had hij gewoon veel aan zijn hoofd, lopende zaken of zoiets.

Misschien was hij moe.

Van: Jason GrangerRM
Aan: Holly; Aisha

Jekyll en Hyde, niets aan de hand, typisch iets voor Tweelingen.

Geen paniek, geef hem gewoon wat ruimte.

Je hebt hem toch nog niet gemaild hè?

Van: Holly
Aan: Jason GrangerRM; Aisha

– Nee

Van: Jason GrangerRM
Aan: Holly; Aisha

Of gebeld?

Van: Holly
Aan: Jason GrangerRM; Aisha

Ja, maar hij nam niet op.

Van: Holly
Aan: Jason GrangerRM; Aisha
Onderwerp: Lunch

Terug van de lunch. En, wat denken jullie?

Van: Aisha
Aan: Holly; Jason GrangerRM

Laat hem de klere krijgen, schat, ik vond hem sowieso een klootzak en wie woont er nou op die leeftijd nog bij zijn moeder?

Van: Holly
Aan: Aisha; Jason GrangerRM

Vraag me af of dat is wat ik wilde horen, maar bedankt.
(Dat doet-ie trouwens niet – zijn huis wordt gerenoveerd.)

Van: Jason GrangerRM
Aan: Holly; Aisha

Maak je geen zorgen, er is pas een halve dag voorbij!!! Hij ligt waarschijn-lijk nog te slapen!

Van: Patricia Gillot
Aan: Holly
Onderwerp: Help

Kun je me alsjeblieft een handje helpen of blijf je alleen maar typen???
(Wil niet bazig zijn, maar het wordt druk.)

Van: Holly
Aan: Patricia Gillot

Sorry, ik kom eraan
xx

Van: Jennie Pithwait
Aan: Holly
Onderwerp: Een prachtige dag

Leuk weekend gehad? Hoop dat het allemaal goed is gegaan.

x

Van: Holly
Aan: Jason GrangerRM; Aisha
Onderwerp: Jennie

Ik voel me beroerd, ik denk dat Jennie iets weet, ze weet dat er iets aan de hand is met hem. Hij moet boven iets gezegd hebben.
Ze schreef net 'leuk weekend gehad? Hoop dat het allemaal goed is gegaan'.

Van: Jason GrangerRM
Aan: Holly; Aisha

Wat een gemeen kreng!
Hoe kan ze deze afschuwelijke verschrikkelijke dingen tegen je zeggen, je alle goeds wensen, dat is gewoon harteloos!
Je overanalyseert alles. Ga gewoon een beetje werken en dan komt alles goed.

x

Van: Mam en Pap
Aan: Holly
Onderwerp: Verrassing

Holly
Wat een geweldige verrassing!
Het was zo fijn om jou en James te zien gisteren. Jullie zagen er zo gelukkig uit samen, hij is een fantastische vangst, zeer charmant.
Het lijkt me enig om zijn ouders te ontmoeten, noem maar een datum en ik zet het in mijn agenda.

We zijn zo gek op je Holly!
Mam

Van: Holly
Aan: Jason GrangerRM
Onderwerp: Je hebt gelijk

Je hebt helemaal gelijk, ik was volgens mij gewoon paranoïde.
Het is ongelooflijk hoe je dingen die gezegd zijn kunt bekijken – en ze op honderd verschillende manieren kunt lezen.
Holly

DINSDAG

Van: Oma
Aan: Holly
Onderwerp: Jouw Spaanse verrassing

Holly
Heerlijk om jou en je nieuwe man te zien.
Wil je hem namens mij bedanken – zeg maar dat hij een oude vrouw erg gelukkig heeft gemaakt door jou hierheen te brengen. Wat een geweldig cadeau voor mij. Ga daar mee door, met jonge mannen bij me brengen.
Veel liefs Oma

Van: Roger Lipton
Aan: Judy Perkins; Holly; Patricia Gillot; Ralph Tooms; Dave Otto; Samantha Smith
Onderwerp: Jaarresultaten

Aan: Afdeling Faciliteiten
Hartelijk dank voor het bijwonen van alle vergaderingen betreffende de organisatie van de Jaarresultaten.
Het verheugt ons enorm dat ons kantoor als gastheer mag optreden voor dit evenement en het is van groot belang dat we voor de organisatie ervan iemand kiezen die toegewijd, ervaren, enthousiast en gedreven is.
Daarom doet het ons deugd te kunnen bevestigen dat Shella Hamilton-Jones de leiding van de conferentie op zich gaat nemen, met volledige ondersteuning van de afdeling faciliteiten.
Geef haar alsjeblieft alle hulp en assistentie die ze van jullie vraagt.
Hoogachtend, Roger

Van: Patricia Gillot
Aan: Holly
Onderwerp: Vertrek

Dat was het dan, ik pak mijn koffers.

Van: Holly
Aan: Patricia Gillot

Nou, nou, zó erg zal Shella toch niet zijn? Als we eenmaal met haar werken, worden we uiteindelijk waarschijnlijk dikke vriendinnen.

Van: Shella Hamilton-Jones
Aan: Holly; Patricia Gillot; Ralph Tooms, Samantha Smith, Dave Otto
Onderwerp: Mijn team

Beste mensen
Ik verheug me erop mijn tanden te zetten in deze conferentie en ik weet zeker dat dat ook voor jullie geldt. Ik zal het de komende weken echter erg druk hebben.
Als jullie suggesties hebben of me iets willen vragen, bel me dan alsjeblieft niet, ik heb een nieuw e-mailaccount geopend: ShellasJaarresultaten@Huerstwright.com.
Toewijding is belangrijk, teamwerk essentieel; het is in het belang van het bedrijf en achteraf heb je het gevoel bijgedragen te hebben aan een prachtig evenement.
Als ik om assistentie vraag, zal ik niet blij zijn met antwoorden als 'dat is mijn werk niet' of 'op die uren werk ik niet'.
Het wordt erg druk, dus als jij zo'n werknemer bent die voortdurend snipperdagen opneemt, kan ik maar één ding zeggen: Shella houdt je in de gaten!
Nogmaals bedankt en ik zie uit naar de samenwerking met mijn nieuwe energieke en hulpvaardige team.
Shella

Van: Patricia Gillot
Aan: Holly
Onderwerp: Fijn

Volgens mij is jouw vraag hiermee wel beantwoord.

Van: Holly
Aan: Patricia Gillot

We maken deel uit van Shella's team, ik ben opgetogen.
'Shella houdt je in de gaten'?
Ik vraag me af waar de verborgen camera's zitten.
Misschien tapt ze ons nu al af?

Van: Patricia Gillot
Aan: Holly

Nou, dat is zinloos want we mogen niet praten.
SHELLA IS STOM, SHELLA IS STOM, SHELLA IS STOM.

Van: Holly
Aan: Patricia Gillot

Tenzij ze bedoelt dat ze haar toegang hebben gegeven tot onze e-mails???

Van: Patricia Gillot
Aan: Holly

Waarschijnlijk wel.

Van: Holly
Aan: Patricia Gillot

O god, ik ga dood als iemand mijn e-mails kan lezen!

Van: Jason GrangerRM
Aan: Holly
Onderwerp: James

Heeft hij al gebeld?

Van: Holly
Aan: Jason GrangerRM

NEE.

Van: Patricia Gillot
Aan: Holly
Onderwerp: Toby

Nou??

Van: Holly
Aan: Patricia Gillot

Wat?

Van: Patricia Gillot
Aan: Holly

Jullie hebben op dezelfde school gezeten?

Van: Holly
Aan: Patricia Gillot

Ja.

Van: Charlie Denham
Aan: Holly
Onderwerp: Fetisjkoningin

Bedankt voor vrijdag, ik sta bij je in het krijt.
Het komt steeds dichterbij, de grote opening.
En Rubberen Ron vindt dat je een artiestennaam moet hebben.
Charlie

Van: Holly
Aan: Charlie Denham

Charlie
Zet alsjeblieft niet van die stomme dingen als fetisjkoningin in het onder-werpveld!! Als iemand mijn e-mails leest op zoek naar iets verdachts, springt dit er wel uit.
Enne – artiestennaam?? Hè?

Van: Jason GrangerRM
Aan: Holly
Onderwerp: James

Is hij al binnen?

Van: Holly
Aan: Jason GrangerRM

Nee – ik verlies de deur geen moment uit het oog.

Jeetjemineetje – is dat Holly Spleetje?
OF
Net wat ik zoek – Holly Billenkoek?

Wat vind je?

Van: Holly
Aan: Charlie Denham

Ik vind dat je op moet houden te proberen mij boos te maken en dat je iets constructiefs moet gaan doen.

Van: Charlie Denham
Aan: Holly

Zit te wachten op bestellingen. Enne ik heb een paar formulieren naar je gestuurd, die kun je gewoon tekenen en terugsturen.
Proost
Charlie

Van: Patricia Gillot
Aan: Holly
Onderwerp: Toby

Dus jij was Toby's vriendin op school en nu werkt hij hier.

Van: Holly
Aan: Patricia Gillot

Ja, wat is dat voor herrie?

Van: Patricia Gillot
Aan: Holly

1-mei-demonstranten.
En hoe lang had je hem niet gezien?

Van: Holly
Aan: Patricia Gillot

12 jaar.

Van: Patricia Gillot
Aan: Holly

En wat zei je toen je hem hier voor het eerst zag?

Van: Jason GrangerRM
Aan: Holly
Onderwerp: Opwindend!

KRIJG NOU WAT!!! Dit zou je moeten zien!

Van: Holly
Aan: Jason GrangerRM

WAT???

Van: Jason GrangerRM
Aan: Holly

Naakte mannelijke demonstranten – en die van hem draait rond.

Van: Holly
Aan: Jason GrangerRM

Dat is fijn.

Van: Jason GrangerRM
Aan: Holly

Als een helikopter!

Van: Holly
Aan: Jason GrangerRM
Onderwerp: James

Ben helemaal opgefokt en in de war.
En al dat geschreeuw buiten helpt niet. Grrrrrr.
Zit maar te wachten tot hij komt. Waarom is hij er nog niet?

Van: Patricia Gillot
Aan: Holly
Onderwerp: Toby

Kom op schat, hou me niet in spanning. Wat zei je tegen hem toen je hem na al die tijd weer zag?

Van: Holly
Aan: Patricia Gillot

Ik zei gewoon dat hij op moest rotten. Ik heb nu geen zin om aan Toby te denken, sorry Trish, ik vertel het je nog wel een keer.
xx

Van: Holly
Aan: Jason GrangerRM
Onderwerp: Ik haat dit

Heb gisteravond om de vijf minuten mijn mobiel gecheckt om te kijken of ik geen telefoontjes had gemist. Toen hij uiteindelijk overging, was het Alice uit Spanje. Geloof niet dat ik erg aardig ben geweest.

Van: Jason GrangerRM
Aan: Holly

xx

Van: Holly
Aan: Jason GrangerRM

Daar komt-ie!! Taxi, buiten, hij staat te betalen.

Van: Jason GrangerRM
Aan: Holly

Doe geen moeite om op te kijken!!

Van: Holly
Aan: Jason GrangerRM

Hij komt eraan.

Van: Jason GrangerRM
Aan: Holly

Verandering van plan: KIJK, LACH EN GOOI HAAR NAAR ACHTE-REN.

Van: Jason GrangerRM
Aan: Holly
Onderwerp: Wat gebeurt er?

Vertel?? Is hij er nog?

Van: Holly
Aan: Jason GrangerRM

Ik zag buiten een taxi en ik dacht dat ik hem door het raam kon zien, maar we hebben getint glas, dus je ziet het niet altijd even goed. Maar hij was het wel.

Hij stapte uit.

Ik probeerde er goed uit te zien, wilde iets naar Trish schreeuwen maar zij was bezig met cliënten die net binnen waren gekomen.

Hij deed de achterste deur open en ik zag zijn gezicht, maar niet echt hoe hij keek, soort van gewoon druk.

Toen hij onze richting op kwam, keek ik naar beneden.

Mijn hart ging als een razende tekeer, ik wilde er nonchalant of misschien wel sexy uitzien, maar ik voelde al het bloed uit mijn gezicht wegtrekken en als hij iets tegen me gezegd had, zou ik met een piepstemmetje geantwoord hebben want toen een van de cliënten besloot dat ze haar pasje door mij wilde laten maken kwam er een soort hoge C uit.

Tegen de tijd dat ik naar beneden keek om het papier eraf te scheuren en in het plastic hoesje te steken, was hij al voorbij!!!

Giga frustrerend, ik haat dit, ik haat dit gevoel.

Waarom is hij niet gestopt?

Van: Jason GrangerRM
Aan: Holly

Hij is echt heel laat, en dat 1-mei-gedoe, waarschijnlijk mot met zijn baas, vast in het verkeer.

En misschien denkt hij gewoon dat jullie relatie nu gebeiteld zit en dat hij niet meer zo zijn best hoeft te doen?

Er kunnen zoveel redenen zijn. Trouwens, ik dacht dat jullie nog steeds probeerden het een beetje geheim te houden?

Van: Holly
Aan: Jason GrangerRM

Geheimen kunnen wat mij betreft de pot op.

Het enige wat ik wil is dat hij naar me toe komt en me knuffelt, me apart neemt en wat liefde en genegenheid toont, een kusje op mijn wang zou al genoeg zijn. Zegt dat het hem helaas niet gelukt is me te bellen maar voortdurend aan me denkt. Zoiets.

Van: Jason GrangerRM
Aan: Holly

Kon ik je maar iets vertellen om je op te vrolijken.
Aisha doet erg haar best vandaag, heel veel uit zichzelf.
Ik vertelde haar dat er geen nieuws was van jouw man en ze zei dat ik tegen je moest zeggen – 'hij is toch een l*l, zij had een veel beter iemand gezien... kruising tussen Clinton en Tyson'.
Dacht dat je dat wel leuk zou vinden.

Van: Holly
Aan: Jason GrangerRM

Hoe – hoe is dat mogelijk?

Van: Holly
Aan: James Lawrence
Onderwerp: Ons weekendje in Spanje

Hai James
Geweldig weekend, hartstikke leuk, bedankt.
Fijn om iemand te kennen met wie je kunt lachen, maar ook andere dingen kunt doen... (wat dat betreft... ik heb een sexy bestelling gekregen... van die winkel waar jij het over had...) ☺
Sprak net met Judy, ze vroeg aan welke tafel ik wilde zitten tijdens dat galadiner enz. Ik hoorde dat jij een tafel voor de mannen hebt waar geen echtgenotes en vriendinnen en zo aan mogen zitten, dus als dat zo is begrijp ik dat, maar ik moet het haar vandaag laten weten.
Holly xx

Van: Holly
Aan: Jason GrangerRM
Onderwerp: Heb hem gemaild

Ik heb hem een e-mail gestuurd en geprobeerd sexy en cool te klinken.
Heb nu spijt, zou kunnen proberen hem terug te halen. Laat maar.

Ik wil naar huis.

Nu.

Was jij maar hier, zaten we maar samen in de zon, ergens in het buitenland, op een strand, ga me alsjeblieft niet mailen dat ik hem niet had moeten schrijven. Sterker nog, mail me alsjeblieft niet terug, ik ga nu surfen naar vakantiesites op het internet.

xxx

Was jij maar hier.

WOENSDAG

Van: Jason GrangerRM
Aan: Holly
Onderwerp: Mogge

Mogge
Hoe voel je je?

Van: Holly
Aan: Jason GrangerRM

Heb gisteravond uren naar de telefoon liggen staren voor die eindelijk overging.

Ik heb hem gisteren de rest van de dag niet langs zien komen, dus het kon ook zijn dat hij heel veel werk had en tot laat moest overwerken. Ongelooflijk hoe je elk klein detail begint te analyseren.

Ik had het dus in mijn hoofd gehaald dat hij me 's avonds zou bellen, maar te veel werd opgeslokt door zijn werk op kantoor en als klap op de vuurpijl waren de batterijen van zijn mobiel leeg of die was stuk of uit het raam gevallen enz.

Ik was van plan hem anoniem te bellen, alleen maar om te kijken of hij overging.

Toen begon ik te denken dat hij me waarschijnlijk niet belde omdat hij dacht dat ik alleen maar had verteld dat ik getrouwd was geweest om het onderwerp huwelijk ter sprake te brengen en nu loopt hij met een boog om me heen.

Ik verborg mijn nummer niet, ik belde gewoon zijn mobiel en die ging over – hij ging over en ik hing op voordat hij kon opnemen omdat hij anders had geweten dat ik het was.

Toen ging mijn telefoon en ik wist dat hij het was.

Maar hij was het niet jij was het, hoop dat ik niet al te kortaf was.

Vanmorgen heb ik geprobeerd te bedenken waar het fout is gegaan – misschien vond hij me er niet erg aantrekkelijk uitzien toen we in Spanje waren.

Ik had mijn koffie omgestoten in het vliegtuig terug en het viel op mijn schoot en toen maakte ik later een grapje tegen de stewardess (omdat ik een beetje aangeschoten was, en ook merkte dat ik geen aandacht van James kreeg en dacht dat het beter was om iets te zeggen dan om helemaal geen reactie van hem te krijgen) dus ik zei tegen het meisje dat mijn been depte dat het geen pies was, lachte toen en toen keek ze eerst naar James en toen weer naar mij, zo van, jij hebt daar echt een eersteklas meid hè?

Maar dat kan het echt niet zijn, ik bedoel we hadden daarvoor al ontzettend veel lol gehad en hij lacht met mij om dit soort dingen en doet meestal mee. Waarschijnlijk vond hij het niet leuk dat ik in een trui bij het zwembad zat en vindt hij me onzeker over mijn lichaam (wat zo is) en wil hij een ultrazelfverzekerd meisje. Ik herinner me wel dat hij omkeek naar andere vrouwen in het hotel.

Het was trouwens geen trui het was een ruimvallend topje. Misschien had ik niet moeten giechelen op het bed toen hij er zo lekker uitzag in die handdoek, omdat hij daardoor wist dat ik hem graag wilde en ik het daardoor waarschijnlijk verpest heb. Maar je gaat toch zeker niet je hele leven dit soort spelletjes spelen, op een dag moet je toch zeker kunnen zeggen 'ja! ik vind je echt leuk, ik hou echt van je en ik vind je fantastisch en ik schenk je mijn hart en ziel omdat ik je vertrouw, van je hou en de rest van mijn leven bij je wil zijn en hou gewoon op met die spelletjes!!!!!!!!!'

Ik wil die spelletjes niet meer spelen Jason, echt niet. Ik heb er genoeg van, ik wil het niet, ik ben liever alleen. Alleen is prima, geen probleem. Ik ben wel alleen.

Help

Van: Holly
Aan: Jason GrangerRM
Onderwerp: Heb hem net gebeld

Belde zijn mobiel. Kreeg de voicemail, dus ik sprak geen boodschap in.

Dacht toen na een paar minuten dat ik wel een bericht moest achterlaten, dus belde opnieuw en sprak deze keer iets in – 'belde alleen even om gedag te zeggen, maar je bent er niet, dus ik hoop dat er niets aan de hand is en jij oké bent' – zoiets.

Niets plakkerigs.

Het is uit hè?

Van: Jason GrangerRM
Aan: Holly

Heel goed, je hebt gecheckt of alles goed met hem was, hij had wel gewond kunnen zijn of zo, dat weet je niet hè?

Helemaal niet plakkerig.

Jason

PS Maar ik zou hem niet meer mailen, behalve als het is om hem uit te schelden.

Kan ik ook wel voor je doen?????

Van: Aisha
Aan: Holly
Onderwerp: Ik wil je ook helpen

Sorry, ben hier meestal niet zo goed in liefie.

Hoe voel je je?

Aish

Van: Holly
Aan: Aisha

Oké.

Wat moet ik volgens jou doen?

Van: Aisha
Aan: Holly

Ik vind dat je hem onderstaande boodschap moet sturen:

Jij arrogante opgeblazen schijterd, angsthaas, slappe l*l, eikelbijter...

Van: Holly
Aan: Aisha

Bedankt.

Van: Aisha
Aan: Holly

En ook...

De enige orgasmes die ik heb gehad toen ik met jou was, had ik als jij er niet was.

Van: Holly
Aan: Aisha

xxxxx

Van: Patricia Gillot
Aan: Holly
Onderwerp: Holly

Je moet zo even in de spiegel kijken schat.

x

Van: Holly
Aan: Patricia Gillot

Hebbes, bedankt.

Van: Aisha
Aan: Holly
Onderwerp: En verder

Dikbillige, kleinpikkige, haarruggige, versleten-bermudakauwer.

Van: Holly
Aan: Aisha

Bedankt Aish.

Van: Aisha
Aan: Holly

En dan zou ik met al zijn vrienden het bed induiken. En hun vertellen hoe slecht hij in bed was. Dan zou ik hem een tijdje stalken en tot slot bergen pizza's bij hem laten bezorgen die hij nooit besteld heeft.

Van: Holly
Aan: Aisha

Heeft dat ooit effect?

Van: Aisha
Aan: Holly

Als je dronken bent, maar als je dan weer nuchter wordt is het een soort van erger.
Sorry.

Van: Patricia Gillot
Aan: Holly
Onderwerp: Kom op

Hé, kom op meis, als je hem uit je hoofd zet werken we dit stelletje idioten een stuk sneller weg. Hard werken leidt je gedachten af van hem en in het weekend neem ik je mee naar het eiland en ga je met mij en Les stappen, we zouden het geweldig vinden als je kwam.

Van: Holly
Aan: Patricia Gillot

Dank je Trish, dat klinkt geweldig. Ik zal mijn best doen, beloofd, je zult zien dat ik zo weer die glimlach op mijn gezicht tover.
xx

Van: Patricia Gillot
Aan: Holly

Natuurlijk doe je dat schat, we zullen zo even een woordje met Ralph wisselen, laten we hem op zijn knieën naar mensen blaffen die binnenkomen.

Van: Holly
Aan: Patricia Gillot

Dat zal hij leuk vinden.

Van: Patricia Gillot
Aan: Holly

Natuurlijk, en dan ga ik op zijn rug een ritje rond de glazen tafel maken en geef jij hem een pak op zijn billen met die liniaal...

Van: Holly
Aan: Patricia Gillot

Ik zie het helemaal voor me, maar wat zeggen we tegen Shella als zij net op dat moment hier een steekproef komt nemen?

Van: Patricia Gillot
Aan: Holly

Dat dit is waarom ze gevraagd heeft: teambuilding.
Ralph zal het met ons eens zijn (ALS we hem toestaan dat bit uit zijn mond te halen).

Van: Patricia Gillot
Aan: Holly
Onderwerp: Verkrachter

Ongelooflijk, dat hij dát deed, laf, dát was het.

Van: Holly
Aan: Jason GrangerRM
Onderwerp: Nieuws

Heb hem net gezien.

Van: Jason GrangerRM
Aan: Holly

En?

Van: Holly
Aan: Jason GrangerRM

Hij liep naar buiten.
Een paar minuten later kwam hij weer binnen, ik verloor hem geen moment uit het oog om te zorgen dat ik niets zou missen, maar hij keek niet. Het is uit.

Van: Holly
Aan: Jason GrangerRM
Onderwerp: NEE dit pik ik niet

Ik pik dit niet. Ik moet het weten.

Van: Jason GrangerRM
Aan: Holly

Nee, wacht, wat ga je doen?

Van: Holly
Aan: Jason GrangerRM

Ik ga naar boven, ben zo terug.

Van: Holly
Aan: Patricia Gillot
Onderwerp: Belangrijk

Moet ergens heen, kun jij me dekken?

x

Van: Patricia Gillot
Aan: Holly

– hupsakee!

DONDERDAG

Van: Jason GrangerRM
Aan: Holly
Onderwerp: Nog nieuws?

Heb je hem vanmorgen gezien?

Van: Holly
Aan: Jason GrangerRM

Nee, o, wacht even.

Van: Zwangere Pam
Aan: Holly
Onderwerp: FANTASTISCH GEWELDIG NIEUWS!!!

Wie had dat ooit gedacht!!!
HET IS EEN JONGEN!!!!

xxxxxxx

Van: Holly
Aan: Zwangere Pam

Geweldig, ik ben zo blij voor je, je zult wel erg gelukkig zijn.
Holly

Van: Zwangere Pam
Aan: Holly

Echt heel blij, hoewel ik zijn kamer al roze had laten verven (ik wist zeker dat ik een meisje zou krijgen).
Maar toch, zou het heel erg zijn als ik haar heel veel roze kleren aantrek (alleen de eerste paar jaar)?

Van: Holly
Aan: Zwangere Pam

Je zei haar – je bedoelt hem.

Van: Zwangere Pam
Aan: Holly

Hè?

Van: Holly
Aan: Zwangere Pam

Laat maar, maar nu zul je het wel helemaal blauw moeten verven hè?

Van: Zwangere Pam
Aan: Holly

Nee, dat heeft geen zin. Met een beetje mazzel wordt hij homo???
xxx
Ik ga nu alle anderen mailen, later!

Van: Holly
Aan: Jason GrangerRM
Onderwerp: Hij

Hij was het. Maar ik was bezig met een paar cliënten.
Holly

Van: Jason GrangerRM
Aan: Holly

Beloof me alsjeblieft dat je niet meer naar boven gaat...

Van: Holly
Aan: Jason GrangerRM

Beloofd. Ik stond daar gisteren echt voor schut, dat doe ik niet meer.

Van: Jason GrangerRM
Aan: Holly

Mensen gaan voortdurend op en neer in liften zonder uit te stappen, geen punt, je was gewoon iets vergeten.
xx

Van: Zwangere Pam
Aan: Holly
Onderwerp: Tijd voor babykleertjes

Je hebt helemaal gelijk Holly, ik moet hem blauwe kleren geven, in het begin in ieder geval, hoe laat zullen we afspreken om samen babykleertjes te gaan kopen!!!!???

Van: Holly
Aan: Zwangere Pam

Ik kan niet, sorry.

Van: Zwangere Pam
Aan: Holly

Morgen dan?

Van: Holly
Aan: Zwangere Pam

Het spijt me Pam, ik kan echt niet.

Van: Zwangere Pam
Aan: Holly

Waarom niet?

Van: Holly
Aan: Zwangere Pam

Ik kan gewoon niet.
Ergens volgende week misschien.

Van: Zwangere Pam
Aan: Holly

Luister, als je dit weekend niet mee gaat shoppen, kom ik je halen, schop je uit zijn bed en sleep jullie als dat nodig is allebei mee!!!

Van: Holly
Aan: Zwangere Pam

Sorry, het is erg druk hier, geen tijd om te kletsen.
x

Van: Patricia Gillot
Aan: Holly
Onderwerp: De cliënten

Ga je die cliënten nog helpen schat?

Van: Holly
Aan: Patricia Gillot

Sorry Trisha, was ze vergeten, ik ga nu naar ze toe.

Trisha's inbox

Van: Ralph
Aan: Trisha
Onderwerp: Kan ik je van dienst zijn Trisha?

Nog wensen?

Van: Trisha
Aan: Ralph

Holly en ik hebben gisteren iets heel grappigs bedacht Ralphy, dat we je hier op de receptie moesten laten rondkruipen!

Van: Ralph
Aan: Trisha

Ik zou voor geen enkele vrouw kruipen, ik zat jullie gewoon op te fokken.

Van: Trisha
Aan: Ralph

Grappig, dat is niet wat je zei toen je dronken was.

Van: Ralph
Aan: Trisha

Weet ik niet meer.

Van: Trisha
Aan: Ralph

Dus als we jou opdroegen om voor ons te knielen en ons kleine hondje te spelen, zou je dat niet voor ons willen doen? Zou je dat echt niet willen Ralphy???

Van: Ralph
Aan: Trisha

Oké, maar niet waar iedereen bij is.

Van: Trisha
Aan: Ralph

RALPH!!! Dat is geweldig!

Van: Les
Aan: Trisha
Onderwerp: Schroevendraaier!

Waar heb jij de schroevendraaier gelaten?

Van: Trisha
Aan: Ralph

Op het tafeltje bij de tv.

Van: Trisha
Aan: Holly
Onderwerp: De cliënten

Ga je die cliënten nog helpen schat?

Van: Holly
Aan: Trisha

Sorry Trisha, was ze vergeten, ik ga nu naar ze toe.

Van: Les
Aan: Trisha
Onderwerp: De schroevendraaier...

Daar ligt-ie niet.

Van: Trisha
Aan: Ralph

Op het tafeltje, bij de tv.

Van: Les
Aan: Trisha

Het heeft geen zin om het nog een keer te zeggen, ik zeg net dat hij daar niet ligt!

Van: Trisha
Aan: Ralph

Waar sta je nu?

Van: Les
Aan: Trisha

Hoe bedoel je, waar sta ik nu? Ik zit achter de computer hè? Wat geven ze je daar te eten Trish, anti-intelligentiepilletjes?

Van: Trisha
Aan: Ralph

Nee maar daar moet jij een recept voor hebben.
Als je niet achter de computer zit, als je naast de televisie staat – waar zit je?

Van: Les
Aan: Trisha

In de huiskamer, o, je bedoelt die in de slaapkamer.

Van: Trisha
Aan: Ralph

GEEF DIE MAN EEN PRIJS!

Van: Les
Aan: Trisha

Ik geef jou nog wel wat meer dan een prijs als je thuiskomt, brutaal nest.

Van: Trisha
Aan: Ralph

Lekker ding, oké, zorg dat je vroeg thuis bent dan.

Van: Trisha
Aan: Jason
Onderwerp: Ons vriendinnetje Holly

Jason

Vind je het erg dat ik je mail? Het gaat over Holly.

Sorry, maar ik maak me zorgen over haar.

Trisha

Van: Jason
Aan: Trisha

Natuurlijk niet, is alles in orde? Is ze er?

Jason

Van: Trisha
Aan: Jason

Ze zit naast me, maar ze kan mijn beeldscherm niet zien hoor.

Het gaat niet goed met haar, ze ziet eruit alsof ze op instorten staat. Ik weet dat jij haar vriend bent, dus hoopte dat je zou kunnen helpen. Het heeft te maken met James die niet belt, maar zou ze daar echt zo kapot van kunnen zijn?

Ze ziet er vreselijk uit. Ze is mijn Holls, vind het niet leuk haar zo te zien.

Trisha

Van: Jason
Aan: Trisha

Hai Trisha

Ik heb gisteravond een uur met haar aan de telefoon gezeten, het is nooit leuk om gedumpt te worden, vooral niet als je denkt dat het jouw schuld is en niet weet wat je verkeerd hebt gedaan.

Wij weten allebei dat zij niets verkeerd heeft gedaan (behalve misschien TE aardig zijn), maar het is dat zelfvertrouwen van haar, dat heeft weer een knauw gekregen.

Zorg alsjeblieft goed voor mijn vriendinnetje.

xxxx

Van: Trisha
Aan: Jason

Ik doe mijn best, ik heb tegen haar gezegd dat ze zich ziek moest melden en naar huis moest gaan, want als iemand van de leiding haar ziet krijgt ze problemen. Ze praat nauwelijks met cliënten die binnenkomen, haar hoofd hangt naar beneden, ze kijkt niet op en ze mompelt tegen ze.
Wilde alleen even weten of ik me echt zorgen moet maken – of zou ze snel weer opkrabbelen?

Van: Jason
Aan: Trisha

Ik wil je wel iets vertellen, maar dan moet je beloven niet tegen Holly te zeggen dat ik het jou verteld heb – als ze mijn e-mails ziet, vermoordt ze me.
Ik denk niet dat het slim is om haar naar huis te sturen, ik zou proberen haar daar te houden.

Van: Trisha
Aan: Jason

Ik denk dat ze wel naar huis moet, een paar daagjes vrij nemen, dan gaat het vast weer beter met haar.

Van: Jason
Aan: Trisha

Volgens mij is dat geen goed idee.

Van: Trisha
Aan: Jason

Waarom niet?

Van: Jason
Aan: Trisha

Dat denk ik gewoon.

Van: Trisha
Aan: Jason

Als je denkt dat het helpt, vertel me dan waarom, als het roddels zijn wil ik die niet horen.

Van: Jason
Aan: Trisha

IK RODDEL NIET!

Van: Trisha
Aan: Jason

FIJN.

Van: Jason
Aan: Trisha

Oké, soms wel, maar niet over vrienden!
Oké soms ook over vrienden, maar niet over dit soort dingen!

Van: Trisha
Aan: Jason

JA SCHIET EENS EEN BEETJE OP! Geen wonder dat ze zich ellendig voelt, als jullie er allebei zo lang over doen om ter zake te komen, zijn jullie even slecht! Kom op schat, om met Les te spreken – scheite of pleite!

Van: Jason
Aan: Trisha

Wie is Les? Maakt niet uit, heeft Holly jou verteld dat ze getrouwd is geweest?

Van: Trisha
Aan: Jason

JA. Maar ik weet er helemaal niets van.

Van: Jason
Aan: Trisha

Oké, hij was zo'n man die over alles een mening had, en zijn mening was altijd de juiste.
Hij (Sebastian) gaf nooit zijn ongelijk toe en elke keer dat Holly iets deed, was het altijd zoiets als 'ik zou dat anders gedaan hebben', wat natuurlijk betekende: beter.
Ze durfde steeds minder iets op haar eigen houtje te doen – omdat ze niet de indruk wilde wekken het weer verkeerd te hebben gedaan, begon ze eerst alles aan hem te vragen. Het ging van kwaad tot erger tot ze nergens

meer zelf over kon beslissen; ze gaf het op om ook maar iets te beslissen. Het liep echt uit de hand.

Van: Trisha
Aan: Jason

Hoe?

Van: Jason
Aan: Trisha

Ik heb haar er ooit op betrapt dat ze vroeg of HIJ dacht dat het tijd werd dat zij trek kreeg???? Sebs-het-plebs noemde ik hem altijd. De reden dat ik je dit vertel is niet om te roddelen (en nu klinkt dat wel zo). Ik wil gewoon dat je weet hoe gevoelig ze eigenlijk is, nadat ze uit elkaar waren kwam ze in een enorme depressie terecht. Ze is wekenlang de deur niet uit geweest, ik bracht haar altijd eten. Ze opende de post niet, deed helemaal niets, dus ja, ik zou me erg veel zorgen over haar maken, net als ik.

Van: Trisha
Aan: Jason

Jezusmina.

Van: Jason
Aan: Trisha

Ik wil niet dat ze dat nog een keer meemaakt.

Van: Trisha
Aan: Jason

Juist! Wacht even schat, ze mailt me net, ben zo terug.

Van: Holly
Aan: Trisha
Onderwerp: Vergeten

Sorry Trish, ik denk dat ik Maxi's cliënten vergeten ben te vertellen dat ze is begonnen met de vergadering.

Van: Trisha
Aan: Holly

Nee hoor, je hebt het hun gezegd, ze zijn al naar boven.

Van: Holly
Aan: Trisha

Echt?

Van: Trisha
Aan: Holly

Ja schat, niets aan de hand.
x

Van: Jason
Aan: Trisha
Onderwerp: Betr.: Ons vriendinnetje Holly...

Bovendien wil ik een beetje druk wegnemen. Sorry dat ik het allemaal bij jou neerleg, zeg alsjeblieft niet dat ik je iets verteld heb. Het zou best kunnen dat het allemaal goed gaat, zoals jij zei, maar het is beter dat je dit weet. Ik denk niet dat het verstandig is haar naar huis te sturen, als ze eenmaal uit de roulatie is, bestaat de kans dat ze niet meer terugkomt
xxx
Hé, wordt het niet eens tijd dat wij elkaar ontmoeten???

Van: Trisha
Aan: Jason

Ik heb haar gevraagd een keer bij ons te komen – heb je zin om ook te komen?

Van: Jason
Aan: Trisha

Lijkt me enig, dank je Trish.
Jason

Holly's inbox

Van: Zwangere Pam
Aan: Holly
Onderwerp: Vriendinnen

Holly!!
Het is niet eerlijk, je vriendinnen zouden op de eerste plaats moeten komen, vooral als ze zwanger zijn!!!

Van: Holly
Aan: Zwangere Pam

Jij komt ook op de eerste plaats.

Van: Zwangere Pam
Aan: Holly

Het is de laatste tijd alleen maar James dit en James dat.
Als jij zwanger was zou ik je niet vergeten.

Van: Holly
Aan: Zwangere Pam

Hij heeft me gedumpt.

Van: Zwangere Pam
Aan: Holly

Wat??

Van: Holly
Aan: Zwangere Pam

xxxxx

Van: Zwangere Pam
Aan: Holly

O lieverd.

Van: Holly
Aan: Patricia Gillot
Onderwerp: Vergeten

Sorry Trish, ik denk dat ik Maxi's cliënten vergeten ben te vertellen dat ze
is begonnen met de vergadering.

Van: Patricia Gillot
Aan: Holly

Nee hoor, je hebt het hun gezegd, ze zijn al naar boven.

Van: Holly
Aan: Patricia Gillot

Echt?

Van: Patricia Gillot
Aan: Holly

Ja schat, niets aan de hand.
x

Van: Holly
Aan: James Lawrence
Onderwerp: – ?

Waarom praat je niet tegen me?

Is het gewoon omdat het uit is tussen ons of ben je ergens boos over?

Als je niet tegen me praat kom ik er niet achter en ik zou het op zijn minst
graag willen weten?

Van: Holly
Aan: Alice en Matt
Onderwerp: Rugpijn

Kreeg gisteravond je berichtje. Wat vervelend van Matts rug, hoop dat hij zich vandaag wat beter voelt.

Van: Alice en Matt
Aan: Holly

Het is afschuwelijk, hij kan zich helemaal niet bewegen, nog geen vinger. Het is me gisteren gelukt hem op bed te leggen en vanmorgen is hij ten einde raad, de arme schat.
Ik ga nu naar de apotheek. Alice

Van: Patricia Gillot
Aan: Holly
Onderwerp: Bloemen

Vertel, vertel, zijn die van wie ik denk dat ze zijn???

Van: Holly
Aan: Patricia Gillot

Weet het niet, denk van niet. Holly

Van: Holly
Aan: Jason GrangerRM; Aisha
Onderwerp: Bloemen

Heeft een van jullie mij net bloemen gestuurd?
Holly

Van: Jason GrangerRM
Aan: Holly; Aisha

Nee, ik niet, jij Aisha?

Van: Aisha
Aan: Holly; Jason GrangerRM

Nee.

Van: Aisha
Aan: Holly; Jason GrangerRM
Onderwerp: Bloemen

Wacht, zien ze er een beetje raar uit?
Aish

Van: Holly
Aan: Aisha; Jason GrangerRM

Hoe bedoel je, raar?

Van: Aisha
Aan: Holly; Jason GrangerRM

Dat ze niet leven?

Van: Holly
Aan: Aisha; Jason GrangerRM

Wil jij weten of iemand mij verlepte bloemen heeft gestuurd?

Van: Aisha
Aan: Holly; Jason GrangerRM

Ja.

Van: Holly
Aan: Aisha; Jason GrangerRM

Nee Aisha, ze leven, ik mag er de laatste tijd dan niet zo goed uitzien, maar ik heb hopelijk nog niet het stadium bereikt waarin mensen me verlepte bloemen gaan sturen.

Van: Aisha
Aan: Holly; Jason GrangerRM

O jee, ik hoopte namelijk dat het de bloemen waren die ik je gestuurd heb toen ik een paar weken geleden niet op je etentje was gekomen.
Had nog steeds hoop dat die terecht zouden komen, zullen wel nog steeds kwijt zijn dan.
Aisha

Van: Holly
Aan: Aisha; Jason GrangerRM

Ze zijn niet kwijt, Aisha, ze zijn nooit aangekomen omdat jij ze nooit echt verstuurd hebt.

Hou toch van je.

DUS van wie denk jij dat ze dan zijn?

Van: Jason GrangerRM
Aan: Holly; Aisha

Superspannend, zit er helemaal geen kaartje bij?

Van: Holly
Aan: Jason GrangerRM; Aisha

Ze zijn 'van een bewonderaar'.

Van: Alice en Matt
Aan: Holly
Onderwerp: Ons broertje Charlie

Ik ben nog nooit van mijn leven zo vernederd.

Die broer van jou zit ongelooflijk in de nesten.

Alice

Van: Holly
Aan: Alice en Matt

Wat heeft hij gedaan?

Van: Alice en Matt
Aan: Holly

Ik heb hem moeten beloven dat ik het aan niemand zou vertellen.

Van: Holly
Aan: Alice en Matt

Hij heeft je toch niet betrokken bij die stomme fetisjclub van hem hè?

Van: Alice en Matt
Aan: Holly

Welke fetisjclub?

Van: Holly
Aan: Jason GrangerRM; Aisha
Onderwerp: Hem

En, denken jullie dat ze van HEM zijn?

Van: Jason GrangerRM
Aan: Holly; Aisha

Nee, kan niet, er staat van een bewonderaar... Ken jij daar iemand die zo'n lange piemel heeft???

Van: Alice en Matt
Aan: Holly
Onderwerp: Charlie

Hoe dan ook, ongeveer een maand geleden vroeg hij me Viagra voor hem te kopen, omdat dat in Engeland niet te koop is...!

Van: Holly
Aan: Alice en Matt

Meen je dat? Je hebt toch geen ja gezegd, hè?

Van: Alice en Matt
Aan: Holly

WEL.

Van: Holly
Aan: Alice en Matt

O, nee hè???

Van: Alice en Matt
Aan: Holly

Je kent hem toch, het is moeilijk om hem iets te weigeren.
Hoe dan ook, dat is nog niet eens het ergste, de Viagra die ik hem vorige maand stuurde had ik gekocht bij de ENIGE apotheek in het dorp. Stom, dat weet ik. Ik ging er vandaag weer heen en mijn Spaans is niet geweldig, en het is daar nogal druk en ik begin het uit te leggen over Matt en zijn rugpijn...?

Van: Holly
Aan: Alice en Matt

En?

Van: Alice en Matt
Aan: Holly

Ik probeer dus in mijn allerbeste Spaanse uit te leggen dat Matt plat ligt, geen kant op kan, verstijfd is, pijn heeft en niet omhoog kan komen.

Al die schattige Spaanse dametjes in de apotheek schudden vol afschuw hun zwartbesjaalde hoofdjes en ik krijg een pot pillen waarvan ik er net achter kom dat het Viagra is!

Ik kan daar niet meer heen, ik moet een nieuwe apotheek zoeken.

Van: Jason GrangerRM
Aan: Holly; Aisha
Onderwerp: Het is uit

Kom op Holly, ze kunnen niet van hem zijn.

Mannen zijn klootzakken, klaar uit.

Behalve ik.

Jason

Van: Holly
Aan: Jason GrangerRM; Aisha

Volgens mij zou het wel kunnen???

Van: Jason GrangerRM
Aan: Holly; Aisha

Is daar niet iemand anders die jij leuk vindt???? Denk nou even na?

Van: Holly
Aan: Jason GrangerRM; Aisha

Nee, niemand.

Van: Jason GrangerRM
Aan: Holly; Aisha

Er moet daar iemand anders zijn die jij leuk vindt, het is een groot bedrijf??

xx

Van: Holly
Aan: Jason GrangerRM; Aisha

Ik wil niemand anders, ik wil alleen hem.

Van: Jason GrangerRM
Aan: Holly; Aisha

Maar dat kan niet lieverd.

Van: Holly
Aan: Jason GrangerRM; Aisha

Jij hebt die bloemen gestuurd hè?

Van: Jason GrangerRM
Aan: Holly; Aisha

Ja popje, had niet verwacht dat jij zou denken dat ze van hem waren.
Sorry

Van: Holly
Aan: Jason GrangerRM; Aisha

O.

Van: Jason GrangerRM
Aan: Holly; Aisha

Het leek me goed om je op te vrolijken.
Is allemaal een beetje verkeerd gegaan.

Van: Holly
Aan: Jason GrangerRM; Aisha

Oké.

Van: Jason GrangerRM
Aan: Holly; Aisha

Je moet gewoon verder lieverd.

Van: Holly
Aan: Jason GrangerRM; Aisha

Wilde hem gewoon terug.
Heel erg.

Van: Jason GrangerRM
Aan: Holly; Aisha

Weet ik.

Van: Holly
Aan: Jason GrangerRM; Aisha

Ik wil niet dat het uit is.
Nu moet ik huilen Jason.
Moet weg.
hou heel veel van jullie allebei.
x

Van: James Lawrence
Aan: Holly
Onderwerp: Hai Holly

Hoe is het met je?

Van: Holly
Aan: James Lawrence

Oké, waar heb jij uitgehangen?

Van: James Lawrence
Aan: Holly

Gewoon, heel hard gewerkt. Hoe is het?

Van: Holly
Aan: James Lawrence

Oké, eerlijk gezegd een beetje in de war.

Van: James Lawrence
Aan: Holly

Ik weet dat ik de laatste tijd een beetje onaardig ben geweest. Het was niet mijn bedoeling je van streek te maken.

Van: Holly
Aan: James Lawrence

En hoe is het nu met ons?

Van: James Lawrence
Aan: Holly

Hoe bedoel je?

Van: Holly
Aan: James Lawrence

Zijn we nog samen?

Van: James Lawrence
Aan: Holly

Ik geef heel veel om je, maar je weet hoe moeilijk het is om wat voor relatie dan ook te hebben.

Van: Holly
Aan: James Lawrence

Hè?

Van: James Lawrence
Aan: Holly

Elke relatie is moeilijk, vooral eentje met iemand op je werk.

Van: Holly
Aan: James Lawrence

Nee hoor, als jij je zorgen maakt over de geheimhouding dan kunnen we het geheim houden. Bijna niemand weet ervan?

Van: James Lawrence
Aan: Holly

Het heeft niets met geheimhouding te maken Holly, het is gewoon niet goed, een relatie hebben met iemand van je werk.

Van: Holly
Aan: James Lawrence

We kunnen ons hier wel doorheen slaan.

Van: James Lawrence
Aan: Holly

Dat kunnen we niet Holly.

Van: Holly
Aan: James Lawrence

Alsjeblieft James, doe dit alsjeblieft niet. Bel me, laten we naar buiten gaan en er even over praten.

Van: James Lawrence
Aan: Holly

Nee Holly, sorry.

Van: Holly
Aan: James Lawrence

Ik draai nu je nummer, neem alsjeblieft de telefoon op.
Doe het voor mij, ik móét hierover praten.

Van: Holly
Aan: James Lawrence
Onderwerp: NEEM ALSJEBLIEFT JE TELEFOON OP

Neem alsjeblieft je telefoon op, alsjeblieft James, ik moet gewoon even met je praten, toe nou alsjeblieft, ik wil alleen even met je praten, ik weet dat jij zegt dat het uit is, maar alsjeblieft.

Van: Patricia Gillot
Aan: Holly
Onderwerp: GA NAAR HUIS HOLLY

Ga naar huis schat, ga alsjeblieft naar huis, je kunt hier niet gaan zitten snotteren.
Kom naar me toe, geef me een knuffel en wegwezen.
xxxx

Van: Holly
Aan: Patricia Gillot

NEE IK GA NERGENS HEEN! NEE.

Van: Patricia Gillot
Aan: Holly

Alsjeblieft schat, anders word je ontslagen, ga gewoon.

xx

Ik wil je niet kwijt.

xx

Maand 4, week 1

VRIJE MAANDAG

Van: Alice en Matt
Aan: Holly
Onderwerp: Bel me

Bel me even als je dinsdag mijn e-mail krijgt, ik heb het hele weekend geprobeerd je te bereiken.
Alice

DINSDAG

Van: Jason GrangerRM
Aan: Holly
Onderwerp: Laatste nieuws

Heb je het nieuws over mijn arme schat gehoord?

Van: Patricia Gillot
Aan: Holly
Onderwerp: Mogge

Leuk je te zien, zin in koffie?

Van: Holly
Aan: Patricia Gillot

Hai
Heb al gehad. Hoe was jouw weekend?
Holly

Van: Patricia Gillot
Aan: Holly

Goed.
Interessante outfit heb je aan, waar is je jasje?

Van: Holly
Aan: Patricia Gillot

Hai
Ben mijn jasje vergeten, sorry Trish.

Van: Patricia Gillot
Aan: Holly

Geeft niks, haal die van de invaller maar uit de kast. Die komt net van de stomerij.

Van: Jennie Pithwait
Aan: Holly
Onderwerp: Reservering

Goedemorgen Holly
Is er een probleem met mijn vergadering van morgen?
Jennie

Van: Holly
Aan: Jennie Pithwait

Hai Jennie
Alles is geregeld, je reservering staat op het schema en is bevestigd.
Holly

Van: Jennie Pithwait
Aan: Holly

Sorry Holly,
Maar als jij het al op het schema hebt gezet, waarom heb je mij dat dan niet verteld? Hoe zou ik nou moeten weten dat het geregeld is?

Van: Holly
Aan: Jennie Pithwait

Ik stuur je meestal nooit een bevestiging. Je weet toch gewoon dat ik het zal regelen?

Van: Jason GrangerRM
Aan: Holly
Onderwerp: Nieuws!!!

Er is dit weekend belangrijke Franse geschiedenis geschreven.
Het is voor het eerst dat de woorden: 'Paris gaat onderuit' niet verwijzen naar een voetbalteam noch naar een seksuele handeling.
??

Van: Holly
Aan: Jason GrangerRM

???

Van: Jason GrangerRM
Aan: Holly

Paris Hilton – jeweetwel, ze gaat naar de gevangenis – wist je dat niet????

Van: Holly
Aan: Jason GrangerRM

Sorry Jason, het gaat hier allemaal niet zo geweldig.
Holly

Van: Holly
Aan: Alice en Matt
Onderwerp: Telefoon

Kreeg je e-mail, had mijn mobiel het weekend uitgezet, had je me nodig?

Van: Alice en Matt
Aan: Holly

Gaat het goed met je?

Van: Holly
Aan: Alice en Matt

We zijn uit elkaar.

Van: Alice en Matt
Aan: Holly

O lieverd,
Wat is dat gemeen, zoiets kun je me niet zo vertellen, hoe kan ik mijn zus nou knuffelen als ze zo ver weg is?
xxx
Wat is er gebeurd?

Van: Holly
Aan: Alice en Matt

Het is afgelopen.

Van: Alice en Matt
Aan: Holly

Dat had ik al begrepen.
Maak je niet druk, je bent knap en lief en je hebt een immens groot hart,
en mannen zijn gewoon dom als ze dat niet zien.
Weet je wat ik je aanraad?

Van: Jennie Pithwait
Aan: Holly
Onderwerp: Reserveringen

Holly
Ik heb de hele week vergaderingen met cliënten en ik moet gewoon zeker
weten dat er niets tussen kan komen.

Van: Holly
Aan: Jennie Pithwait

Nee, geen zorgen, er zal niets tussen komen.
Groeten
Holly

Van: Holly
Aan: Alice en Matt
Onderwerp: Advies

Wat raad je me dan aan?

Van: Alice en Matt
Aan: Holly

Nou, had ik je al verteld dat Matt nu zware diarree heeft? En dat hij nog
steeds zijn bed niet uit kan komen?

Van: Holly
Aan: Alice en Matt

Nee.

Van: Alice en Matt
Aan: Holly

Nou, mijn advies is:

Als je op zoek gaat naar een nieuwe man, moet je niet vallen voor een arrogante l*lhannes van een bankier die geobsedeerd is door geld.

Maar net zo belangrijk is dat als JE WEL VALT voor een lieve, aardige, vriendelijke man, je ervoor moet zorgen dat hij je huis niet volstopt met slangen, en dan kooien vol ratten waarmee hij die slangen kan voeren, want dan, en het is belangrijk om dit voor ogen te houden Holly, krijg je een veel beter gevoel over je situatie.

Zorg er dan voor dat HIJ NIET DOOR ZIJN RUG GAAT en je vraagt zijn werk over te nemen???!

Waardoor je het hele weekend bezig bent zijn sh*t op te ruimen en zijn ratten te voeren.

AAAAAAAAAAAAAAAAAAAAAAAAAAGH

Het is maar goed dat ik zoveel van hem hou.

Van: Holly
Aan: Alice en Matt

Ik zal je advies ter harte nemen.
Dank je Alice. xx
Holly

Van: Jennie Pithwait
Aan: Holly
Onderwerp: Buiten

Ben je al wezen lunchen?

Van: Holly
Aan: Jennie Pithwait

Waarom – wil je samen gaan?

Van: Jennie Pithwait
Aan: Holly

Nee, kan niet, ik heb het te druk. Ik ga zo gewoon even een broodje halen en vroeg me af – als het koud was, zou je toch ongeacht de weersomstandigheden een trui dragen. x

Van: Patricia Gillot
Aan: Holly
Onderwerp: Morgen

Kom je morgen nog?

Van: Holly
Aan: Patricia Gillot

Natuurlijk.

Van: Patricia Gillot
Aan: Holly

Goed. Ik ben trots op je.

Van: Holly
Aan: Patricia Gillot

Ik heb het vrijdag niet goed gedaan hè, heb mezelf voor schut gezet.

Van: Patricia Gillot
Aan: Holly

Luister, als je er ooit over wilt praten, dan ben ik er voor je.

Van: Holly
Aan: Patricia Gillot

Ik wilde gewoon zo graag dat het wat werd.

Van: Patricia Gillot
Aan: Holly

Weet ik.

Van: Holly
Aan: Patricia Gillot

Ik dacht dat het goed ging met ons, het was zo leuk.
Ik dacht dat hij het ook leuk vond.

Van: Patricia Gillot
Aan: Holly

Dat was ook zo schat, maak je niet druk over hem.

Van: Holly
Aan: Patricia Gillot

Fijne avond.

xxxxxx

Zo nat ben ik meestal niet, echt.

WOENSDAG

Van: Mam en Pap
Aan: Holly
Onderwerp: Mijn dochter

Holly

We hebben al een tijdje niets meer van je gehoord, wat gebeurt er allemaal, je houdt ons niet echt op de hoogte hè?

Liefs Mam

Van: Jennie Pithwait
Aan: Holly
Onderwerp: Vergadering

Tijdens mijn vergadering vanmorgen ontbrak het ontbijt, we moesten het opnieuw bestellen. Als dit de hoeveelheid aandacht is die jij in je relaties stopt, is het geen wonder dat die een beperkte houdbaarheid hebben.

Jennie

Van: Holly
Aan: Jason GrangerRM; Aisha
Onderwerp: JASON EN AISHA! ONMIDDELLIJK HIER KOMEN

WAT EEN ONBESCHOFT KRENG, niet te geloven.

HAAT HAAR HAAT HAAR

Ik ga nu naar haar toe.

Van: Aisha
Aan: Holly; Jason GrangerRM
Onderwerp: Jouw e-mail??

Over wie heb je het schat? En weet je zeker dat je dat wilt doen?

Aish

Van: Holly
Aan: Aisha; Jason GrangerRM

Jenny of Jennie of hoe je dat kreng ook spelt, heeft me net een mail gestuurd en gezegd 'als dit de hoeveelheid aandacht is die jij in je relaties stopt, is het geen wonder dat die een beperkte houdbaarheid hebben'!!!!!!!!!!

Van: Aisha
Aan: Holly

GA NU NAAR BOVEN EN VERMOORD HAAR.
Ik neem de schuld wel op me, doe het Holly.

Van: Holly
Aan: Aisha; Jason GrangerRM

Ik ga het doen.

Van: Patricia Gillot
Aan: Holly
Onderwerp: Goedemorgen

Waar ga jij naartoe?

Van: Holly
Aan: Patricia Gillot

Naar boven, moet weg, zo terug.

Van: Patricia Gillot
Aan: Holly

GA ZITTEN.

Van: Holly
Aan: Patricia Gillot

Je begrijpt het niet Trish, ik vertel het je zo wel.

Van: Aisha
Aan: Holly
Onderwerp: Jennie

Die slet vindt het leuk dat het uit is hè?

Van: Patricia Gillot
Aan: Holly
Onderwerp: GA ZITTEN!

Van: Patricia Gillot
Aan: Holly
Onderwerp: KIJK OP JE SCHERM!!! GA ZITTEN MEVROUW TYSON, NU!!!

Van: Holly
Aan: Patricia Gillot

Het is Jennie, ze is zo, je gelooft het niet – ik heb nu gewoon een beetje frisse lucht nodig Trish.

Van: Patricia Gillot
Aan: Holly

Weet ik, oké, ga nu maar een luchtje scheppen en maak je daarna op. Geef me eerst een knuffel.

Van: Aisha
Aan: Holly
Onderwerp: Geregeld moppie

Ik heb een ex-wip van me gesproken en hij kent iemand van de Hell's Angels, dus maak je geen zorgen.

Van: Patricia Gillot
Aan: Aisha

Dit is Trisha – Holly's bemoeizieke vriendin die even op haar plek zit.
Begin daar nou niet mee Aisha, laat haar dat zelf beslissen.
Er zijn andere manieren om hiermee om te gaan.
Trisha.
Gooi deze mail alsjeblieft weg.

Van: Mam en Pap
Aan: Holly
Onderwerp: Terugvlucht naar Engeland

Holly, wil je de e-mails die ik je stuur wel beantwoorden!

Je vader is aan de beterende hand, goed genoeg om weer te reizen, dus ik denk dat we het even moeten hebben over zijn vlucht naar Engeland.
Het is de laatste tijd erg moeilijk om iets met jou af te spreken.
Welke dag komt jou het beste uit, zodat je hem van het vliegveld kunt halen?
Mam

Van: Holly
Aan: Jennie Pithwait
Onderwerp: Reservering

Beste Jennie

Als jij ook maar iets wist over wat we hier beneden allemaal doen, dan zou je beseffen hoeveel zorg wij besteden aan het boeken van faciliteiten voor een ruimte. Wanneer het cateringpersoneel onze instructies echter niet nauwgezet opvolgt, kunnen dingen verkeerd gaan; zo ook in dit geval, ik heb de ruimte volgens de regels gereserveerd, het cateringpersoneel heeft het vervolgens verpest.

Dus misschien zou jij eens wat beter uit die varkensoogjes van je moeten kijken en dit soort dingen moeten checken voordat je iemand de schuld gaat geven??

Ik zou toch gedacht hebben dat dat wel het minste was wat ze je daar geleerd hebben?

O, en nog even ter info, alleen mijn relaties met mensen die ik niet de moeite waard vind hebben een beperkte houdbaarheid.
Holly

Van: Jason GrangerRM
Aan: Holly; Aisha
Onderwerp: Hoorde het net

Alles goed?

Van: Holly
Aan: Jason GrangerRM

Nu wel. Vertel me iets leuks.

Van: Jason GrangerRM
Aan: Holly

Ik ga zaterdag naar GAY en jij mag mee???

Van: Holly
Aan: Jason GrangerRM

Ik kan dit weekend niet, sorry. Kwam er net achter dat ik een baan heb gekregen waar ik op gesolliciteerd had en ik moet die avond werken. (Ik ga 's avonds bedienen in een restaurant in Covent Garden.)

Van: Jason GrangerRM
Aan: Holly; Aisha

Welk restaurant, dan komen we naar je kijken!

Van: Holly
Aan: Jason GrangerRM; Aisha

Ja, daaag. Ik zeg niets.

Van: Jason GrangerRM
Aan: Holly; Aisha

Weten ze het op je werk?

Van: Holly
Aan: Jason GrangerRM; Aisha

Nee, we mogen geen twee banen hebben.
lekker puh.
Ik overtreed de regels, daag me maar voor het gerecht.

Van: Jason GrangerRM
Aan: Holly

Dat is toch uitputtend.

Van: Holly
Aan: Jason GrangerRM

Weet ik, maar de rekeningen moeten betaald, het loopt niet zo geweldig op dat terrein.

Van: Charlie Denham
Aan: Holly
Onderwerp: Het bericht waarop je hebt gewacht!

Zegt het voort...
Holly Denham is nu...
De officiële vergunninghoudster van een vunzige en verdorven club van smerige perverselingen!!!
Wat ben je toch een bofkont, zegt het voort!!!
Alles is erdoor, we kunnen beginnen.
Charlie

Van: Jason GrangerRM
Aan: Holly
Onderwerp: Geld

Ik wist niet dat je geldproblemen had, je ziet er ook altijd als een prinses uit!

Van: Holly
Aan: Jason GrangerRM

Je bent een lieverd.
Maar een slechte leugenaar – net als die keer dat je zei dat mantelpakjes 'weer helemaal in de mode' waren toen je in de gaten kreeg dat ik geen geld had om te gaan winkelen en ik me er daardoor niet rot over hoefde te voelen.
Dat was aardig.
x

Van: Jason GrangerRM
Aan: Holly

O, ik schiet helemaal vol, ik moet nu weg om iemand te knuffelen.

Van: Holly
Aan: Charlie Denham
Onderwerp: Jouw club

Ik ga het niet aan iedereen vertellen, want het is niet iets waar ik trots op ben. (Dus vertel jij het alsjeblieft ook aan niemand, dat is het laatste waar ik op dit moment behoefte aan heb!)

(Sorry Charlie, ik ben wel blij voor jou hoor.)

Van: Charlie Denham
Aan: Holly

Oeps, jouw naam staat in het briefhoofd.

Maar geen paniek, niemand van jouw kennissen komt erachter. Tenzij je iemand kent die de neiging heeft om naar dit soort dingen te gaan.

Charlie

PS Binnenkort openingsavond!

Van: Holly
Aan: Charlie Denham

BRIEFHOOFD!!! Ik kan er nu niet over praten, maar nee Charlie, dit is niet goed.

En ik kom ook niet naar je openingsavond, SORRY.

Van: Jennie Pithwait
Aan: Holly
Onderwerp: Excuses van Jennie

Sorry voor het misverstand, ik ben het nagegaan en ik had het mis wat betreft die reservering,

Jennie.

PS Maar ik had wel gelijk over die houdbaarheidsduur, James was nou niet bepaald over datum, toch?

Van: Holly
Aan: Patricia Gillot
Onderwerp: Jennie

Zag jij Jennie net???

Van: Patricia Gillot
Aan: Holly

Jep, ze doet het alleen maar om je op te fokken.

Van: Holly
Aan: Jennie Pithwait
Onderwerp: Vrienden die je niet nodig hebt

Misschien was hij niet over de datum.

Maar jij ongetwijfeld wel,

vanwege een datum,

gedumpt,

en nu godzijdank in de prullenbak.

Geniet er maar van.

Holly

Van: Jennie Pithwait
Aan: Holly

Wat jammer nou.

Met jou stappen was eigenlijk net zoiets als uitgaan met een jongere zus:
iemand die nooit de goede kleren droeg,

nooit iets volwassens zei,

en nooit geld had.

Ach ja.

xxxx

Van: Holly
Aan: Jennie Pithwait

Ligt daar niet ergens iets te snaaien voor je?

Van: receptiewereld.com
Aan: Holly
Onderwerp: CV BANK

Beste werkzoekende

Hartelijk dank voor het registreren van uw cv bij receptiewereld.com

Uw cv is vanaf nu beschikbaar voor tal van werkgevers over de hele wereld
die op zoek zijn naar ervaren receptionisten.

ADMI

Van: Jennie Pithwait
Aan: Holly
Onderwerp: Betr.: jouw laatste bericht

Niets om te snaaien, maar wel jouw ex-vriendje om te naaien.
Ooo ja, ik denk dat ik dat ga doen.
xxx

Van: Jennie Pithwait
Aan: Holly
Onderwerp: Gênant

Als je het nu nog niet snapt... Hij was niet over datum, hij is gestolen.
O en zorg er alsjeblieft voor dat je moeder mijn ouders niet meer schrijft,
het was zo gênant om te horen dat ze smeekten om mijn hulp.
Eerlijk gezegd komen receptionistes niet erg ver in de bankwereld.
Nou ja, tot het niveau van ontmoeten en begroeten.
Wegwezen Holly.

Van: Holly
Aan: Patricia Gillot
Onderwerp: Moet weg

Mag ik alsjeblieft naar huis Trisha, hou het hier gewoon niet meer uit.
sorry

Van: Patricia Gillot
Aan: Holly

Wat is er mis schat?

Van: Holly
Aan: Patricia Gillot

Moet hier weg, sorry.

Van: Patricia Gillot
Aan: Holly

Wat heeft ze je nu weer geflikt?

Van: Holly
Aan: Patricia Gillot

Maak je niet ongerust,
dag.
xxxx

Van: Jason GrangerRM
Aan: Holly
Onderwerp: MEER NIEUWS!

Heb nog meer nieuws over Paris en Britney, daar knap je misschien wel van op...??!!

Van: Holly
Aan: Jason GrangerRM

Hoi Jason
Dit is Trisha, Holly is net naar huis gegaan. Kun jij op haar letten?

Van: Jason GrangerRM
Aan: Holly

Waarom? Wat is er gebeurd???

Van: Holly
Aan: Jason GrangerRM

Ze las iets, haar gezicht betrok, haar schouders zakten naar beneden.
Mailde me, zei dat ze weg moest. Stond toen op en liep de regen in. Nam haar jas niet mee, niets.
Trisha
Hou haar in de gaten Jason. Je weet waar het over gaat – Jennie.

Van: Jason GrangerRM
Aan: Holly

Oké, bedankt.

DONDERDAG

Van: Mam en Pap
Aan: Holly
Onderwerp: Mag ik alsjeblieft een antwoord?

Holly
Ik word zo langzamerhand een beetje boos op je Holly.
Het is erg frustrerend, vooral omdat ik zoveel belangrijke dingen moet regelen.

Ten eerste: jouw huis.

We zijn al begonnen met het versturen van uitnodigingen voor onze reünie in Engeland, jouw adres staat daarop dus je vader moet echt met die mensen gaan praten die er de volgende maand gaan zitten; hij is nu fit genoeg om weer te reizen.

Ten tweede zou ik graag de Lawrences uitnodigen. Volgens mij is dat een uitstekende manier om ze te leren kennen en ik stuur ze zo een e-mail, kun jij aan die aardige James van je vragen of er kans bestaat dat ze blijven logeren?

Mam

Van: Jason GrangerRM
Aan: Holly
Onderwerp: Attentie Trisha – van Jason, Holly's vriend uit het hotel

Trisha

Ik denk niet dat Holly nog terugkomt daar, dus ik hoop dat je Holly's e-mails nog steeds leest.

Zo ja, kun jij dan haar inbox enz. deleten?

Ik heb dit ook gestuurd naar wat volgens mij jouw e-mailadres is.

Bedankt hiervoor.

Groeten

Jason

Van: Holly
Aan: Jason GrangerRM
Onderwerp: Van Trisha – aan Jason

Oké schat, dacht ook eigenlijk niet dat ze dat wel zou doen. Ik zal het aan iedereen vertellen. Geef haar een kusje van me, die arme schat.

Ik zal het Judy vertellen en ga nu al haar berichten deleten, kun jij haar pasje en uniform terugsturen?

Trish

Van: Zwangere Pam
Aan: Holly
Onderwerp: Misschien is dit wel leuk om samen te doen?

Ik heb zitten nadenken over iets leuks dat we samen zouden kunnen doen, wat dacht je van eendjes voeren? Er zitten er een paar in St. James' Park en die zijn zo schattig?

Pam

Van: Ralph Tooms
Aan: Holly; Patricia Gillot
Onderwerp: Service

Heb niet veel van jullie gehoord.

Als jullie willen ben ik bereid om wat te drinken te halen of wanneer jullie iets willen eten.

Ik ben hier om gebruikt te worden, ik bedoel niet gebruikt maar om nuttig te zijn, maar als ik het niet te druk heb en alles weet je. Dan zou het kunnen. Als jullie iets nodig hadden. Zo niet, dan is dat cool.

Ralph

Van: James Lawrence
Aan: Holly
Onderwerp: Jennie

Ik hoorde dat Jennie tegen je is uitgevallen.

Hoop dat je er niet al te zwaar aan tilt, je kent haar bijtende droge humor, zo is ze nou eenmaal.

Maar je komt er wel op een leuke manier de dag mee door, ze drijft iedereen tot wanhoop hier, je zou haar moeten zien.

Hoop dat we snel vrienden kunnen zijn en met zijn allen gaan stappen.

Sorry dat het op deze manier gelopen is. Ik weet zeker dat het hier barst van de aardige gasten, beter dan ik.

James

Van: Holly
Aan: Patricia Gillot
Onderwerp: Heerlijke zonnige dag!

Hallo

xxx

Van: Patricia Gillot
Aan: Holly

Waar ben jij geweest???????
Trish

Van: Holly
Aan: Patricia Gillot

Je zei toch dat ik vandaag om 12 uur moest komen?? Die late vergadering met cliënten?

Van: Patricia Gillot
Aan: Holly

Dat is waar schat, was het vergeten.
Je ziet er geweldig uit. Echt beeldschoon, blij dat je er bent, ik wist niet zeker of je wel zou komen.

Van: Holly
Aan: Patricia Gillot

Ja ik ben er weer, en gelukkig.
Sorry voor gisteren, maar vandaag gaat het allemaal anders, dat beloof ik je. Ik ga er een leuke dag van maken.
Eens kijken, wie is de eerste? Ik zie dat ik een e-mail van mijn moeder heb, dat zou weleens verhelderend kunnen zijn.

Van: Patricia Gillot
Aan: Holly

Jason heeft je een e-mail gestuurd, die heb ik voor je beantwoord.
Ik denk dat hij ongerust was over je.
Trisha
Weet je zeker dat het goed met je gaat, je zit toch niet aan de drugs hè?
Het is helemaal niet zonnig weet je?

Van: Holly
Aan: Patricia Gillot

O nee?
O, nou ja, ik weet zeker dat het wel zo was toen ik van huis wegging, misschien is het gewoon mijn stemming.

Van: Patricia Gillot
Aan: Holly

Ja, of de prozac.

xx

Van: BEAUTY MAKE-UP VAN TRACEY
Aan: Holly
Onderwerp: Hem omhoogkrijgen

Sorry dat ik je dit stuur maar;s
(*%Seksleven op laag pitje?
(*&)
Dan heb je misschien Viagra nodig
$10 x 2 stuks
$20 x 4 stuks
$40 x 10 stuks

Online Apotheek

Van: Holly
Aan: BEAUTY MAKE-UP VAN TRACEY

Ontzettend bedankt voor uw vriendelijke aanbod, ik ben echter een alleenstaande dame, dus ik kan ervoor kiezen mezelf te verblijden met iets waarbij de optie 'slap' of 'klein' ontbreekt.

Ik ken echter wel een paar mensen die geïnteresseerd zouden kunnen zijn:

De ene is CharlesDenham@Artnightclub.com

En de andere is Jlawrence@huerstwright.com

O en ik denk dat laatstgenoemde waarschijnlijk wel belangstelling heeft voor welke seksspeeltjes u dan ook op voorraad heeft, plastic schapen, volwassen babyuitrustingen (als die bestaan), u weet wel wat ik bedoel.

Ik denk ook dat Jlawrence erop gebrand is een bruid te vinden, mocht u suggesties hebben. En wellicht ook een hondenhok.

En ik weet dat ik nu veel vraag, maar als u ook maar enige informatie over goedkope vliegreizen of onroerend goed hebt, dan moet u bij hem zijn.

Groet

Holly

Van: Holly
Aan: Mam en Pap
Onderwerp: Huis en verhuur enz.

MAM
SCHRIJF NIEMAND TOT JE MET MIJ GESPROKEN HEBT.
HOLLY

Van: Holly
Aan: Mam en Pap
Onderwerp: WAAR BEN JE MAM?

??????????????????????????????????????
?????

Van: Mam en Pap
Aan: Holly

Ik weet het niet hoor, we horen tijdenlang niks van je en dan laat je ineens dringende berichten achter op het antwoordapparaat en eis je per e-mail aandacht.
Ik vermoed dat nu je ONS nodig hebt wij meteen klaar moeten staan.
Ja Holly, wat is er?
Mam

Van: Holly
Aan: Mam en Pap

Mam
Stuur voorlopig alleen even niemand een e-mail, dat heb je toch niet gedaan hè?

Van: Mam en Pap
Aan: Holly

Waarom?

Van: Holly
Aan: Mam en Pap

Mam,
stel je even voor: ik zit dit stampend op mijn toetsenbord in te tikken en ik knarsetand omdat je mijn vraag niet beantwoordt.

Alsjeblieft, lieve moeder van me, heb je wel of niet een e-mail naar JAMES' OUDERS gestuurd?

Van: Mam en Pap
Aan: Holly

Nee!

Van: Holly
Aan: Mam en Pap

Fijn!
Oké, blijf nu gewoon even bij de computer, we moeten praten, maar ik moet me eerst bezighouden met een vriendin van mij die blijkbaar een eendenfixatie heeft.
Liefs Holly

Van: Zwangere Pam
Aan: Holly
Onderwerp: Eenden?

Misschien zitten er bij jou in de buurt ook wel eenden, als het je wat lijkt?
Pam

Van: Holly
Aan: Zwangere Pam

Eenden??? Alles goed met je Pam?
Holly

Van: Zwangere Pam
Aan: Holly

Hai Holly
Hoeven geen eenden te zijn. We kunnen ook gewoon gaan zitten en een paar broodjes eten? Dacht gewoon dat dat leuk was?
Pam

Van: Holly
Aan: Ralph Tooms
Onderwerp: Service

Ralph,
Hartelijk dank voor je vriendelijke e-mail.
xx
Ja, als je wilt kun je wat te eten voor me halen, je kunt je om 15.00 uur bij mijn bureau melden.
Van je baas.
Grapje!

Van: Ralph Tooms
Aan: Holly

Komt voor elkaar, ik zal er zijn, ciao.
O, met of zonder pet?
Ralph

Van: Holly
Aan: Ralph Tooms

Met, absoluut met!!

Van: Holly
Aan: Zwangere Pam
Onderwerp: Lunch – sorry

Het spijt me, ik heb geen tijd voor dat eendengedoe.
Holly

Van: Zwangere Pam
Aan: Holly

Geeft niks.
Pam

Van: Holly
Aan: Zwangere Pam

Hou niet van eenden. Maar kunnen we alsjeblieft alsjeblieft alsjeblieft gaan babyshoppen?? Wordt het geen tijd dat je wat kleertjes koopt die niet roze zijn? Heb een paar schattige Winnie de Poehpyjamaatjes gezien!!!!

Van: Zwangere Pam
Aan: Holly

Jo!

Geweldig, ja ja, dat wordt hartstikke leuk. Ik beloof je dat het niet saai wordt. O super, ik ga alvast kijken waar we allemaal naartoe kunnen.

Pam

Van: Holly
Aan: Zwangere Pam

Leuk, en dan kun je me over alles bijpraten.

xxxx

Van: Zwangere Pam
Aan: Holly

Alles??

Van: Holly
Aan: Zwangere Pam

Ja, zelfs de gadsiedingen.

Holly

Van: Holly
Aan: Mam en Pap
Onderwerp: MAM

Ik vind het echt echt echt heel erg dat je een brief naar Jennies vader en moeder hebt geschreven om te vragen of zij me verder kon helpen in de bankwereld.

Je weet niet hoe ongelooflijk vernederend dat is. Ik had je gezegd het niet te doen – en toch heb je het gedaan, dat heeft me echt gekwetst.

Ik ben erg tevreden op de receptie en weet niets van financiën, zoals je binnenkort ongetwijfeld zult ontdekken.

Ik zou nooit nooit iets van Jennie willen, ik kan het zelf wel.

Hou van je.

Holly

Van: Mam en Pap
Aan: Holly

Lieve Holly

Het spijt me dat ik je van streek heb gemaakt.

Jennie is aardig, ik weet zeker dat ze snapt dat ik het alleen maar voor jou heb gedaan, dus maak je geen zorgen (ik moet daaraan toevoegen dat je het volgens mij allemaal wel erg zwaar opneemt).

Ik heb het vermoeden dat iemand ruzie heeft met haar beste schoolvriendin. Wat heb jij gedaan waardoor Jennie zo boos is?

Je bent toch niet weer in een dronken bui gaan zingen hè? Ik heb je gewaarschuwd voor de gevaren van publiekelijk drinken, je kunt beter thuis blijven als je van plan bent te diep in het glaasje te kijken.

Liefs Mam

Van: Holly
Aan: Mam en Pap

Mam

Nee, ik ben niet dronken geworden!!! En het is ontzettend fout om mensen aan te moedigen het thuis in hun eentje op een zuipen te zetten.

Sorry, maar ik heb het erg druk, er komen veel mensen binnen.

x

Van: Mam en Pap
Aan: Holly

Oké, zand erover, maar wanneer kunnen we de ouders van die aardige James nou eens ontmoeten?

Van: Holly
Aan: Mam en Pap

Jullie zullen noch aardige James, noch aardige Jennie noch hun o zo aardige ouders ontmoeten, omdat James mij gedumpt heeft. Inderdaad, hij heeft me gedumpt omdat hij mij te gretig vond, of te dik of misschien lag het wel aan de ontmoeting met die rare ouders, wie weet. Feit is dat hij besloten heeft liever met aardige Jennie te wippen, en Jennie heeft besloten mij daar een echt k*tgevoel over te geven.

Dus nee, ik denk niet dat ik het blije stel zal kunnen vermaken Mam.

O, PS, ik ben ook mijn huis kwijt.

xxx

Van: Patricia Gillot
Aan: Holly
Onderwerp: Alles goed?

Alles goed met je?

Van: Holly
Aan: Patricia Gillot

Kan niet beter, dank je.
Holly

VRIJDAG

Van: Holly
Aan: Jason GrangerRM
Onderwerp: Ouders

Een frisse en kraakheldere goedemorgen Jason.
Ik wil weten – heb jij je moeder ooit verteld hoe je je voelde? Ik heb dat gisteren gedaan en het voelde geweldig. Ze zal waarschijnlijk nooit meer met me praten, maar het was in ieder geval een grote opluchting.

Van: Jason GrangerRM
Aan: Holly

Ja, ik heb mijn moeder verteld hoe ik me voelde toen ik zestien was – (dat ik homo was), in eerste instantie nam ze dat nogal zwaar op.
Ik denk dat ze zichzelf ervan overtuigde dat ik me maar iets in mijn hoofd gehaald had, en vervolgens beschuldigde ze de maatschappij ervan mij homo gemaakt te hebben. We kregen een enorme ruzie waarbij we alle twee dingen zeiden die we niet meenden, en toen was het over. Ik heb een paar jaar niet met haar gesproken, wat nogal sneu was, want in feite is ze best oké.

Van: Holly
Aan: Jason GrangerRM

Ik mag jouw moeder wel, ze is geweldig.

Van: Patricia Gillot
Aan: Holly
Onderwerp: Zij van boven

Mogge
Heb het je gisteren niet verteld, wilde geen olie op het vuur gooien, maar ze was hier gisteren op zoek naar jou.

Van: Holly
Aan: Patricia Gillot

Jennie?

Van: Patricia Gillot
Aan: Holly

Nee schat, de koningin, nou goed?
Ze kwam naar beneden voordat jij er was; zag er ontzettend zelfvoldaan uit. Ze zal wel gedacht hebben dat je niet meer terug zou komen.

Van: Aisha
Aan: Holly
Onderwerp: Mannen

Heb een tijdje niets laten horen, omdat ik vermoedde dat jij je niet zo goed voelde? Gaat het al een beetje beter liefie?
Aish

Van: Holly
Aan: Aisha

Ja. Ik weet dat je niet zo goed bent in dat hele opbeurgebeuren. Maar het gaat goed, en hoe is het met jou?

Van: Aisha
Aan: Holly

Ik dacht dat je het nooit zou vragen.
Ik zit Jason nu al een tijdje voor te liegen, over een paar dingen, en ik heb nog steeds iets met zijn baas... En nog wat: denk jij dat het te vroeg is om al vakantie op te nemen???

Van: Holly
Aan: Aisha

Aisha???
Zeg alsjeblieft dat je een grapje maakt?

Van: Aisha
Aan: Holly

Nee, en ik heb wat met de baas van zijn baas. Ik weet het, ik weet het. Maar het heeft geen zin me nu een preek te geven.

Enne, ik ben ook een soort van zwanger.

Van: Holly
Aan: Aisha

Zwanger??????

Van: Jennie Pithwait
Aan: Holly
Onderwerp: Problemen met ons 'gezicht naar buiten'

Holly

Betr.: Correcte berichten achterlaten

Zouden we kunnen terugkeren tot standaard bedrijfsregels als het gaat om het doorgeven van belangrijke informatie over cliënten?

Ik heb er bezwaar tegen om naar de receptieruimte geroepen te worden en een geeltje in mijn hand geramd te krijgen.

Jennie

Van: Mam en Pap
Aan: Holly
Onderwerp: Handdoek in de ring

Lieve Holly

Ik heb lang nagedacht over jouw laatste e-mail.

Het is niet onze schuld dat jij en James uit elkaar zijn maar uiteraard leven we enorm met je mee, je moet een moeilijke tijd doormaken.

Maar ik wil wel graag weten of dit volgens jou niet gewoon weer een 'Sebastianachtige situatie' is?

Mam

Van: Holly
Aan: Mam en Pap

Wat bedoel je precies met een 'Sebastianachtige situatie' Mam????

Van: Mam en Pap
Aan: Holly

Je weet wel, het meteen bij de eerste tegenslag opgeven, een goede vangst laten lopen. Word nou niet meteen boos als ik dit zeg, maar heb je er al aan gedacht dat dit iets met jou te maken zou kunnen hebben?

Mam

Van: Aisha
Aan: Holly
Onderwerp: Zwanger

Ik wil gewoon geen preek, ik heb behoefte aan een schouder om op uit te huilen en ik wil erover praten.

Ben jij vanavond thuis voor een kletspraatje met Aisha?

xxxxxx

Van: Holly
Aan: Aisha

Natuurlijk ga ik je geen preek geven?? Ik ben vanavond thuis om te kletsen, kom langs.

Hou van je Holly

Van: Aisha
Aan: Holly

O fijn.

Oké, dan ben ik niet echt zwanger, ik wilde gewoon geen preek over het wippen met de bazen.

Maar ik wil wél echt aan Jason vragen of ik vrij kan nemen... om een week naar Ibiza te gaan!!! Ongelooflijke mazzelaarster ben ik hè???

Allemaal al betaald...

xxxxx

Van: Patricia Gillot
Aan: Holly
Onderwerp: Vrijdagen

Druk hè?

Van: Holly
Aan: Patricia Gillot

Heb jij vrienden die zouden liegen over zwanger zijn?

Van: Patricia Gillot
Aan: Holly

O god ja, soms moet je wel, om je kerel te krijgen.
Maar ik heb het zelf nooit gedaan.
Trish

Van: Holly
Aan: Mam en Pap
Onderwerp: Ex-mannen

Mam,
Niet te geloven dat je dat hebt durven schrijven! Ik denk dat je je niet realiseert hoe slecht hij eigenlijk was.
Pap weet het, waarom vraag je Pap niet naar Sebastian voordat je dit soort dingen schrijft?
Holly

Van: Mam en Pap
Aan: Holly

Luister, ik wil niemand de schuld geven, ik wil alleen dat jij het ook eens van onze kant bekijkt schat.
Mam

Van: Holly
Aan: Mam en Pap

Echt geweldige timing Mam. En als je toch in de stemming bent, waarom zou je dan niet even naar buiten gaan om een poesje een schop te geven of de ballon van een kind door te prikken?
Ik zit hier gewoon ontzettend mijn best te doen om overeind te blijven Mam. Kun je me vandaag even met rust laten?

Van: Mam en Pap
Aan: Holly

Ik denk niet dat je er iets aan hebt als ik je met rust laat.
En nou ga je ons naast al die ellende ook nog eens vertellen dat je dat prachtige huis kwijt bent? Wat is er gebeurd?

Van: Holly
Aan: Mam en Pap

Ik wil het daar nu niet over hebben, ik ben net iemand kwijt die ik echt leuk vond en ik dacht dat mijn moeder wel de laatste persoon zou zijn voor wie ik me moest verstoppen.

Kun je alsjeblieft weggaan Mam.

Holly

Van: Mam en Pap
Aan: Holly

Oké Holly, dat zal ik doen.

Maar vertel me eerst eens wat er volgens JOU nou precies zo mis was met Sebastian?

Van: Holly
Aan: Mam en Pap

Ik was bang voor hem Mam en volgens mij is het niet de bedoeling dat je bang bent voor je man oké?

Nee, ik denk niet dat je dat zou moeten zijn.

En rot nu alsjeblieft op Mam!

Van: Jason GrangerRM
Aan: Holly
Onderwerp: Hallo

Hé

Nog nieuws?

Jason

Van: Holly
Aan: Jason GrangerRM

Werkte ik maar bij jou daar.

Van: Jason GrangerRM
Aan: Holly

Kom op, je doet het verbazingwekkend goed. Ben dol op dat nieuwe na-palmwerpende, wraakzuchtige tiepje!

Van: Holly
Aan: Jason GrangerRM

Ik ben eerlijk gezegd niet anders dan anders.

Ik ben dezelfde persoon, maar dan echt lamgeslagen, echt bijna kapot, iemand die zich wil verstoppen en verstoppen en verstoppen en nooit meer buiten wil komen spelen.

Ik sta elke dag op en ik vecht er echt tegen Jason, echt, ik vecht om hem mijn kop uit te krijgen, want altijd als ik wakker word denk ik aan hem en dan lig ik de hele morgen gewoon in het niets te staren en probeer me te herinneren wat ik verkeerd heb gezegd, wat ik verkeerd heb gedaan om het allemaal zo te verpesten.

Ik ga naar mijn werk in de hoop dat Trish me eruit kan trekken, maar dat duurt even, ze is echt fantastisch en ik vecht, ik vecht om het allemaal niet toe te laten, probeer me bijvoorbeeld voor te stellen dat ik iemand anders ben, alsof het nooit gebeurd is, dat hij niet op de verdieping boven me werkt, en dat dat kreng er niet is, ik duw het weg, en soms win ik, echt waar, en dan vertel ik een mop aan Trish en tegen de tijd dat ik 's avonds naar huis ga voel ik me beter, heb ik alles weer onder controle, heb ik mezelf voor de gek gehouden en dan ga ik naar bed, ik val in slaap en het vechten is voorbij. De volgende dag word ik wakker en dan?

Ik heb natuurlijk gedroomd dat ik weer bij hem was, we waren weer bij elkaar en het was allemaal zo perfect en schitterend en prachtig, en dan komt langzaam de hamer naar beneden en weet ik het weer, HET IS UIT!! – en het voelt weer helemaal vers!!

En waarom is het gebeurd, wat heb ik gedaan dat het zo'n puinhoop is geworden??

Ik doorloop deze cirkel van absolute sh*t elke dag en IK HAAT HET! Ik haat het echt verschrikkelijk Jason.

Van: Jason GrangerRM
Aan: Holly

Bel me zodra je kunt, ik kan straks naar je toe komen en buiten op je wachten, gaan we lunchen, op mijn kosten?? Dan neem ik ijs voor je mee, en smarties en allemaal leuke en slechte dingen.

En dan draag ik alleen een string – verder niets????

En ik zing de Macarena? Jongleer met bananen?

xx

Van: Holly
Aan: Jason GrangerRM

Zou die string een luipaardprintje hebben?

Van: Jason GrangerRM
Aan: Holly

Uiteraard.

Van: Holly
Aan: Jason GrangerRM

Ik wil geen rode smarties.

Van: Jason GrangerRM
Aan: Holly

Die zal ik er allemaal uithalen.

Van: Holly
Aan: Jason GrangerRM

Oké.
Tot straks.
xxx hou van je

Van: Aisha
Aan: Holly
Onderwerp: Ons gezellige avondje!!

Hoe laat zal ik vanavond bij je zijn?
Aish

Van: Holly
Aan: Aisha

Niet.
xxx

Van: Patricia Gillot
Aan: Holly
Onderwerp: Cruella

Ze is op weg naar beneden.

Van: Holly
Aan: Patricia Gillot

Nu?

Van: Patricia Gillot
Aan: Holly

Ja nu, ze heeft net gebeld.

Van: Holly
Aan: Patricia Gillot

Sh*t, ik ga een peuk roken.

Van: Patricia Gillot
Aan: Holly

Jij rookt helemaal niet!

Van: Holly
Aan: Patricia Gillot

Dan ga ik voor een bidsessie met kruidige wierookstokjes.

Van: Patricia Gillot
Aan: Holly

Misschien moet je voor ze hier is alle berichten waarin we haar Cruella noemen deleten.

Van: Holly
Aan: Patricia Gillot

Waarom, omdat ze anders ziet hoe jij haar noemt Trisha? DAT JIJ HAAR SHELLA OUWE HEKS UIT DE HEL CRUELLA noemt?

Van: Patricia Gillot
Aan: Holly

Ja, oké, hou daarmee op, als ze het gesprek met hem beëindigt kan ze mijn beeldscherm zien!

Van: Holly
Aan: Patricia Gillot

Oké, ik zal Cruella geen andere naam meer geven, ze is schattig.
Schattige schattige Cruella. Die helemaal niet vies ruikt.

Van: Patricia Gillot
Aan: Holly

Je hebt het zo ontzettend mis,
en hou op met dat gegiechel!

Van: Holly
Aan: Patricia Gillot
Onderwerp: CRUELLA STINKT, HET IS WAAR

Wat is dit leuk, het lijkt wel Russische roulette!!

Van: Patricia Gillot
Aan: Holly

Wacht maar, na school ga ik je aan je haren trekken.

Van: Holly
Aan: Patricia Gillot

ha ha ha ha

Van: Aisha
Aan: Holly
Onderwerp: Ik ga dood

Ik ga dood.
Echt waar, ik wilde het je eerst niet vertellen, maar het is zo. Ik heb nog twee weken te leven. Arme ik.
xxxx wèèè

Van: Holly
Aan: Aisha

Wat afschuwelijk.
Ach ja.
Holly

Van: Aisha
Aan: Holly
Onderwerp: Oké oké oké

Ik geef het toe, ik ga niet echt dood.
Aisha

Van: Holly
Aan: Aisha

Fijn.

Van: Aisha
Aan: Holly

Maar ik word wel achtervolgd!

Van: Holly
Aan: Aisha

Ik heb het je al eerder gezegd, je wordt niet achtervolgd. Dit is gewoon nog een goede reden om van de drugs af te blijven.
x

Van: Holly
Aan: Patricia Gillot
Onderwerp: Vrienden

Hé,
Heb jij vrienden die denken dat ze achtervolgd worden?
Holly

Van: Patricia Gillot
Aan: Holly

Wat heb jij toch met al die 'heb jij vrienden die'-vragen?
Ik heb geen vrienden die denken dat ze achtervolgd worden nee.

Van: Holly
Aan: Patricia Gillot

Oké.

Van: Patricia Gillot
Aan: Holly

Ik heb wel een vriend – Mystieke Sam – die iedereen vertelt dat hij in de toekomst kan kijken.
Hoort stemmen in zijn hoofd, die vertellen hem dingen.

Van: Holly
Aan: Patricia Gillot

Geloof je hem?

Van: Patricia Gillot
Aan: Holly

Mwa, jij zou ook stemmen horen als je zoveel weed rookte als hij, hij is het grootste deel van de dag van lotje getikt.
Nu je het zegt, hij dacht dat hij werd achtervolgd, maar dat was ook zo, werd gearresteerd voor dealen. Ik ben weg, fijne avond.

xxx

Maand 4, week 2

Van: Holly
Aan: Jason GrangerRM; Aisha
Onderwerp: Nichtenclubs in Londen

AISHA EN JASON

Na lang en hard over mijn leven nagedacht te hebben, heb ik besloten dat ik het er best eens op zou kunnen wagen lesbisch te zijn. Oké, misschien niet lesbisch, maar ik dacht dat het misschien wel leuk was om met jou in zo'n vreemde homobar te gaan hangen Jason, even niet meer aan mannen denken.

xxxxx

Sorry dat ik het alleen maar over mezelf heb, hoop dat jullie allebei een geweldig weekend hebben gehad en barsten van het opwindende nieuws.

Van: Aisha
Aan: Holly; Jason GrangerRM

Even niet aan mannen te denken, jaaaa goeie, dus je gaat rondhangen op plekken die barsten van de spetterende, gespierde, geoliede, knappe mannen die weten hoe ze moeten dansen?
Ja dat zal je gedachten van mannen afleiden.

Van: Jason GrangerRM
Aan: Holly; Aisha

Ik vind het verschrikkelijk om het met Aisha eens te zijn, over wat dan ook eigenlijk (en niet dat ik je niet met open armen zou ontvangen).
Maar Aisha heeft gelijk, die gasten zien er echt goed uit, en ook gevoelig...
En dat is voor jou weer een afknapper.
Jason

Van: Aisha
Aan: Holly; Jason GrangerRM

Nou! Wat echt een afknapper is, is dat jij zoveel onzin uitkraamt Jason.

Van: Jason GrangerRM
Aan: Aisha; Holly

Aisha is boos omdat we eruit geschopt zijn bij een afterparty nadat ik haar meegenomen had naar GAY. Er waren twee mannen aan het zoenen, ze wierp zichzelf onder ze en schreeuwde 'neem me, ik ben van jullie!'
Geen van beiden deed dat en we moesten vertrekken, het was echt gênant.

Van: Aisha
Aan: Holly; Jason GrangerRM

Ze waren echt onbeleefd Holly.
Hoe dan ook, ik denk dat je dat lesbogedoe serieus moet overwegen.
Aisha

Van: Holly
Aan: Aisha; Jason GrangerRM

Dat lesbogedoe?

Van: Aisha
Aan: Holly; Jason GrangerRM

Ja. Het zou toch best eens een aangename verandering voor je kunnen zijn?
Ik heb het geprobeerd en het is hartstikke leuk, ik ken nota bene een schattig Chinees meisje, vorige week ontmoet.
Ze wil graag op je gezicht zitten?

Van: Holly
Aan: Aisha; Jason GrangerRM

Nee, dank je. Maar toch erg aardig van je Aisha.

Van: Jason GrangerRM
Aan: Holly; Aisha

Ik ben net over mijn misselijkheid heen (bedankt Aisha), we zijn het er dus over eens dat Holly zich niet druk dient te maken over mannen, zichzelf moet onderdompelen in kwaliteitsbladen als Celebrity, Glossy enz., aan leuke dingen moet denken en er gewoon even van moet genieten single te zijn?
Jason

Van: Alistair Moffett
Aan: Holly
Onderwerp: James Lawrence

Hai

Ik hoop dat dit niet ongepast is, maar ik hoorde onlangs dat jij en James Lawrence van IBD uit elkaar zijn. Ik hoopte dat dit zou kunnen betekenen dat je een uitnodiging van mij, Alistair Moffett, om uit eten te gaan zou aannemen.

Groeten

Alistair Moffett

Alistair Moffett, Legal & Compliance, H&W, High Holborn WC2 6NP

Van: Shella Hamilton-Jones
Aan: Holly; Patricia Gillot; Samantha Smith; Dave Otto; Ralph Tooms
Onderwerp: Jaarresultaten

Betr.: Jaarresultaten

Geachte leden van het Organisatiecomité Conferentie,

Wij staan voor een gigantische taak. Met meer dan 500 afgevaardigden die op onze kust zullen neerstrijken, zullen we een mijnenveld aan potentiële gevaren moeten vermijden. Ik heb er alle vertrouwen in dat we die allemaal kunnen ontwijken, mits we ons eerst verzekeren van een goede planning en voorbereiding.

Als gevolg van de late terugtrekking van ons Brusselse kantoor hebben we nog slechts twee maanden om dit goed te regelen.

Er is een budget vastgesteld en in tegenstelling tot het budget voor de uitbreiding van de Jubileelijn, dat met 1,2 miljard overschreden werd en twee jaar over tijd was, en dat van de Kanaaltunnel, dat met 5,2 miljard overschreden werd en vijf jaar over tijd was, zal deze conferentie binnen het budget en de tijdslimiet blijven.

Er zal veel onderzoek nodig zijn om op alle onderdelen van de conferentie tot een optimale kwaliteit te komen, en ik zal jullie de komende dagen een mail sturen met welk onderdeel door welk teamlid voor zijn of haar rekening genomen zal worden.

Hoogachtend

Shella

Van: Gavin Oliver
Aan: Holly
Onderwerp: Hot stuff

Holly

Zin in een biertje na het werk?

Gav

Gavin Oliver, Equity Derivatives, Opkomende Markten, H&W, High Holborn WC2 6NP

Van: Holly
Aan: Jason GrangerRM; Aisha
Onderwerp: Nieuws!!!!

Ik ben door twee gasten mee uit gevraagd, dus ik denk dat ik met allebei uitga...

Holly

Van: Jason GrangerRM
Aan: Holly; Aisha

Ja, dat is altijd de andere optie geweest: uitgaan met zoveel mannen als menselijkerwijs mogelijk is, tegelijkertijd.

Van: Holly
Aan: Jason GrangerRM; Aisha

Ik word een sloerie!

Van: Jason GrangerRM
Aan: Holly; Aisha

Prima. Nou dat is dan geregeld.

Van: Aisha
Aan: Holly; Jason GrangerRM

O jippie, dan kunnen we samen sletten!!
Spannend! O o en we kunnen er geld voor vragen??

Van: Jason GrangerRM
Aan: Aisha; Holly

Deel je problemen met Aisha en de wereld lijkt ineens een stuk rooskleuriger.

Van: Aisha
Aan: Holly; Jason GrangerRM

Doe niet zo knorrig Jason.

Van: Jason GrangerRM
Aan: Holly; Aisha

Je gaat uit elkaar en Aisha's manier om je op te vrolijken is je een leven in de prostitutie aanbieden. Ik heb bewondering voor het feit dat zij in elke situatie, hoe slecht ook, een lichtpuntje kan vinden.

DINSDAG

Van: Toby Williams
Aan: Holly
Onderwerp: Je bent vast blij

Hai Holly
Ik heb gehoord wat er met James is gebeurd, fijn dat je erachter bent gekomen hoe hij is.
Toby

Van: Holly
Aan: Toby Williams

Ik weet ook hoe jij bent. Dus doe me een lol en schei uit met mailen.
Holly

Van: Holly
Aan: Alistair Moffett
Onderwerp: Betr.: jouw mail

Hai
Ken jij James dan?
Holly

Van: Alistair Moffett
Aan: Holly

Beste Holly
Nee, ik heb hem nog nooit gezien.
Alistair

Van: Holly
Aan: Patricia Gillot
Onderwerp: Legal & Compliance

Hé, denk jij dat die van Legal & Compliance die van IBD kennen?

Van: Patricia Gillot
Aan: Holly

Niet echt.

Van: Holly
Aan: Patricia Gillot

Dus als iemand van Legal & Compliance mij probeert te versieren omdat hij gehoord heeft dat ik vrij ben, zou hij het niet hoeven weten, behalve als...

Van: Patricia Gillot
Aan: Holly

Het is de hele bank rondgegaan.

Van: Holly
Aan: Patricia Gillot

Goed, dat dacht ik al, leuk om te weten.

Van: Patricia Gillot
Aan: Holly

Bofkontje dat je bent, al die aandacht! Kom op met die roddel, wie zijn het???

Van: Holly
Aan: Patricia Gillot

Ene Alistair Moffett?

Van: Jennie Pithwait
Aan: Holly
Onderwerp: Wachtende cliënten

Beste receptioniste
Ik verwacht morgen nogal veel cliënten voor vergaderingen, wees eens lief

en breng ze voor mij naar boven. Ik denk niet dat ik in staat zal zijn naar beneden te komen om ze zelf op te halen (helaas).

Van: Alistair Moffett
Aan: Holly
Onderwerp: Uitnodiging etentje

Holly
Betekent dit dat je mijn uitnodiging aanneemt of niet?

Van: Patricia Gillot
Aan: Holly
Onderwerp: Ik ken Alistair

Alistair Moffett, nee, daar wil je niet mee gezien worden, hij komt tot je middel schat.

Van: Holly
Aan: Patricia Gillot

Zo erg is dat toch niet?

Van: Patricia Gillot
Aan: Holly

Hij heeft een baard.

Van: Holly
Aan: Patricia Gillot

Kort en hip of groot en eng?

Van: Patricia Gillot
Aan: Holly

Groot. En hij is handtastelijk.

Van: Holly
Aan: Patricia Gillot

Kom op nou, dat verzin je zeker?

Van: Patricia Gillot
Aan: Holly

Nee, echt niet.

Van: Holly
Aan: Patricia Gillot

Dan denk ik dat Alistair hiermee uit beeld is.

Van: Patricia Gillot
Aan: Holly

Volgens mij is hij ook getrouwd.

Van: Holly
Aan: Patricia Gillot

Genoeg Trish, ik heb het door.
xxx

Van: Patricia Gillot
Aan: Holly

Jep, ik zou niet bij hem in de buurt komen. Vorig jaar hebben een paar secretaresses over hem geklaagd.

Van: Holly
Aan: Alistair Moffett
Onderwerp: Uitnodiging etentje

Ik zal je uitnodiging moeten afwijzen, maar bedankt.

Van: Alistair Moffett
Aan: Holly

Waarom?

Van: Holly
Aan: Alistair Moffett

Ik ga niet uit met handtastelijke getrouwde mannen.
Holly

Van: Patricia Gillot
Aan: Holly
Onderwerp: Alistair

Nu ik erover nadenk, volgens mij is hij vorig jaar ontslagen.

Van: Holly
Aan: Patricia Gillot

Hoe kan hij dan nog hier zitten?

Van: Patricia Gillot
Aan: Holly

Kijk even in het bestand, had het mis, andere Alistair.
O schat, die van jou is beeldig, zeg snel ja.

WOENSDAG

Van: Holly
Aan: Jason GrangerRM
Onderwerp: Versierpogingen

Ik werd 'hot stuff' genoemd in een e-mail van een handelaar, wat vind je?

Van: Jason GrangerRM
Aan: Holly

Erg goedkoop, hangt af van hoe hij eruitziet.

Van: Holly
Aan: Jason GrangerRM

Best leuk, maar op een snelle-jongensachtige manier.

Van: Jason GrangerRM
Aan: Holly

Dus het tegengestelde van waar jij meestal op valt.

Van: Holly
Aan: Jason GrangerRM

We hebben dat bedrijfsdiner in het Dorchester volgende week vrijdag....

Van: Holly
Aan: Aisha
Onderwerp: Liegen tegen vrienden

En heb je tegen ze gezegd dat je niet meer met ze kunt gaan?

Van: Aisha
Aan: Holly

Ik heb met ze gepraat ja.

Van: Holly
Aan: Aisha

Niet alleen gepraat.
HEB JE HUN ALLEBEI VERTELD dat je ze niet meer kunt ontmoeten
(zonder je uniform aan).

Van: Aisha
Aan: Holly

JA.

Van: Holly
Aan: Aisha

en dat betekent ook geen seks meer als je het wel aan hebt.
(Ik wil het gewoon even heel duidelijk stellen.)

Van: Aisha
Aan: Holly

Je lijkt mijn moeder wel! Ja, ik heb hun gezegd dat ik het niet meer doe,
oké?

Van: Holly
Aan: Aisha

Fijn.

Van: Aisha
Aan: Holly

Hou op met dat gestress. Rustig nou maar, hot stuff.

Van: Holly
Aan: Aisha

Heel grappig. Zeg maar tegen Jason dat hij er geweest is.

Van: Jennie Pithwait
Aan: Holly
Onderwerp: Attentie: receptioniste

Betr.: Cliënten
Ik heb je bericht ontvangen dat mijn cliënten gearriveerd zijn.
Volgens mij is het het ondersteunend personeel toegestaan de lift te gebruiken, dus als je ze voor mij naar boven zou kunnen brengen, zou dat gewoon fantastisch zijn, vergaderzaal 20. En probeer niet te treuzelen.
Jenns x

Van: Holly
Aan: Patricia Gillot
Onderwerp: ZIJ VAN BOVEN – HELP TRISH

Ga me niet vertellen dat ik dit moet doen, alsjeblieft Trish.
Moet je kijken wat ze me gemaild heeft:

Betr.: Cliënten
Ik heb je bericht ontvangen dat mijn cliënten gearriveerd zijn.
Volgens mij is het het ondersteunend personeel toegestaan de lift te gebruiken, dus als je ze voor mij naar boven zou kunnen brengen, zou dat gewoon fantastisch zijn, vergaderzaal 20. En probeer niet te treuzelen.
Jenns x

Van: Patricia Gillot
Aan: Holly

O ik vermoord dat mens.
Kijk in het handboek en doe wat daar staat.
En probeer te lachen, je ziet eruit alsof je moet kotsen.
Trish

Van: Holly
Aan: Jennie Pithwait
Onderwerp: Attentie: Jennie

Helaas, in navolging van jouw recente verzoek om 'terug te keren tot standaard bedrijfsregels' ben ik even teruggekeerd naar het receptiehandboek, waarin staat dat wij een veiligheidsrisico nemen als we zomaar cliënten naar boven brengen.

Dat is jammer, want ik zou je dolgraag helpen, maar het bedrijfsreglement is er heel duidelijk over: de gastheer of -vrouw van een vergadering moet naar beneden komen om bezoekers op te halen.

Een fijne dag nog 'Jenns'??

Holly xx

Van: Oma
Aan: Holly
Onderwerp: Jouw nuttige Oma

Holly

Ik heb nog een keer gebruikgemaakt van het world wide web.

Ik heb je naam bij een paar nieuwe bedrijven opgegeven.

Het was best spannend.

xxx

Van: Holly
Aan: Oma

Dank u wel Oma, maar u heeft me toch niet weer ingeschreven bij sites van goedkope luchtvaartmaatschappijen hè?

Van: Jason GrangerRM
Aan: Holly
Onderwerp: Ik ben het even kwijt

Waarom kijken we nu naar marktlui en wat heeft het Dorchester daarmee te maken?

Van: Holly
Aan: Jason GrangerRM

O, niets, ik moet volgende week vrijdag naar dat kl*te bedrijfskl*tegedoe.

Jennie en James zijn er vast ook, waarschijnlijk zitten ze naast elkaar.

Ik wilde er niet zonder partner heen maar ik heb niet zoveel tijd meer om iemand te vinden (moet vrijdag een naam doorgeven aan Judy).

Daarom – zat ik te denken aan die twee uitnodigingen die ik heb gehad.

Nee! Dit is belachelijk, ik laat me niet door haar op de kast jagen. Ik ga alleen.

Van: Jennie Pithwait
Aan: Holly
Onderwerp: Receptie

Hai

Weet je zeker dat je het op deze manier wilt spelen?

Ik ben erg bang dat je uiteindelijk zwaar voor schut zal komen te staan.

Jennie

Van: Holly
Aan: Jason GrangerRM
Onderwerp: JASON!!!

Ben van gedachten veranderd!!! Heb een partner nodig! ZSM!

Van: Oma
Aan: Holly
Onderwerp: Spannend

Holly

Heb je daar al iets ontvangen?

Liefs Oma

Van: Holly
Aan: Oma

Nee Oma, misschien is het misgegaan.

Maar geen zorgen, wat had u me willen sturen?

Holly

Van: UKSingles
Aan: Holly
Onderwerp: DUS JIJ BENT SINGLE??? DAN IS DE REDDING NABIJ!!!

Hartelijk dank voor je inschrijving bij UK Singles, Dating Online.

Registratienaam Hollyopzoeknaarliefde

Wachtwoord Denham

Registratienummer 92482374

Van: DatingDirect.com
Aan: Holly
Onderwerp: DATING ONLINE – MAKKELIJKER KAN HET NIET

Beste Holly
Hartelijk dank voor je inschrijving bij Dating Direct.com.
Binnenkort ontvang je een e-mail met meer details.
Admi

Van: Holly
Aan: Oma
Onderwerp: Bedankt Oma

Ha Oma
Volgens mij is het wel gelukt. Bedankt dat u me hebt ingeschreven op da-
tingsites, dat is heel aardig van u.
Holly

Van: Oma
Aan: Holly

Heel erg graag gedaan.
Oma
xxx
Hij was trouwens toch niet goed genoeg voor jou.

Van: Holly
Aan: Oma

Bedankt.
xxxx

Van: Swingerslife
Aan: Holly
Onderwerp: – Hai

LANG LEVE WISSELENDE CONTACTEN!!!! ZOVEEL STELLEN ZO
WEINIG TIJD!!!
!!!SEKS EN DE SINGLE SWINGER!!!
VEEL PLEZIER VAN JE INSCHRIJVING

Van: Holly
Aan: Oma
Onderwerp: Eén ding Oma...

Wilt u me alstublieft niet aanmelden op sites voor swingers.

xxx

Holly

Van: Oma
Aan: Holly

Oeps, sorry lieverd, dat was iets waar ik zelf naar had gekeken.

Liefs Oma

Van: Shella Hamilton-Jones
Aan: Holly
Onderwerp: Organisatiecomité Conferentie

Betr.: Jaarresultaten

Geachte leden van het Organisatiecomité Conferentie.

Na zorgvuldige overweging heb ik besloten dat het eerlijker is om te bespreken welke onderzoeksterreinen het meest geschikt zouden zijn voor welke teamleden voordat ik die verantwoordelijkheden delegeer.

Besef echter wel dat wanneer je je vrijwillig aanbiedt een groot deel van dit werk in je vrije tijd gedaan zal moeten worden.

We kunnen om 7 uur vanavond vergaderzaal 13 gebruiken en ik verwacht dat iedereen er zal zijn, ik kan slechts mijn verontschuldigingen aanbieden voor de korte termijn, maar ook ik zal offers moeten brengen.

Shella

Van: Holly
Aan: Patricia Gillot
Onderwerp: Werken in het restaurant

Ik kan niet naar dat gedoe van Shella, ik moet om 7 uur vanavond in het restaurant zijn!

Van: Patricia Gillot
Aan: Holly

Hebben ze je nog niet ontslagen?

Van: Holly
Aan: Patricia Gillot

Nee. Het zal je misschien verbazen Patricia, maar ik ben dus heel goed!

Van: Patricia Gillot
Aan: Holly

Dat verbaast me verdomme zeker.
ha ha
Maar je móét op Shella's 'organisatiecomitévergadering' zijn.
En mijn Les zal niet blij zijn, je weet hoe hij is, het eten moet om 8 uur op tafel staan.

Van: Holly
Aan: Patricia Gillot

Ik moet vanavond werken. Wat moet ik dan tegen Shella zeggen?

Van: Patricia Gillot
Aan: Holly

Zal ik zeggen dat je aan de dunne bent?

Van: Holly
Aan: Patricia Gillot

Ja, geweldig, strooi gewoon een nieuwe roddel over me rond.

Van: Patricia Gillot
Aan: Holly

Ik zal het voor je opnemen.
Ik zal zeggen dat er cliënten geklaagd hebben en dat we de hele dag de voordeur open moesten laten staan. Dat het iets te maken heeft met al dat bekakte eten van je.

Van: Holly
Aan: Patricia Gillot

Waag het niet!
Ik krijg je nog wel Patricia Gillot!

Van: Patricia Gillot
Aan: Holly

Je zou toch een of andere ziekte kunnen hebben?
Ik zeg gewoon wel dat het iets persoonlijks is, dan vraagt ze er niet naar.

Van: Holly
Aan: Patricia Gillot

Klinkt goed.
Dank je
Holly

DONDERDAG

Van: Jason GrangerRM
Aan: Holly; Aisha
Onderwerp: Wakker worden!

Kom op, we moeten aan de slag...
Je moet een man vinden en we hebben 24 uur om dat voor elkaar te krijgen. Moet je nog opgepept en klaargestoomd worden?

Van: Holly
Aan: Jason GrangerRM; Aisha

Ik heb er een nachtje over geslapen en ik weet niet zeker of ik die extra druk van het vinden van een man erbij wil hebben. Het is helemaal niet noodzakelijk.
Jennie moet mij gewoon hebben en ik heb geen zin om me elke dag op mijn werk bezig te houden met ruzies en krengerigheid, dus ik heb zitten kijken op www.receptiewereld.com en denk dat ik op een paar vacatures ga solliciteren.
xxxx

Van: Jason GrangerRM
Aan: Holly; Aisha

Noodzakelijk???
Noodzakelijk??? Nee natuurlijk is het niet noodzakelijk, maar je doet dingen toch niet altijd omdat ze noodzakelijk zijn?
Je kunt het niet zomaar opgeven!

Van: Jason GrangerRM
Aan: Holly; Aisha

Denk jij dat Aisha instortte en in tranen uitbarstte toen ze besefte dat iedereen in die flat (behalve ik) wilde dat ze vertrok?
Nee, ze stond vol trots op, trok haar jurk weer aan, brabbelde een paar beledigingen en stormde naar buiten.

Van: Holly
Aan: Jason GrangerRM; Aisha

Oké, prima, dus wat moet ik volgens jou doen?
(Leuk die peptalk, erg inspirerend.)

Van: Jason GrangerRM
Aan: Holly; Aisha

Ik ben over twee minuten terug met een plan.

Van: Holly
Aan: Patricia Gillot
Onderwerp: Vergadering gisteravond

Hoe is het gegaan gisteravond?

Van: Patricia Gillot
Aan: Holly

Ik heb Shella verteld dat je niet kon komen omdat je een probleem had. Ze wilde weten wat dat was. Dus toen zei ik dat het een heel persoonlijk probleem was, dat je een afspraak met de dokter had, maar ze wilde het toch weten.
Die meid heeft wel lef zeg.
Hoe is het gisteravond in het restaurant gegaan??

Van: Holly
Aan: Patricia Gillot

Maar wat heb je haar dan verteld?

Van: Jason GrangerRM
Aan: Holly; Aisha
Onderwerp: Lijst met potentiële kandidaten

Oké, we moeten dus een lijst met potentiële kandidaten opstellen.
Al iets gevonden op Oma's datingsites?

Van: Holly
Aan: Jason GrangerRM; Aisha

Nee. Zie dat datingsitegedoe niet zo zitten.

Van: Jason GrangerRM
Aan: Holly; Aisha

Oké, hoe zit het met die twee die jou maandag mailden?

Van: Holly
Aan: Jason GrangerRM; Aisha

Ik heb dat 'hot stuff'-mailtje niet beantwoord, en op die andere hoef ik nu waarschijnlijk niet meer te rekenen.

Van: Jason GrangerRM
Aan: Holly; Aisha

Ja, ik denk dat je met alle twee weer contact op moet nemen.
Met een sexy, goedgeplaatste e-mail heb je Alistair zo weer binnen.
Wat vind jij Aisha?

Van: Aisha
Aan: Holly; Jason GrangerRM

Volgens mij is het een klootzak.

Van: Jason GrangerRM
Aan: Holly; Aisha

Nee, daar hebben we wat aan Aisha.
Hup Holly, mail hem iets, je kunt hem wel overhalen.

Van: Holly
Aan: Jason GrangerRM; Aisha

O, oké ik zal het proberen, ik heb toch niets te verliezen.

Van: Holly
Aan: Patricia Gillot
Onderwerp: Je hebt mijn vraag nog niet beantwoord Trisha

Wat heb je tegen Shella gezegd toen ze wilde weten wat mijn persoonlijke probleem was?

Van: Holly
Aan: Alistair Moffett
Onderwerp: Sorry

Beste Alistair

Ik realiseer me net dat ik een enorme fout heb gemaakt, het spijt me echt, vergeef me alsjeblieft die botte e-mail.

Ik heb hem naar de verkeerde Alistair gestuurd.

Ik zou het enig vinden om met jou te gaan eten.

Holly

Van: Alistair Moffett
Aan: Holly

Holly

Ik begrijp het niet, ken jij dan een andere Alistair bij Huerst Wright?

Alistair

Van: Holly
Aan: Alistair Moffett

Ja.

Van: Alistair Moffett
Aan: Holly

En die is handtastelijk?

Van: Holly
Aan: Jason GrangerRM; Aisha
Onderwerp: Dating update

Ik vermoed dat het nog wel even gaat duren. Het zou weleens lastiger kunnen zijn dan ik dacht.

Holly

Van: Jason GrangerRM
Aan: Holly

Daar heb je geen tijd voor, moet je vanavond werken?

Van: Holly
Aan: Jason GrangerRM

Nee, ik heb vrij.

Van: Jason GrangerRM
Aan: Holly

Dan moet je vanavond met allebei afspreken, dan kun je besluiten wiens naam je morgen aan Judy geeft.

Van: Holly
Aan: Jason GrangerRM

Je maakt een grapje.

Van: Holly
Aan: Gavin Oliver
Onderwerp: Hot stuff

Hai
Bedankt voor je e-mail, sorry dat ik je nu pas terugmail. Een keer een biertje zou leuk zijn ja.

Van: Gavin Oliver
Aan: Holly

Klinkt goed, laten we volgende week een keer gaan stappen.

Van: Holly
Aan: Patricia Gillot
Onderwerp: Een antwoord alsjeblieft Trisha!!

Wat heb je tegen Shella gezegd?

Van: Patricia Gillot
Aan: Holly

Dat je aambeien hebt schat.
Liefs Trish

Van: Holly
Aan: Patricia Gillot

TRISH!!!!!

Van: Patricia Gillot
Aan: Holly

Dat je daarom zo raar loopt.

Van: Holly
Aan: Patricia Gillot

??

Van: Patricia Gillot
Aan: Holly

Grapje. Ze heeft het niet gevraagd – heb gewoon gezegd dat je ziek was.

Van: Holly
Aan: Alistair Moffett
Onderwerp: Communicatieproblemen

Hai Alistair
Het is nogal een lang verhaal, heb je zin om na het werk even een borrel te gaan drinken? Dan kan ik het allemaal uitleggen.
Holly

Van: Shella Hamilton-Jones
Aan: Holly
Onderwerp: Jaarverslag

Beste Holly
Betr.: Conferentie Jaarresultaten
Jammer dat je er gisteravond niet bij kon zijn, maar ik heb begrepen dat je je niet lekker voelde enz.
Hoewel ik de laatste ben die iemand kwaad zou toewensen, hoop ik wel dat het niet iets triviaals was (met de allerbeste bedoelingen). We proberen dit evenement te organiseren in de helft van de tijd die daar normaal gesproken voor staat.
Organisatorische en onderzoekssectoren zijn gisteravond toegewezen aan leden van het comité en Trisha heeft jou inmiddels ongetwijfeld verteld waarvoor jij verantwoordelijk zult zijn.
Aangezien jij een van de meest recente werknemers op de afdeling Faciliteiten bent en bovendien erg veel hulp nodig hebt gehad om een relatief

gemiddeld prestatieniveau te bereiken, zou ik jou persoonlijk niet zo'n zware taak gegeven hebben.

Het was echter een unanieme beslissing; alle leden van het comité hebben voor gestemd en daarom is de uitkomst definitief tot duidelijk is dat jij er niet toe in staat bent.

Ik verwacht dat je de informatie aanlevert in Excel met berekeningen van de verschillende beschikbare packages en aanbiedingen.

Aangezien je ongetwijfeld zult inzien dat je in termen van onderzoek het grootste onderdeel toebedeeld hebt gekregen, wil ik je verzoeken zo snel mogelijk te beginnen.

Ik wens je veel succes.

Hoogachtend,

Shella

Van: Holly
Aan: Patricia Gillot
Onderwerp: TRISHA

Heb je me niet iets vergeten te vertellen over gisteravond?

Van: Patricia Gillot
Aan: Holly

Ik ben weg, tot morgen.

Veel liefs

Trisha

xxxxxxx

VRIJDAG

Van: Holly
Aan: Jason GrangerRM; Aisha
Onderwerp: Superleuke vrijdag!!!!

Het wordt een fantastische dag vandaag!!!

Hallo Londen.

Van: Jason GrangerRM
Aan: Holly; Aisha

Wat is er gisteravond gebeurd?

Van: Holly
Aan: Jason GrangerRM; Aisha

Ik ben met alle twee uitgegaan!!

Van: Jason GrangerRM
Aan: Holly; Aisha

Niet!!!!!

Van: Holly
Aan: Jason GrangerRM; Aisha

Niet.
Ik heb ze alle twee opgebeld en mijn excuses aangeboden voor de belache-lijke e-mails die ik – onder druk (dank je Jason) – verstuurd heb.
En alles afgezegd, en ze bedankt dat ze zo aardig waren.
EN NU ga ik er een geweldige dag van maken, omdat ik bof dat ik leef en gezond ben en jaaaaaaaaaaaaaaaaaaaaaaaaaaaaaaaaaaaaa.
xxxxxxxxxxxxxxxxxxxxxxxxxx

Van: Jason GrangerRM
Aan: Holly; Aisha

Aisha!!!!
Heb jij Holly een van jouw speciale pepermuntjes gegeven??

Van: Aisha
Aan: Holly; Jason GrangerRM

Ja, hallo!
Ik ben dezer dagen een verantwoordelijke moeder. Nu ik het daar toch over heb, komen jullie dit weekend nog? Shona zou het erg leuk vinden.

Van: Holly
Aan: Jason GrangerRM; Aisha

Natuurlijk, ik kom.
En nu moet ik uit gaan zoeken waar mijn lieftallige collega mee bezig is.

Van: Holly
Aan: Patricia Gillot
Onderwerp: Mogge

Trish, mijn goede vriendin en collega, is er iets wat je me wilt vertellen?

Van: Patricia Gillot
Aan: Holly

Ja, ik doe dit nu al 20 jaar en ik zal nooit wennen aan mensen die voorbij-lopen en dan 'Hai Trish' zeggen.
Ze zijn altijd al voorbij voor ik kan zien wie het zijn. Ik ben de hele dag voor niks aan het opkijken.

Van: Holly
Aan: Patricia Gillot
Onderwerp: Over die vergadering van gisteravond...

En is er daarnaast nog iets wat je misschien ontschoten is?

Van: Patricia Gillot
Aan: Holly

Zou graag met je kletsen, maar heb nu pauze.

Houvanje
Trisha

Van: Holly
Aan: Patricia Gillot

Ik ga nergens heen, ik zit hier als je terugkomt!

Van: James Lawrence
Aan: Holly
Onderwerp: Cliënt

Ha popje
Is iets tussen gekomen, moet naar een cliënt in Birmingham, dus van-avond gaat niet door, zullen we zaterdag gaan?
James

Van: Holly
Aan: James Lawrence

Ha Popje
Volgens mij heb je de verkeerde vrouw gemaild.
Als je op zoek was naar Jennie, dat is degene die gekleed is als een slet

uiterst links. Maar ik kan haar jouw eruptie wel forwarden als je wilt?

Holly

(wat ben je toch een sul)

Van: James Lawrence
Aan: Holly

Hai

Sorry, ik probeer snel weg te komen en heb iets verkeerd gedaan.

Hoop dat alles goed met je is.

James

Van: Holly
Aan: Patricia Gillot
Onderwerp: Vergadering

Waar heb jij me gisteravond voor opgegeven???

Van: Patricia Gillot
Aan: Holly

Er is gisteravond niets gebeurd.

Van: Holly
Aan: Patricia Gillot

Oké, de avond ervoor dan, hou op met dat ontwijkende gedrag.

Van: Patricia Gillot
Aan: Holly

Het spijt me schat, ik wilde alleen maar helpen. Zo erg is het vast niet.

Van: Holly
Aan: Patricia Gillot

Het was unaniem!!!!!

Van: Patricia Gillot
Aan: Holly

Weet ik, ik was van plan tegen te stemmen, maar toen dacht ik dat het mis-schien wel goed voor je zou zijn...

Van: Holly
Aan: Patricia Gillot

WAAROM????

Van: Patricia Gillot
Aan: Holly

Nou, eerlijk gezegd om je wat afleiding te bezorgen.

Van: Holly
Aan: Patricia Gillot

Dat lukt me prima met die tweede baan, veel tijd heb ik niet over.
Wat moet ik doen dan?

Van: Patricia Gillot
Aan: Holly

Je gaat de accommodatie doen.

Van: Holly
Aan: Patricia Gillot

Wat?

Van: Patricia Gillot
Aan: Holly

Hotels en zo.

Van: Holly
Aan: Patricia Gillot

Je bedoelt waar iedereen verblijft?

Van: Patricia Gillot
Aan: Holly

Ja.

Van: Holly
Aan: Patricia Gillot

Waar 400 afgevaardigden logeren?

Van: Alice en Matt
Aan: Holly
Onderwerp: Cadeautjes

Wat zou jij doen als er elke dag een rij mensen voor je flat staat die jampotjes met enge beestjes komen brengen?

Van: Holly
Aan: Patricia Gillot
Onderwerp: Jaarresultaten

En voor wanneer moet ik dat geregeld hebben?

Van: Charlie Denham
Aan: Holly
Onderwerp: Nacht van de Vunzige Verpleegsters versus Rubberen Rons Huppelkutjes

Ideetje voor de opening? Twijfel zelf een beetje?

Van: Holly
Aan: Charlie Denham

Ga toch weg.

Van: Holly
Aan: Patricia Gillot
Onderwerp: Jaarresultaten

Ik vroeg wanneer ik dat geregeld moest hebben?

Van: Patricia Gillot
Aan: Holly

Over een paar weken pas.

Van: Shella Hamilton-Jones
Aan: Holly
Onderwerp: Organisatiecomité Conferentie

Ha Holly
Aangezien we zo snel mogelijk moeten besluiten welke hotels ons de

beste packages kunnen bieden, zou ik jouw concept volgende week vrijdag graag overhandigd willen krijgen.

Hoop dat je je hierin kunt vinden?

Groeten

Shella

Van: Charlie Denham
Aan: Holly
Onderwerp: Lederen Meesteres uit Pangea versus De Stoute Ridders van IKEA

Misschien kunnen we gesponsord worden door IKEA?

Charlie

Van: Holly
Aan: Patricia Gillot
Onderwerp: Het is één week

Ik heb één week, niet een paar.

Van: Patricia Gillot
Aan: Holly

Sorry mop, ik zal je helpen.

xxx

Van: Holly
Aan: Alice en Matt
Onderwerp: Heksen

Sorry Alice

Alles goed met je? Waarom staat er een rij voor je huis met mensen die enge beestjes komen brengen? Het heeft toch niks te maken met dat heksengedoe waar je mee begonnen bent hè?

Van: Alice en Matt
Aan: Holly

Nee Holly, dat is voodoo, en ik doe niet aan voodoo. Dat heksengedoe is gewoon een hobby, net als postzegels verzamelen of achter bussen aan rennen.

Van: Holly
Aan: Alice en Matt

Wie rent er achter bussen aan? Ik weet dat je in de rimboe woont, maar je weet toch wel dat die mensen die je in Londen achter bussen aan ziet rennen gewoon proberen om mee te komen – om naar hun werk te gaan?

Van: Alice en Matt
Aan: Holly

Ha ha je weet wel wat ik bedoel ze tellen of wat die mensen ook doen – treinspotters enz.

Van: Holly
Aan: Alice en Matt

Oké, maar treinspotters veranderen mensen niet in kikkers om vervolgens snaterend op bezemstelen weg te vliegen.

Van: Alice en Matt
Aan: Holly

Ik toch ook niet?

Van: Holly
Aan: Alice en Matt

O, fijn. Maar waarom dan al die enge beestjes in jampotten?

Van: Alice en Matt
Aan: Holly

Het heeft te maken met de slangen – omdat Matt hier zo'n gerespecteerd iemand is geworden, vanwege zijn kennis van reptielen en insecten, denken mensen dat hij geïnteresseerd is in alles wat ze te pakken kunnen krijgen en in potjes kunnen stoppen. In feite is hij alleen gek op slangen, maar we vinden het zo zielig om dat aan ze te vertellen.

Dus zo ongeveer om de dag krijgen we hier een of andere opgewonden bezoeker thuis, en die zit dan tegenover Matt aan de tafel en tussen hen in... staat dan meestal een beschimmeld jampotje met een triest schepsel dat door het glas heen kijkt.

Een vrouw komt minstens één keer per week met iets wat ze in een potje heeft gekletterd. En er is ook een gast die maar steeds klontjes sh*t blijft brengen waarvan hij denkt dat het insectenpoppen zijn. Ik bedoel, hoe zou jij het vinden als mensen je elke dag hun sh*t kwamen brengen?

Van: Holly
Aan: Alice en Matt

Dat gebeurt ook – ik ben receptioniste – ik krijg de hele dag alle sh*t van iedereen over me heen en omdat ik achter de balie moet blijven, kan ik niet vluchten.
(Ik weet dat ik wat jij gezegd hebt als een metafoor heb gebruikt, maar ik kan er met mijn gedachten niet bij dat mensen je het echte spul bezorgen.)
xxxxx
Succes met alles. Ik bel je dit weekend.

Maand 4, week 3

Van: Holly
Aan: Patricia Gillot
Onderwerp: Feestje in het Dorchester

Mogge Trish
Ga jij met Les naar dat dinergedoe vrijdag?
Holly

Van: Patricia Gillot
Aan: Holly

Nee schat, ik moet hem daar niet bij hebben, ik dacht dat wij samen lol gingen trappen?
Trish

Van: Holly
Aan: Patricia Gillot

Ik hou van je Trisha en ik wil jouw kinderen.
xxxx

Van: Patricia Gillot
Aan: Holly

Neem ze maar schat.
Maar ik zeg je, het zijn handenbindertjes.

Van: Holly
Aan: Patricia Gillot

Dank je Trish.

Van: Patricia Gillot
Aan: Holly

En ga je me nou nog vertellen wat er met die Toby gebeurd is?

Van: Holly
Aan: Patricia Gillot

Wanneer?

Van: Patricia Gillot
Aan: Holly

Jeweetwel, op school. Je moet toch een goede reden hebben om elke keer te spugen als je zijn naam noemt.

Van: Jennie Pithwait
Aan: Holly
Onderwerp: Procedure

Holly
Ik heb met een hoger geplaatste hier gesproken en zij zei dat er geen enkele reden is om onze cliënten niet naar boven te brengen, het hoort bij je werk, dus schiet de volgende keer een beetje op, hè Hols???
x

Van: Holly
Aan: Jennie Pithwait

Lieve Jennie
Zoals al eerder gemaild is dit helaas tegen de bedrijfsregels, dus tot het beleid verandert is het in feite mijn beslissing niet.
Vriendelijke groeten
Holly

DINSDAG

Van: Patricia Gillot
Aan: Holly
Onderwerp: Tijd voor een verhaaltje

Dus je zat op school en toen?

Van: Holly
Aan: Patricia Gillot

Ik hoorde er niet echt bij.

Van: Patricia Gillot
Aan: Holly

Lag dat aan je haar of aan je manier van zingen?

Van: Holly
Aan: Patricia Gillot

Dank je Trish.
Ik denk omdat de school begon bij 13 en ik van een scholengemeenschap kwam en die anderen van een speciale voorbereidende school.
Dat zou een reden geweest kunnen zijn, de andere was mijn rok.

Van: Patricia Gillot
Aan: Holly

Onder de knie?

Van: Holly
Aan: Patricia Gillot

Tot op de enkels.

Van: Patricia Gillot
Aan: Holly

Ik krijg de slappe lach van die moeder van jou.

Van: Holly
Aan: Patricia Gillot

Ze is hysterisch. En ik was ook erg onzeker.

Van: Patricia Gillot
Aan: Holly

En sport?

Van: Holly
Aan: Patricia Gillot

Ik verstopte me altijd. Soms verstopte ik me tijdens wedstrijden achter de kapel en rookte sigaretten.

Van: Patricia Gillot
Aan: Holly

Vuile rookster!

Had ik nooit gedacht, en waar was Jennie?

Van: Holly
Aan: Patricia Gillot

Hoe bedoel je – als ik aan het roken was? Waarschijnlijk tenniswedstrijden aan het winnen, omringd door jongens.

Ze nodigde me een keer uit op een feestje bij haar thuis, ik was verschrikkelijk opgewonden (ze was populair), maar het bleek dat ze bijna ons hele jaar had uitgenodigd.

Die mensen woonden daar ongelooflijk, een zwembad, er waren zelfs obers die drankjes rondbrachten – alcoholische drankjes.

Van: Patricia Gillot
Aan: Holly

Wat een leuke verantwoordelijke ouders.

Van: Holly
Aan: Patricia Gillot

Het was ongelooflijk, ze hadden een dansvloer en een bar in een grote feesttent!

Dus ik gaf ook een feestje bij mij thuis, dacht dat ik daardoor wel vrienden zou maken.

Van: Patricia Gillot
Aan: Holly

Dansvloer?

Van: Holly
Aan: Patricia Gillot

Mijn vader die met een koksmuts op hamburgers op de barbecue in de tuin legde, we hadden Shandy – jeweetwel dat alcoholvrije spul voor kinderen (tenzij je er ongeveer 100 van drinkt).

En toen Jennie met een paar andere meisjes aankwam, gingen die meteen terug naar de slijter en kwamen met alcohol terug.

Uiteraard nam mijn vader dat in beslag.

Daarna is iedereen volgens mij weggegaan.

Van: Patricia Gillot
Aan: Holly

En waar was Toby dan?

Van: Holly
Aan: Patricia Gillot

Hij was een beetje een zonderling, in feite heb ik hem ontmoet tijdens het roken achter de kapel.
Ik inhaleerde niet, deed het alleen om me beter te voelen over van alles en nog wat. Volgens mij voornamelijk omdat mijn moeder er zo'n pesthekel aan had, en ze had me vermoord als ze erachter was gekomen.
Hij zat daar te roken. Hij was erg cool, erg fout.

Van: Patricia Gillot
Aan: Holly

Foute Toby, klinkt goed... vooruit, ga verder.

Van: Holly
Aan: Holly
Onderwerp: Belangrijk – Niet vergeten

NOG 3 DAGEN OM EEN GRAFJURK TE SCOREN!!!!

Van: Holly
Aan: Jason GrangerRM
Onderwerp: Bofkont

Heb al je berichten gekregen!!! Ben zo blij dat jullie weer bij elkaar zijn.
xxxxx

Van: Jason GrangerRM
Aan: Holly

Het is heerlijk.
Maak je je nog steeds zorgen over vrijdag?

Van: Holly
Aan: Jason GrangerRM

Het wordt een enorme, gigantische, ongelooflijk kolossale kans voor Jennie om me het allemaal in mijn gezicht te wrijven.

Kun jij een manier bedenken om het meest vreselijke onbehagen en de wens om een vleesmes in haar rug te steken te vermijden?

Van: Jason GrangerRM
Aan: Holly

Niet gaan?

Van: Holly
Aan: Jason GrangerRM

Kan niet niet gaan, echt niet, dat kan niet.
Ik zat te denken om Aisha te vragen in mijn plaats te gaan, wat denk je? Uiteraard met een masker op?

Van: Jason GrangerRM
Aan: Holly

Volgens mij zouden ze dat merken.
Afgezien van het feit dat het hier NIET om een gekostumeerd bal gaat (waardoor ze misschien een beetje uit de toon valt), heeft ze ook nog zwart haar, o, en voor het geval je dat vergeten was, ook een zwarte huid (jij niet).

Van: Holly
Aan: Jason GrangerRM

Dus dan is dat zeker van de baan???

Van: Jason GrangerRM
Aan: Holly

Inderdaad, dus zet dat maar uit je hoofd – O en ga alsjeblieft niet denken dat zij in een of ander pak zou kunnen gaan zitten, zelfs niet als je daar toestemming voor zou krijgen.

Van: Holly
Aan: Jason GrangerRM

Waarom weet jij altijd wat ik denk?

Van: Jason GrangerRM
Aan: Holly

Ik ken je.
Bovendien heb ik gehoord dat Aisha alleen verkleed als bunny naar gekos-

tumeerde bals gaat, en dat is geen volledig pak, dat is een string met wat dons op haar achterste geplakt.

Het andere obstakel is dat ze dan in een vliegtuig naar Ibiza zit.

Van: Holly
Aan: Jason GrangerRM

Heb je haar laten gaan?

Van: Jason GrangerRM
Aan: Holly

Ja, vraag maar niks.
xx

Van: Aisha
Aan: Holly
Onderwerp: Bevalling

Heb jij tegen Pam gezegd dat ze zich geen zorgen moet maken over de bevalling?
Aish

Van: Holly
Aan: Aisha

Ja, heb ik gedaan, bedankt, ze klonk een stuk minder angstig nadat ik met haar gepraat had.

Van: Aisha
Aan: Holly

Mensen vinden het gewoon leuk om elkaar daarover op te fokken.
Als bevallen echt zo erg was, zou de metro niet zo vol zitten toch?
Aish

Van: Holly
Aan: Patricia Gillot
Onderwerp: Tijd voor een verhaaltje

Hij was zo'n beetje het tegenovergestelde van mij, mensen wilden bevriend met hem zijn, maar hij wilde dat niet.
De eerste keer dat ik hem zag, zei hij helemaal niets tegen me.

Ik zat op een regenton en hij gaf me alleen een soort knikje, dat was alles. We zaten daar gewoon met zijn tweetjes zwijgend te roken.

In de verte hoorde ik het geschreeuw van de meisjes uit mijn huis die aan het hockeyen waren, ik wist altijd wanneer ik terug moest rennen, als ik het eindsignaal hoorde.

Van: Patricia Gillot
Aan: Holly

Hoe zag hij er toen uit?

Van: Holly
Aan: Patricia Gillot

Niet zo anders, zelfde bouw, slank, in het begin waren de andere jongens niet zo onder de indruk van hem. Hij kwam ook van een scholengemeenschap, daarom zijn we ook aan de praat geraakt.

Van: Patricia Gillot
Aan: Holly

Ga verder, ik handel dat groepje wel af, jij hoeft alleen maar te schrijven!

Van: Holly
Aan: Patricia Gillot

Moet je niet lunchen?

Van: Patricia Gillot
Aan: Holly

Ik ga nergens heen en jij ook niet, we laten Ralph wel iets voor ons halen, hij smacht naar opdrachten.
En wat gebeurde er toen?

Van: Holly
Aan: Patricia Gillot

Ik was altijd reservespeler, ze hadden me zelden nodig tijdens een wedstrijd, ik denk dat ik in een maand tijd één keer opgesteld ben.
Dus toen ik mijn naam hoorde schreeuwen, klapte ik bijna uit elkaar.

Van: Holly
Aan: Patricia Gillot
Onderwerp: Judy

Sorry dat ik zo laat terug ben, ik werd bij mijn kraag gegrepen door een van de directeuren die wilde weten of het nou zo'n probleem was om cliënten naar de vergaderzalen te brengen.

Van: Patricia Gillot
Aan: Holly

We doen het als gunst voor de gastheer ALS we die niet te pakken kunnen krijgen, maar het is HUN verantwoordelijkheid om naar beneden te komen en HUN gasten op te halen.
Wij zijn niet de dienstmeisjes van dat kreng van een Jennie, het is gewoon een machtsspelletje. Ooit krijgt ze haar verdiende loon.

Van: Holly
Aan: Patricia Gillot

Judy had me trouwens al verteld dat ik hem moest negeren.
Waar waren we?

Van: Patricia Gillot
Aan: Holly

Jij zat achter de kapel...

Van: Holly
Aan: Patricia Gillot

Ik zat altijd onder een boom waar ik mijn sigaretten in een plastic zak begraven had naar de wedstrijd te kijken, nou ja, niet echt naar de wedstrijd, sinds een tijdje keek ik naar het pad dat naar de kapel liep.
Ik timede het een paar keer precies goed, dan greep ik mijn hockeystick, rende er als een gek naartoe, stond dan een paar minuten achter het gebouw op adem te komen, frummelde wat aan mijn haar en kwam dan nonchalant de hoek om wandelen.

Van: Patricia Gillot
Aan: Holly

O, wat ben jij toch een sloerie!!!

Van: Holly
Aan: Patricia Gillot

Ik was geen sloerie Patricia, ik wílde het gewoon heel graag.
Dus nadat ik wat lippenstift, lipliner, mascara, oogschaduw enz. opgedaan had... wandelde ik de hoek om.

Van: Patricia Gillot
Aan: Holly

SLOERIE!!!!

Van: Holly
Aan: Patricia Gillot

Grapje, we mochten daar helemaal niets van dat alles hebben (oké, ik heb lippenstift naar binnen gesmokkeld, maar dat was alles).
MAAR GOED het pad naar de kapel splitste zich in tweeën; het ene pad ging naar de kapel en het andere naar een van de andere huizen.
Ik zag hem daar niet, dus ik vermoedde dat hij naar het hoofdgebouw was gegaan.
Ik vloekte maar herinnerde me toen dat ik zijn benen op de grond naast me had gezien, hij zat met zijn rug tegen de kapel en keek me recht in mijn gezicht.

Van: Patricia Gillot
Aan: Holly

Sh*t, wat zei je?
Je had natuurlijk over van alles en nog wat kunnen vloeken.

Van: Holly
Aan: Patricia Gillot

Precies, dus ik zei helemaal niets, dit was de derde keer dat ik daar met hem zat zonder een woord te wisselen.
Toen verscheen er ineens een meisje uit ons huis, er was iemand geblesseerd geraakt en ze hadden mij lopen roepen.
Ze maakte een rotopmerking over dat ik van een scholengemeenschap kwam en rookte, en rende toen weg om mij in de grootst mogelijke problemen te kunnen brengen.

Van: Patricia Gillot
Aan: Holly

Was dat meisje Jennie?????

Van: Holly
Aan: Patricia Gillot

Nee, een van haar vriendinnen, maar daar had ze er heel veel van (en dat kan ik haar niet verwijten). Ik weet nog dat ik toen zij weg was mijn spullen bij elkaar raapte om terug te gaan en dat Toby iets zei als 'Ook van een scholengemeenschap?'
En ik knikte en toen – lachte hij.
Maar die glimlach betekende, voor mij, heel veel, het betekende, het is allemaal k*t en maak je er niet druk om, en je redt het wel, en ik respecteer je omdat ik ook van een scholengemeenschap kom en heel veel van dat soort lieve dingen.

Van: Patricia Gillot
Aan: Holly

Hij lachte!
Waarschijnlijk dacht hij gewoon ik kan niet wachten tot ik haar de kleren van het lijf kan rukken.
ha ha ha
Kijk uit!!!!

Van: Holly
Aan: Patricia Gillot

Wat?

Van: Holly
Aan: Patricia Gillot
Onderwerp: Gemeen

Niet te geloven die Shella!!!!

Van: Patricia Gillot
Aan: Holly

Wat heeft ze gedaan?

Van: Holly
Aan: Patricia Gillot

Ze trok mijn snoezige bunnyfoto eraf en gooide die in de prullenbak!!!
En nog erger... mijn foto van Mr Big!!
Zei dat ik me als een volwassene moest gedragen!
Cliënten kunnen het vanaf hun kant niet zien!!!!
grrrrrrrrrrrrrrrrrrrrrrrrrrrrrrrrrrrrrrrrrrrrrrrrrr

Van: Patricia Gillot
Aan: Holly

Shella is een eersteklas actrice.
Geen zorgen, ik zal morgen de hele balie dichtpleisteren met konijnen en Mr Big.

Van: Holly
Aan: Patricia Gillot

Alles goed met je?

Van: Patricia Gillot
Aan: Holly

Krampen, heb ik al jaren, ze komen gewoon ineens op, de ene keer erger dan de andere.

Van: Holly
Aan: Patricia Gillot

Moet je daar niet naar laten kijken?

Van: Patricia Gillot
Aan: Holly

Zal ik doen.
Maar goed, waar hebben jij en Toby het toen gedaan?
Ik wil alle details horen, de kleur van de maan, waar de kakmeisjes hockey speelden, vanwaar de stoute jongens het allemaal filmden. Ik wil het hele verhaal.

Van: Judy Perkins
Aan: Holly
Onderwerp: Trisha is er vandaag niet

Holly

Helaas heeft Patricia zich vanmorgen ziek gemeld, maar in plaats van een invalster te regelen, zal Shella het tijdens de drukke periode – van 11 tot 3 – van haar overnemen.

Ik heb naar het vergaderschema gekeken en het lijkt een behoorlijk drukke dag te worden, dus het zal fijn zijn om iemand naast je te hebben die verstand heeft van onze systemen enz.

Bel me als er problemen zijn.

Groeten

Judy

Van: Holly
Aan: Judy Perkins

Hai

Oké Judy, ik zat te denken, kan Ralph niet invallen, ik kan een oogje in het zeil houden?

Holly

Van: Judy Perkins
Aan: Holly

Hij heeft vandaag geen dienst en Neil is te nieuw om te weten wat er allemaal speelt.

Judy

Van: Holly
Aan: Patricia Gillot
Onderwerp: TRISHY!!!

Trishy

Hoorde net dat je ziek bent, dus dit is een wordtmaarsnelweerbeter-mail. Natuurlijk lees je dit hopelijk pas als je weer terug bent en ik hoop en bid dat dat donderdag is, omdat ik vandaag met Cruella moet werken en dat is gewoon niet eerlijk!

Ik weet nu al dat je je helemaal ziek lacht als je dit leest, ja, het klopt, jij hebt ervoor gezorgd dat ik de hele dag naast dat serpent moet zitten!

O en ik maak me ook zorgen over jou (denk niet alleen aan mezelf), word alsjeblieft beter.

Xxxxxxxxxxxxxx Xx

Van: Judy Perkins
Aan: Holly
Onderwerp: Wachtwoorden

Holly

Weet jij wat Trisha's wachtwoord is?

Shella zal namelijk haar e-mails moeten checken om te kijken of die niet over reserveringen gaan.

Ik weet dat ze naar het hoofdmailadres moeten gaan om te reserveren maar soms mailt Trisha rechtstreeks naar PA's met wie ze bevriend is.

Judy

Van: Holly
Aan: Jason GrangerRM
Onderwerp: NOODGEVAL HELP HELP HELP

Sh*t! Ik heb je dringend nodig, waar ben je?

Waarom heb je je mobiel niet aan staan??

Ik moet weten hoe je een je e-mail terughaalt – als jij het zelf niet weet, kun je me dan de naam geven van iemand die het wel weet?

Dit is echt echt echt dringend.

Van: Holly
Aan: Charlie Denham
Onderwerp: DRINGEND HEEEEEEEEEELP

DRINGEND

Hoe haal je e-mails terug? Ik zit dieeeeeeeeeeeep in de shit.

Van: Shella Hamilton-Jones
Aan: Holly
Onderwerp: Assistentie receptie

Holly

Ik zal vandaag naast jou aan de balie werken, ik moet nog een paar dingen hier afmaken, maar ik kom zo naar beneden, dus geen paniek.

Ik ben waarschijnlijk niet zo makkelijk als Patricia meestal is, dus bereid je daarop voor.

Het 'gezicht' van ons bedrijf zal vandaag beslist als een goed geoliede machine opereren.

Gegroet
Shella

Van: Joseph
Aan: Holly
Onderwerp: klop klop

halo tanten Holly
klopklop

Van: Holly
Aan: Alice en Matt
Onderwerp: Jullie zoon

Ik vermoed dat jullie je zoon mijn e-mailadres hebben gegeven, want tante Holly kreeg net een mail van hem.

Van: Judy Perkins
Aan: Holly
Onderwerp: Wachtwoorden

Holly

Ik kan Trisha niet bereiken dus ik heb contact opgenomen met IT en zij blokkeren haar wachtwoord en maken een nieuwe aan, dus geen zorgen.

Als Trisha terugbelt moet je maar zeggen dat het niets belangrijks was en dat ik haar een spoedig herstel toewens.

Groeten
Judy

Van: Joseph
Aan: Holly
Onderwerp: klop klop

tanten klopklop

Van: Jason GrangerRM
Aan: Holly
Onderwerp: JOUW NOODGEVAL

Ik heb mijn mobiel om dezelfde reden als jij uit staan; hij mag niet gaan rinkelen als je achter de receptie zit.
Rustig nou maar, wat is het probleem?

Van: Holly
Aan: Jason GrangerRM

Het is in orde nu, Trisha is ziek en toen hebben ze geregeld dat Shella (Cruella) hier zit, dus ik had Trisha een grappige e-mail gestuurd voor als ze terug is en die was nou niet bepaald complimenteus in de richting van Shella, en toen ontdekte ik dat Shella Trisha's inlogcode gebruikt om verdwaalde reserveringen op te kunnen sporen.
Ik weet niet wat Trisha's code is om mijn boodschappen te deleten, dus ik heb haar gebeld, maar ze neemt niet op.
Toen kreeg ik Pam te pakken en die vertelde hoe ik de e-mail moest terughalen, dus dat heb ik gedaan, dus het zou nu in orde moeten zijn.
xxxx
PS Ze zit hier nu, grrrrrrrr, wat een geweldige dag wordt dit.

Van: Joseph
Aan: Holly
Onderwerp: klop klop

klop klop

Van: Holly
Aan: Joseph

Sorry Joseph
Ik had het druk, maar het is leuk om wat van je te horen – hoe is het op school?

O en 'wie is daar?'
Liefs Holly

Van: Joseph
Aan: Holly

Ik ben Dr. Ol

Van: Holly
Aan: Joseph

Dr. Ol?

Van: Jason GrangerRM
Aan: Holly
Onderwerp: NEE NEE NEE WACHT

Sorry liefie, kom er net achter dat dat terughaalgedoe niet werkt.
Je stuurt ze zo alleen nóg een e-mail en daarmee laat je zien hoe wanhopig je dat eerste bericht wilt herroepen.
Het is zinloos, als zij dat HERROEPbericht als eerste opent en op OK drukt, is er niets aan de hand... maar de kans is groot dat ze die andere als eerste opent en DAARNA ziet hoe je geprobeerd hebt die terug te halen...
Sorry.
Xxxx

Van: Joseph
Aan: Holly
Onderwerp: ha ha ha ha ha ha

Je zij net drol
ha ha ha ha tanten holly zij drol
tanten holly zij drol

Van: Holly
Aan: Jason GrangerRM
Onderwerp: Help!

O GOD
Ze heeft het programma geopend en leest nu van alles, hoe weet ik of ze eerst op dat HERROEPgedoe of op die andere klikt????

Van: Jason GrangerRM
Aan: Holly

Voor zover ik me kan herinneren, krijg je een bericht met Herroepen Gelukt
Of
Herroepen Mislukt...
succes.

Van: Patricia Gillot
Aan: Holly
Onderwerp: Herroepen Mislukt

Uw bericht
Onderwerp: TRISHY!!!
Kon niet herroepen worden

Van: Joseph
Aan: Holly
Onderwerp: Holly

tanten holly is un drol
tanten holly is un drol
tanten holly is un drol
HA HA HA
Lievs Joseph
xxxxxxxxxx

Van: Holly
Aan: Joseph

Ja nu snap ik het wel Joseph, erg grappig.
Bedankt.
Liefs
Holly

Van: Holly
Aan: Jason GrangerRM
Onderwerp: O nee!

Supersh*t.
Het is geopend.
?

Van: Patricia Gillot
Aan: Holly
Onderwerp: Holly

Holly
Om verwarring te voorkomen: ik zal vandaag zowel met mijn eigen e-mail als die van Patricia werken, daarom kan ik je vanuit beide mailen.
Ook lijkt het erop dat er vreselijk veel mensen komen voor vergaderingen die niet op het schema staan, komt dat omdat Patricia niet de moeite heeft genomen het systeem bij te werken?
Groeten
Shella

Van: Holly
Aan: Patricia Gillot

Daar kan Trisha niets aan doen.
Soms ligt dat aan het feit dat secretaresses of PA's ons niet alle namen opgeven, maar meestal komt het gewoon omdat er namen aan vergaderingen worden toegevoegd.
En niemand heeft dan de moeite genomen ons daarvan op de hoogte te brengen (dus we komen er pas achter als ze voor ons staan en om een pasje vragen).
Holly

Van: Patricia Gillot
Aan: Holly

Holly
Maar hoe voer je dan hun gegevens in het pasjesprogramma in terwijl je ook nog de juiste veranderingen in het schema aanbrengt?
Shella

Van: Holly
Aan: Patricia Gillot

Dan moet je switchen tussen schermen, met behulp van CTRL en TAB. (Het is makkelijker om alle vijf de schermen tegelijk open te laten staan.)

Van: Aisha
Aan: Holly
Onderwerp: verstuurde e-mail

Ik hoor dat je weer op het punt staat ontslagen te worden – wat heeft stoute Holly nu weer uitgevreten?
Aish

Van: Holly
Aan: Aisha

Ik sta niet op het punt ontslagen te worden!

Van: Aisha
Aan: Holly

Maar als dat nou wel zo is, heb je dan zin om vrijdag mee te gaan naar Ibiza?

Van: Holly
Aan: Aisha

Ik word niet ontslagen!

Van: Holly
Aan: Shella Hamilton-Jones; Patricia Gillot
Onderwerp: Cliënten

Dat stel daar op die tweede bank, volgens mij zitten ze daar al een tijdje, is het allemaal geregeld?

Van: Shella Hamilton-Jones
Aan: Holly

Holly
Uiteraard, je hoeft mij niet in de gaten te houden, ik heb de gastheer op de hoogte gebracht dus het is nu zijn verantwoordelijkheid.
Shella

Van: Shella Hamilton-Jones
Aan: Holly
Onderwerp: Justin Tanworth

Justin Tanworth ging net tegen me tekeer omdat ik zijn gasten hier had laten zitten, maar ik heb zijn secretaresse geïnformeerd, dus dan is dat toch haar fout?

Van: Holly
Aan: Shella Hamilton-Jones

In principe wel, maar wij krijgen de schuld, omdat zijn secretaresse als het eropaan komt een betere relatie met hem heeft dan wij, en de PA's en secretaresses rekenen er gewoon op dat wij hen continu herinneren aan het feit dat ze de gastheer moeten informeren.

Misschien bellen ze de gastheer wel om te zeggen dat zijn gasten beneden op hem wachten, maar als die het vergeet en de PA denkt dat zij haar werk gedaan heeft, dan is het onze schuld dat de gasten hier nog steeds zitten en wij het hun niet opnieuw verteld hebben.

Van: Shella Hamilton-Jones
Aan: Holly

Maar de gastheer zat al in de vergadering?

Van: Holly
Aan: Shella Hamilton-Jones

Dan kunnen we hem sms'en of naar de telefoon in de vergaderzaal bellen, of iemand regelen die daar even binnenloopt als wij hier niet weg kunnen en zijn secretaresse niet te bereiken is.

Van: Shella Hamilton-Jones
Aan: Holly

Nou, dit moet veranderen, het klopt gewoon niet.

Van: Holly
Aan: Holly
Onderwerp: NIET VERGETEN

NOG MAAR 2 DAGEN OM GRAFJURK TE SCOREN!!!!

Van: Holly
Aan: Jason GrangerRM
Onderwerp: Hoeheetie

Schoot me net te binnen, welke idioot ondertekent zijn berichten überhaupt als 'J'??

Van: Jason GrangerRM
Aan: Holly

Hoihoi
Alleen volslagen gestoorden doen dat.
xx
PS we hebben het toch wel over James hè, volgens mij heb ik dat nooit gedaan, toch?

Van: Holly
Aan: Jason GrangerRM

Nee.
xx
Tot nu toe nog geen reactie op mijn e-mail, ze heeft het vast niet gelezen.

Van: Jason GrangerRM
Aan: Holly

Anders nog iets?

Van: Holly
Aan: Jason GrangerRM

Ja, ik heb nog steeds geen jurk voor vrijdag, want ik kan in de winkels
nooit iets vinden wat past.
De winkels hangen vol met PIEPKLEINE KLEREN VOOR PIEPKLEINE
MENSEN en volgens mij bestaan die mensen gewoon niet, die kleren
hangen daar alleen om mij te pesten!!!!!

Van: Jason GrangerRM
Aan: Holly

Wil je dat ik met je meega?

Van: Holly
Aan: Jason GrangerRM

Ik durf te wedden dat ZIJ in iets naar het gala gaat waarin haar gemene,
rancuneuze, kwaadaardige, hart-doorborende, vriendjes-stelende lichaam
er geweldig uitziet en dat is niet eerlijk! Ik durf te wedden dat ze ook gaat
windsurfen.

Van: Jason GrangerRM
Aan: Holly

Windsurfen?

Van: Holly
Aan: Jason GrangerRM

Daar is HIJ zo gek op, en HIJ wilde een sportieve vriendin, en ZIJ zit altijd op de sportschool.
Wedden dat ze parachutespringt, windsurft, wildwatervaartonzin boer scheet jakkes.

Van: Jason GrangerRM
Aan: Holly

Zijn we niet wat kinderachtig?

Van: Holly
Aan: Jason GrangerRM

Ja.

Van: Jason GrangerRM
Aan: Holly

Zullen we morgen afspreken om iets te gaan zoeken?

Van: Holly
Aan: Jason GrangerRM

Ja. Graag Jason
xxx
Sorry dat ik zo kinderachtig was.

Van: Holly
Aan: Alice en Matt
Onderwerp: Assistentie gevraagd

Kun je voor mij iemand beheksen?

Van: Alice en Matt
Aan: Holly

Ik kan het proberen? Iemand ziek?

Van: Holly
Aan: Alice en Matt

Nee, nog niet. Ik hoopte dat jij dat zou kunnen regelen?

Van: Alice en Matt
Aan: Holly

Ik leer voor witte heks.
Dat betekent dat we leren mensen beter te maken, niet andersom.
Sorry xxx
(ik kan voor haar bidden?)

DONDERDAG

Van: Shella Hamilton-Jones
Aan: Holly
Onderwerp: Catering

Holly
Volgens mij gaat het een stuk sneller en is het veel logischer als wij gewoon het cateringteam bellen als er extra maaltijden nodig zijn.
Shella

Van: Holly
Aan: Shella Hamilton-Jones

Nee, je moet het schema ook updaten, anders komen de verkeerde kosten bij de verkeerde gastheer terecht enz.

Van: Shella Hamilton-Jones
Aan: Holly

Wat gebeurt er als je het schema niet bijwerkt?

Van: Holly
Aan: Shella Hamilton-Jones

Je loopt het risico uitgescholden te worden, de gastheer of het cateringteam gaat zich met je bemoeien.
Je kunt het maar beter meteen goed doen, bovendien houdt het systeem bij dat je het gedaan hebt, dus daar kan dan in elk geval geen ruzie over ontstaan.
Holly

Van: Shella Hamilton-Jones
Aan: Holly

Ze mogen toch niet schelden?

Van: Holly
Aan: Shella Hamilton-Jones

Niet waar cliënten bij zijn, maar ze doen het wel.

Van: Charlie Denham
Aan: Holly
Onderwerp: Betr.: jouw e-mail

Zag net je bericht van gisteren.
Nee ik zou het niet proberen te herroepen, dat maakt het alleen maar erger.
Charlie.

Van: Holly
Aan: Charlie Denham

Bedankt voor je snelle antwoord Charlie, ik weet het INMIDDELS ook.
Groeten
Holly

Van: Holly
Aan: Aisha; Jason GrangerRM
Onderwerp: Ze zit hier nog steeds

Ik moet weer met Shella werken!
Trish is nog steeds ziek.
☹
Arme Trish.

Van: Les Gillot
Aan: Holly
Onderwerp: Ziek

Hoi moppie. Red je het zonder mij?

Van: Holly
Aan: Les Gillot

Goh Leslie, ik dacht dat je het nooit zou vragen... Weet Patricia dat jij mij mailt?
Holly

Van: Les Gillot
Aan: Holly

Je vindt jezelf wel weer erg grappig hè?
Leslie! Ik zal het tegen hem zeggen.
Ik hoor dat we een nieuw meisje op de receptie hebben.

Van: Holly
Aan: Les Gillot

Jep,
Zit nu naast me.
Nè nè nè-nè nèèè
Hoe voel je je?

Van: Les Gillot
Aan: Holly

Ietsje beter, zit nu rechtop in bed. Is ze heel erg? Vertel nou!

Van: Holly
Aan: Les Gillot

Ze is eigenlijk best goed. Ze heeft allerlei nieuwe procedures geïntroduceerd die goed lijken te werken enz. Het was een koud kunstje.

Van: Les Gillot
Aan: Holly

Welke nieuwe procedures????
Klinkt helemaal niet goed, wat voert ze in haar schild?

Van: Holly
Aan: Les Gillot

Sorry.
Heel onverstandig om een zieke op te winden. hi hi
Het is hier zó afgrijselijk, dat geloof je niet, mis je echt heel erg!!!

Van: Les Gillot
Aan: Holly

O godzijdank.
Ik hoopte al dat je me zou missen... en ik zat hier maar te denken dat dat kreng achter mijn baan aan zat!!!
Je bent een wreed meisje Holly, wacht maar tot ik terug ben.

Van: Holly
Aan: Les Gillot

Ben je er morgen weer?

Van: Les Gillot
Aan: Holly

Ja, en dan wil ik alles over Toby horen, je kunt er maar beter voor zorgen dat het smeuïg wordt, ik verheug me op een verhaaltje van Holly.
xxxxx
Trisha (blijf lachen)

Van: Holly
Aan: Les Gillot

Ik beloof dat ik je alles zal vertellen.
☺
Ik hoop dat je morgen echt komt, ik kan echt niet in mijn eentje naar dat gedoe...
xx

Van: Aisha
Aan: Holly
Onderwerp: Ibiza

Hoe gaat het vandaag?
Heb ik je al verteld dat ik naar Ibiza ga met een miljonair?

Van: Holly
Aan: Aisha

Ja.
Ik kan niet veel mailen vandaag, Shella houdt mijn beeldscherm in de gaten.

Veel plezier in Ibiza bofkontje.
xxxx

VRIJDAG

Van: Holly
Aan: Patricia Gillot
Onderwerp: Ze is er weer!!

Fijn dat je terug bent, wat zei de dokter?

Van: Patricia Gillot
Aan: Holly

Ze weten niet wat mij mankeert.
Maar hoe was dat nieuwe meisje, je gaat me toch niet vertellen dat ze het goed heeft gedaan?

Van: Holly
Aan: Patricia Gillot

Ze begon de dag met een snelle vergadering.
Ik moest gaan zitten en toen vertelde ze me dat ze het 'gezicht' van het bedrijf wilde verbeteren middels een paar nieuwe procedures.
Ze zei dat ik niet al te bijdehand moest doen, want ZIJ zou lang niet zo 'tolerant' zijn als jij.

Van: Patricia Gillot
Aan: Holly

Wat waren die nieuwe procedures???????

Van: Holly
Aan: Patricia Gillot

Als mensen binnenkomen en de telefoon gaat, wilde zij dat je in plaats van die op te nemen en te glimlachen naar de cliënten als teken dat je ze gezien hebt... je de telefoon laat rinkelen en ondertussen afkeurend tegen de cliënten mompelt 'wacht even wacht even, ziet u niet dat ik hier twee dingen tegelijk probeer te doen!!'

Van: Patricia Gillot
Aan: Holly

Ha ha ha, o mijn dag is weer goed, had ze het niet meer?

Van: Holly
Aan: Patricia Gillot

Het was haar eerste keer.

Van: Patricia Gillot
Aan: Holly

Fabeltastisch!!! Hier heb ik jaren naar verlangd... Dat zij zou zien hoe het hier is, ga het nou niet verpesten door te zeggen dat je het goed met haar kon vinden – vergeet niet dat dit de vrouw is die jouw kleine konijnenfototje verknald heeft!
Is ze bij iemand over de rooie gegaan?

Van: Holly
Aan: Patricia Gillot

Ja, het was eigenlijk nogal bevredigend, jij zou ervan genoten hebben... Op een gegeven moment zat ze te schreeuwen tegen een PA en moest ik haar eraan herinneren waar we waren.

Van: Patricia Gillot
Aan: Holly

O O O JA JA JA

Van: Holly
Aan: Patricia Gillot

Oké, hoe dan ook, ik moet plasssen, red je het even?

Van: Patricia Gillot
Aan: Holly

Volgens mij heeft Shella wat betreft één ding wel gelijk, ik ben te tolerant naar jou toe... De boel moet hier vanaf nu een stuk professioneler gerund worden, dus op je stoel met die reet, ik ben weg voor een peuk.
Trisha ha ha ha ha
O, en na je pauze is het tijd voor een verhaaltje!

Van: Jason GrangerRM
Aan: Holly
Onderwerp: Holly Denham, ster van de show...

Veel succes vanavond – en onthou, doe het kalm aan met de drank en probeer dit in je achterhoofd te houden voor als je dronken door de zaal staart: die zee van gezichten die jou dreigend aankijkt, de uitdrukkingen daarop zijn niet van 'verwondering' maar feitelijk van 'angst', ze zijn bang, dus ga zitten.

Dit is NIET, ik herhaal NIET So you wanna be a popstar/Idols/The X Factor, en hoewel jij best goed kunt zingen, ben jij een receptioniste die luistert naar de naam Holly Denham, NIET naar de naam Leona Lewis*.

xxx houvanje xxxx

Jason

* Engelse zangeres die bekendheid verwierf door het derde seizoen van de populaire show *The X Factor* te winnen.

Van: Holly
Aan: Jason GrangerRM

Heb alsjeblieft een beetje vertrouwen in me, ik zal het toonbeeld van bevalligheid en welvoeglijkheid zijn.

xxxx

Van: Holly
Aan: Aisha
Onderwerp: Ibiza

Veel plezier op Ibiza, doe niets wat je niet wilt alleen omdat het een mooie boot of villa of wat dan ook is en je dankbaar bent... bel me als je me nodig hebt.

Hou van je

xx

Van: Aisha
Aan: Holly

Ja Mam, dat beloof ik Mam.
Betr.: jouw avond van vanavond, ik weet dat je niet vaak luistert naar mijn advies, maar soms kan ik wel helpen...?

Van: Holly
Aan: Aisha

Vertel!!!

Van: Aisha
Aan: Holly

Oké, nou ik heb een keertje op deze manier wraak genomen. Zijn er vanavond mannen die een speech gaan houden?

Van: Holly
Aan: Aisha

Ja.

Van: Aisha
Aan: Holly

Oké, als je daar aankomt moet je erachter zien te komen wie er een speech gaat houden en dan kies je de knapste van het stelletje. En dan ga je gewoon een beetje flirten.

Van: Holly
Aan: Aisha

Meer niet?

Van: Aisha
Aan: Holly

Nee, meer niet... toen ik dat deed en hij werd geroepen voor zijn speech, zat hij me onder de tafel te likken!!!
Je had het moeten zien, er was een spotlicht op zoek naar hem en alles!!
Xxxxx veel plezier.

Van: Holly
Aan: Aisha

Bedankt Aish, ik zal je advies meenemen.

Van: Patricia Gillot
Aan: Holly
Onderwerp: Tijd voor een verhaaltje?

Waarom was Toby dan zo fout?

Van: Holly
Aan: Patricia Gillot

Oké, toen ik voor het eerst tegen hem begon te praten waren we allebei 15, maar ik wist al wie hij was toen we daar allebei begonnen.

Er is een soort ongeschreven wet waarin staat dat de nieuwe jongens die daar op school komen het laagste van het laagste zijn – voor de meisjes is het makkelijker, maar dat eerste jaar is voor jongens echt heel zwaar.

Zij moeten alle schoonmaakklussen doen, vegen en het huis en de slaapzalen spiksplinterschoon houden enz., en de oudere jongens katten ze af. Een jaar laten mogen zij op hun beurt de nieuwe jongens afkatten – het is een soort traditie op kostscholen.

Van: Patricia Gillot
Aan: Holly

Wat een leuke tradities hebben jullie toch, dus Toby ging zeker achter een van hen aan?

Van: Holly
Aan: Patricia Gillot

Ik hoorde dat hij ongeveer drie keer gevochten had met oudere kinderen in het eerste jaar, hij wilde het gewoon niet accepteren. Uiteindelijk lieten ze hem allemaal met rust en kreeg hij die reputatie van foute jongen.

Toch was hij geen herrieschopper, hij had het gewoon niet zo op die school.

Van: Patricia Gillot
Aan: Holly

Dat pleit voor hem.

Van: Holly
Aan: Patricia Gillot

Ik kreeg ontzettend veel problemen toen ik betrapt was op roken en toen wisten de leraren waar iedereen altijd ging roken, dus daar konden we niet meer heen.

Na een paar weken zag ik hem weer, ik zat gewoon op een bankje in de zon voor de schoolbibliotheek en hij kwam naast me zitten. Hij begon te kletsen over school en de groepjes en alles, en hij vertelde dat ze een nieuwe geheime rookplek hadden.

Ik had inmiddels besloten dat roken niets voor mij was, maar ik wilde er toch naartoe.

Van: Patricia Gillot
Aan: Holly

Dat geloof ik graag, stoute sloerie.

Van: Holly
Aan: Patricia Gillot

We gingen naar de kapel, maar dit keer naar binnen.
Ik weet nog dat ik dacht dat dit een of andere verschrikkelijke grap moest zijn en dat ik door mijn klasgenoten zou worden uitgelachen en het een soort val was.
We wrongen ons achter een kerkbank langs en gingen zitten. Toen bukte hij en trok een houten luik in de vloer omhoog. Het was donker en hij sprong naar beneden, en verdween.
Ik wachtte even en ging toen, terwijl ik God vroeg om op me te letten, achter hem aan naar binnen.

Van: Patricia Gillot
Aan: Holly

Holly Denham, dat had ik niet achter je gezocht.

Van: Holly
Aan: Patricia Gillot

Ik ook niet. Ik zat beneden in het donker tot hij een aansteker aanfloepte.
En toen zag ik een heel netwerk van een soort tunnels in de fundering. Je kon niet rechtop staan, maar hij had een plekje gemaakt met kussens en zitzakken, drankjes en er was een walkman, ik kon mijn ogen niet geloven.
Hij zei dat hij daarnaartoe ging om bij iedereen vandaan te zijn.
Het was geweldig, vanaf dat moment ging ik er regelmatig heen en dan zaten we te lezen, te kletsen of naar muziek te luisteren, de tweede keer dat ik onder de kapel was kuste ik hem.
Ik rookte niet meer, maar ik had iets veel beters ontdekt.

Van: Patricia Gillot
Aan: Holly

Wat? Wat had je ontdekt... Ik durf te wedden dat je moeder daar net zo geïrriteerd over was.

Van: Holly
Aan: Patricia Gillot

Erger nog, toen ze erachter kwam. Later meer, moet weg.
Xxx

Van: Patricia Gillot
Aan: Holly

O Holly!!!

Maand 4, week 4

VRIJE MAANDAG

Van: Alice en Matt
Aan: Holly
Onderwerp: Toby

Wat betreft Toby.

Ik heb er in het weekend over na lopen denken en je moet met hem praten, erachter komen waarom hij je nooit heeft geschreven.

Er is misschien wel een reden voor, het moet voor hem ook niet makkelijk zijn geweest, jullie waren alle twee erg jong.

xxx

Alice

DINSDAG

Van: Holly
Aan: Alice en Matt
Onderwerp: Waarom hij nooit heeft geschreven

Hij heeft me nooit geschreven Alice, omdat hij een klootzak is.

Het spijt me, maar hij heeft mijn hart gebroken en het heeft heel heel lang geduurd voordat ik over hem heen was en nu is me dat gelukt.

Als hij er ook maar iets om gegeven had, al was het maar een klein beetje, had hij wel contact opgenomen en volgens mij is jong zijn geen excuus.

xxxx

Van: Alice en Matt
Aan: Holly

Oké.

Ik wilde niet opdringerig klinken.

En nog wat, volgens mij wordt Joseph steeds lastiger. Ik kon vandaag mijn lievelingsschoenen niet vinden en ik vroeg aan Joseph of hij er iets van wist omdat ik gisteren had gezien dat hij ze vasthield. Hij kwam met een onschuldig verhaal, maar met zoveel details (een echt epos) dat ik wist dat

503

hij stond te liegen, maar dat zal hij niet toegeven.
Fijne dagen.
Alice

Van: Patricia Gillot
Aan: Holly
Onderwerp: Toby

Niet te geloven wat er op dat feestje is gebeurd. Moet je niet meteen met hem gaan praten?

Van: Holly
Aan: Patricia Gillot

Nee dank je.

Van: Patricia Gillot
Aan: Holly

Je hebt mij alleen de leuke dingen verteld van toen jullie jong waren, dus ik kan pas snappen wat het probleem is als je me vertelt wat er mis is gegaan?

Van: Holly
Aan: Patricia Gillot

Ik werd niet ongesteld en voor hem was het daarmee uit.

Van: Patricia Gillot
Aan: Holly

Was je zwanger?

Van: Holly
Aan: Patricia Gillot

Ik werd wekenlang niet ongesteld, het was een kostschool dus die dingen zijn niet makkelijk stil te houden en onze school lag op het platteland dus naar winkels gaan was uitgesloten en een zwangerschapstest dus ook.
Uiteindelijk was ik zo bang dat ik het aan Toby heb verteld.
We kregen ruzie en voor ik het wist was hij gevlogen en kwam hij nooit meer terug op school.
Uiteindelijk ontdekte ik dat ik niet zwanger was, maar door al dat geroddel dacht iedereen dat ik een abortus had gehad.

Ik was echt verliefd op hem, tot over mijn oren, je weet hoe dat is met je eerste liefde.
Maar ik heb nooit meer wat van Toby gehoord.

Van: Patricia Gillot
Aan: Holly

O.

Van: Shella Hamilton-Jones
Aan: Holly
Onderwerp: Conferentie

Beste Holly
Het organiseren van een conferentie gaat niet van een leien dakje; alles moet zo snel mogelijk voorbereid zijn.
Is het je gelukt om wat betreft de hotels al iets op papier te zetten?
Zo niet, kun je dan overgaan naar een hogere versnelling en het ZSM doen?
Groeten
Shella

Van: Holly
Aan: Shella Hamilton-Jones

Shella
Ja, ik ben ermee klaar, laat me maar weten wanneer je het wilt hebben.
Groeten
Holly

Van: Shella Hamilton-Jones
Aan: Holly

Holly
Als jij echt denkt dat je mij een professioneel projectmatig verslag van de gevraagde informatie kunt tonen, dan wil ik dat ZSM zien.
Daarom heb ik gevraagd of je morgenmiddag bij mij boven mag werken om jouw presentatie door te nemen; we hebben een invaller van receptie-wereld.com geregeld die Trisha aan de balie kan assisteren.
Groeten
Shella

Van: Jason GrangerRM
Aan: Holly
Onderwerp: Het is zo spannend...

Kom op met de roddels (bijvoorbeeld of hij nog iets zegt).

Van: Holly
Aan: Jason GrangerRM

Ik zal het hem nooit vergeven dat hij me gedumpt heeft toen ik in de knel zat – dus hou erover op!

Van: Jason GrangerRM
Aan: Holly

SORRY.

Van: Holly
Aan: Jason GrangerRM

Wilde niet zo knorrig overkomen, het komt gewoon omdat iedereen er vanmorgen naar vroeg.
Hij is altijd een vreemde vogel geweest, dit verandert er niets aan.

Van: Patricia Gillot
Aan: Holly
Onderwerp: Dorchester

Het lijkt erop dat je gelijk hebt, hij is niet de moeite van het nadenken waard schat.
Heb je zin om van de week een borrel te gaan drinken?

Van: Holly
Aan: Patricia Gillot

Klinkt goed.
Betr.: Shella – ik begrijp niet dat ze nog steeds zo krengerig doet, wat is er mis met die vrouw?

Van: Patricia Gillot
Aan: Holly

Misschien heeft ze toch die e-mail waarin jij haar afkraakt gelezen?

Van: Holly
Aan: Patricia Gillot

Nee, dat kan echt niet, dan had ze me allang met liefde aan het kruis gena-
geld.

Van: Patricia Gillot
Aan: Holly

Toch lijkt het er wel op – presentatie?? Projectmatig??
Ik zou me vandaag ziek melden, dit klinkt mij als een rituele slachtpartij
in de oren.

Van: Holly
Aan: Patricia Gillot

Bedankt.

Van: Patricia Gillot
Aan: Holly

En nog wat, heb je al iets van Jennie of James gehoord???

Van: Holly
Aan: Patricia Gillot

Nog niet, denk je dat ik me in de nesten heb gewerkt?

Van: Patricia Gillot
Aan: Holly

Waarom? Zij gedroegen zich als idioten.

Van: Holly
Aan: Patricia Gillot

Toch weet ik zeker dat ik binnenkort iets van Jen zal horen, ze doet me
denken aan een haai die naar beneden is gezwommen om haar wonden te
likken – voordat ze weer bovenkomt voor een nog heftiger aanval.

Van: Patricia Gillot
Aan: Holly

Mag ik dan op zijn minst zeggen dat Toby's manier van doen me wel bevalt?

Van: Holly
Aan: Patricia Gillot

Hij is goed met woorden, altijd al geweest.
Maar dat is het dan ook wel.
xx

WOENSDAG

Van: Alice en Matt
Aan: Holly
Onderwerp: Jouw broer

Ik ben niet blij met Charlie.
Misschien wil je hem de volgende keer dat je hem spreekt zeggen hoe niet-grappig hij is.

Van: Holly
Aan: Alice en Matt

Nee, ik wil niet de schuld krijgen van iets wat hij gedaan heeft, hij is ONZE broer. (Wat heeft hij nu weer gedaan?)

Van: Aisha
Aan: Holly
Onderwerp: Alles draait om mij!!

Raad eens waar ik ben?

Van: Holly
Aan: Aisha

Ibiza.

Van: Aisha
Aan: Holly

Ja, oké, maar waar precies??

Van: Holly
Aan: Aisha

Aan het seksen met iemand??

Van: Aisha
Aan: Holly

Dus niet juffrouw Hollybolly, hoewel straks misschien wel.
Ik zit op een prachtige boot!!

Van: Holly
Aan: Aisha

Jij zit niet op een boot, hoe kun je me e-mailen vanaf een boot?

Van: Aisha
Aan: Holly

Het is een grote, en ik mocht de douche gebruiken van de gast van wie hij
is, en zijn spullen.
Ik dacht tenminste dat hij zei dat ik zijn spullen mocht gebruiken, want
dat doe ik.
Holly, mijn aller, allerbeste vriendinnetje, het zal je verbazen, maar ik
dacht aan je, en het is hier trouwens toch een beetje saai en ik wilde weten
wat er gebeurd was, op dat feest.

Van: Holly
Aan: Aisha

Wil je weten wat mij is overkomen???

Van: Aisha
Aan: Holly

Nee. Niet echt, ik ga weer naar boven.
daag
x

Van: Aisha
Aan: Holly
Onderwerp: Bedrijfsfeestje afgelopen vrijdag

Ik wil het wel weten, echt ☺
Vertel het me alsjeblieft Hollybolly, voordat ik van deze computer af geschopt word (misschien ga ik tussen het mailen door wel naar een paar
vieze plaatjes kijken als je het niet erg vindt) (de mannen op deze boot zien
er niet zo goed uit) (allemaal oud en dik) (en sommigen hebben een

baard) Maar vertel het want ik wil het echt graag weten!!!!!
xxxxx

Van: Holly
Aan: Aisha

Alles goed met je?

Van: Aisha
Aan: Holly

Waarom zou het niet goed met me gaan?
Ik ben op vakantie en geniet met volle teugen, het is allemaal super.
xx Vertel

Van: Holly
Aan: Aisha

Het was heel raar en ik weet nog niet wat ik ervan moet denken.
Het gala begon zoals verwacht.
Ik was de hele dag al zenuwachtig, ik heb alleen ontbeten en een zak chips als lunch gegeten.
Ik droeg die jurk die ik op dat feestje van jou aan had, die zwart-witte, en ik had er lange witte handschoenen bij aangetrokken en mijn nieuwe schoenen.
Ging best.
Het regende, dus ik heb expres ruim op tijd een taxi besteld.
Hield mijn haar droog tussen de taxi en het Dorchester en volgde de borden naar de feestzaal – gigantische ruimte, er kwamen allerlei mensen aan toen ik naar binnen ging.
Ik was een van de eersten en de anderen stonden in kleine aparte groepjes (mensen die ik niet herkende), dus ik overwoog om weer weg te gaan en de bar op te zoeken tot iedereen was gearriveerd, maar toen verschenen Trish en de jongens van de postkamer.

Van: Aisha
Aan: Holly

Had je haar al gezien?

Van: Holly
Aan: Aisha

Nee.

Het begon aardig vol te raken en ik begon te hopen dat ze misschien helemaal niet kwam, dat ze te bang was voor de confrontatie, en dat ze beiden besloten hadden het te boycotten vanwege een gevoel voor verhoudingen of vriendelijkheid of zoiets.

Ik sloeg een paar drankjes achterover en toen kwam Jennie natuurlijk toch opdagen.

Van: Aisha
Aan: Holly

Wat had ze aan?

Van: Holly
Aan: Aisha

Een strak rood jurkje natuurlijk – het was alsof de nachtmerries die ik gehad had waarschuwingen waren geweest. Iedereen keek naar haar terwijl ze rondhuppelde als een of andere prinses, samen met hem, in zijn smoking.

Van: Aisha
Aan: Holly

Ze is een smerige hoer.

Van: Holly
Aan: Aisha

Bedankt Aish.

Toen ik dit een tijdje aangekeken had, besefte ik dat ik beter weg kon gaan, ik kon hier gewoon niet blijven.

Ik had verwacht dat ze hun verhouding toch op zijn minst een beetje geheim zouden houden.

Ik bedoel, toen ik met hem was, was het o zo belangrijk dat niemand ervan wist, klootzak, maar zij wandelden daar arm in arm rond, zij alsof ze de hoofdprijs had gewonnen.

Toen begon ik me misselijk te voelen.

Van: Aisha
Aan: Holly

Je hebt toch niet gekotst hè??? Nee hè Holly, niet waar iedereen bij was?

Van: Holly
Aan: Aisha

... ik weet nog dat ik dacht, daar zal je het hebben, ik ga over mezelf heen kotsen, over mijn hele jurk, en dan gaan ze me allemaal uitlachen.

Hoe meer ik daaraan dacht, hoe misselijker ik werd, ik voelde al het bloed uit me wegtrekken.

Ik liep naar de wc en sloot mezelf op in een hokje; ik trilde als een espenblad en deed mijn uiterste best om niet over te geven.

Ik wilde naar huis, maar ik zag mezelf nog niet eens de uitgang van dat gebouw halen.

Ik weet nog dat ik dacht dat ik de rest van mijn leven graag opgesloten in dat hokje wilde doorbrengen, als ze eten en water onder de deur door zouden schuiven – zolang ik daarbuiten maar niet iedereen onder ogen hoefde te komen.

Van: Aisha
Aan: Holly

Arme schat, ik zou je gered hebben als ik niet champagne drinkend in een vliegtuig had gezeten.

Van: Holly
Aan: Aisha

Uiteindelijk heeft Trish me gevonden en zij stond erop dat ik eruit kwam (anders zou ze 'die k*tdeur inrammen').

Ze is zo lief, ze heeft wat van me te goed, ik hoop dat ik er op een dag voor haar kan zijn.

Ze liet me vier glazen water drinken die ze voor me klaar had staan en deed wat meer make-up op, gelukkig kwam Jennie niet binnen toen ik de mascara van mijn wangen stond te vegen.

Ik vermeed haar tot we allemaal aan tafel gingen – en vanaf toen ging alles verkeerd.

Ik kon ze tussen de mensenhoofden door toch zien zitten – hun tafel stond aan de andere kant van de zaal en hoewel er ongeveer honderd mensen tussen ons in zaten, kon ik ze zien, kussend, lachend en helemaal in elkaar verstrengeld.

Ik probeerde niet aan ze te denken en aanvankelijk slaagde ik erin me te verdiepen in een gesprek – en in alcohol.

Het probleem was – ik kon niks door mijn keel krijgen omdat ik zo opgefokt was, dus het eten kwam en ging en ik bleef maar drinken en tegen de tijd dat het dessert werd opgediend was ik al een aardig eind heen.

Van: Aisha
Aan: Holly

Ik heb het gevoel dat iemand deze kamer wil gebruiken (ik heb de deur op slot gedaan). Ach, wat maakt het uit, dus jij zat daar dronken te zijn?

Van: Holly
Aan: Aisha

Ik weet nog dat ik dacht toen ik naar ze toe liep dat iemand het hun moest vertellen – ze moesten allebei weten wat een harteloze smeerlappen ze waren.

Ik ging een beroep doen op hun betere ik en ik had volgens mij iets bedacht waardoor ze zich erg zouden schamen voor hun gedrag. Maar toen ik, me langs stoelen van andere mensen wurmend enz., dichter bij ze kwam, stootte ik tegen iemand aan die zijn glas over (gelukkig) zichzelf heen liet vallen. Toen ik mijn excuses had aangeboden en weer de kant van Jennie en James op ging, was ik alles wat ik van plan was te gaan zeggen vergeten.

James had mij nu gezien dus ik kon me niet echt meer omdraaien, ik bleef doorlopen tot ik bij hun tafel was.

Hij stootte Jennie aan en zij keek op en alles wat ik nog had willen zeggen ging in rook op. Ze keek me recht in mijn ogen en meteen zag ik dat zelfgenoegzame lachje rond haar lippen verschijnen. Ik begon iets te zeggen; uit mijn hoofd was dat iets als – 'Ik vind – dat jullie tweeën – nou, mensen vinden – ik vind jullie', en verder kwam ik niet want toen zei Jennie:

'Sorry – Holly, is het toch? Volgens mij ben je bij de verkeerde tafel, jij zit daar bij het ondersteunende personeel.'

Op dat moment voelde ik mezelf rood worden en leek alles te wiebelen. Ik hoorde haar lachen, ik moet iets gemompeld hebben en precies op dat moment hoorde ik iemand zeggen:

'Volgens mij probeert Holly dit te zeggen: "James, als je een bed zoekt, huur dan een kamer, dit is een bedrijfsfeestje, geen bordeel, dus schraap die hoer van je arm en ga er een zoeken!!!"'

Het was Toby en hij stond naast me en toen leken hij en James zichzelf op elkaar te werpen.

Toen werd ik door Trisha weggevoerd en leek het allemaal met een sisser

af te lopen, snel daarna ging ik naar huis. Niemand van boven heeft nog wat gezegd, maar ik zit erop te wachten...
Wat denk je?

Van: Aisha
Aan: Holly

Goed zo Toby!!
Ik denk dat ik dat kreng een knal had gegeven, of een glas in haar gezicht had gegooid, of eten op haar schoot.
En ben je nu weer met Toby?

Van: Holly
Aan: Aisha

Nee, absoluut niet.

Van: Aisha
Aan: Holly

Hij moet dringend gepakt worden, heb je foto's van hem?

Van: Holly
Aan: Aisha

Nee, ga terug naar die andere mensen. Wacht, streep dat door, GA NAAR BED!
xxxxxx
(om te slapen)

Van: Aisha
Aan: Holly

Wil straks misschien nog met je praten.

Van: Holly
Aan: Aisha

Bed bed bed, Aisha moet gaan slapen.
Zeg iedereen maar welterusten Aishy
(ik ben er als je me nodig hebt)

Van: Shella Hamilton-Jones
Aan: Holly; Judy Perkins; Patricia Gillot
Onderwerp: Enveloppen

Beste Judy,
Nu ik zelf een tijdje achter de balie heb gezeten, weet ik dat zowel Holly als Patricia het meestentijds erg druk heeft.
In de perioden dat het wat rustiger is, bijv. aan het begin en eind van de dag, hoop ik echter gebruik te kunnen maken van hun bekwame bedrevenheid in het communiceren van dringende berichten naar werknemers en gedelegeerden.
Als dat goed is, zal ik nu de enveloppen die gevuld moeten worden bij hen laten bezorgen.
Hoogachtend
Shella

Van: Holly
Aan: Patricia Gillot
Onderwerp: Shella

Bekwame bedrevenheid????

Van: Patricia Gillot
Aan: Holly

Geef mijn laarzen eens even aan, ik moet haar even een bezoekje brengen.

Van: Holly
Aan: Patricia Gillot

Als ze tegen iedereen in het bedrijf altijd zo bot is, waarom is ze dan jaren geleden niet ontslagen?

Van: Patricia Gillot
Aan: Holly

Dat durven ze niet.

Van: Holly
Aan: Patricia Gillot

Maar ze is een PA, ik bedoel, ze brengt toch geen geld in het laatje?

Van: Patricia Gillot
Aan: Holly

Dat is niet de reden dat ze het niet durven, het heeft niets met geld te maken.

Van: Alice en Matt
Aan: Holly
Onderwerp: Mam

Vind je het niet eens tijd worden om haar te bellen? Ze voelt zich echt rot over alles.
Alice

Van: Holly
Aan: Alice en Matt

Ik ga haar nog niet bellen. Misschien binnenkort.
Maar wat heeft Charlie nou gedaan?

Van: Alice en Matt
Aan: Holly

Onze verrukkelijke broer belde maandagochtend rond zeven uur, dronken, en ik weet dat hij het vervelend vindt als de kinderen de telefoon opnemen omdat hij niet weet wat hij tegen ze moet zeggen, maar ik vind wél dat hij daar iets op moet verzinnen – alles behalve aan kleine Joseph vertellen hoe hij een magische snoepboom moet maken...???
Weet jij hoe je dat moet doen?

Van: Holly
Aan: Alice en Matt

Nee, maar ik vermoed dat het leuk is?

Van: Alice en Matt
Aan: Holly

Je schijnt een zak suiker en een flinke klont boter in een van mammies schoenen te moeten stoppen en die dan in de tuin te begraven (dat heeft oom Charlie hem tenminste verteld).

En je weet hoe mijn zoon opkijkt tegen Slechte Oom Charlie, hij doet alles wat Charlie hem vertelt.

Kun jij even met Charlie praten? Hij lacht alleen maar als ik het hem vertel, en dan wordt hij boos als ik het niet leuk vind.

Van: Holly
Aan: Alice en Matt

Sorry, ik heb geprobeerd niet te lachen, maar het misschien toch een ietsiepietsie gedaan.

Maar het zal wel niet leuk zijn als het jouw schoen is die vol boter zit, ik beloof dat ik met hem ga praten.

xxx

Heb eigenlijk al een tijdje niets van hem gehoord.

Van: Holly
Aan: Patricia Gillot
Onderwerp: En op magische wijze...

Lag de balie onder de enveloppen!

Grrrr

Van: Patricia Gillot
Aan: Holly

We zouden Ralph in moeten schakelen, hij zou het heerlijk vinden om ons te helpen.

Van: Holly
Aan: Patricia Gillot

Dat denk ik niet.

Van: Patricia Gillot
Aan: Holly

Wél als we hem het midden in de receptie op zijn knieën laten doen??

Van: Holly
Aan: Patricia Gillot

☺

Grappig, en ik zie Judy's gezicht al voor me als ze hem betrapt, complete verwarring??? (gevolgd door woede)

Beter van niet.

Maar vertel eens waarom mensen bang van Shella zijn (afgezien van haar charmante voorkomen)?

Van: Holly
Aan: Jason GrangerRM
Onderwerp: Waar zit jij tegenwoordig?

Het is akelig stil van jouw kant?
xxx

Van: Patricia Gillot
Aan: Holly
Onderwerp: Enveloppen

Geef me er nog eens een paar.

En om je vraag te beantwoorden, toen ik hier kwam werken, was Shella er al een tijdje, er waren er hier een stuk minder toen, en zij was de PA van meneer Wright, voordat die stierf...

Van: Holly
Aan: Patricia Gillot

Nou en?
Wat wil je daarmee zeggen???????

Van: Patricia Gillot
Aan: Holly

Dat zij weet dat meneer Huerst meneer Wright heeft vermoord!

Van: Holly
Aan: Patricia Gillot

?

Van: Patricia Gillot
Aan: Holly

En Shella en Ranzige Randolph Huerst hebben een verhouding, al 20 jaar!!!

Van: Holly
Aan: Patricia Gillot

??

Van: Patricia Gillot
Aan: Holly

Hou eens op met die verdomde vraagtekens, het is waar!

Van: Holly
Aan: Patricia Gillot

Sorry Trish, maar ik heb het gevoel dat je je dit gewoon inbeeldt?

Van: Patricia Gillot
Aan: Holly

Het is waar, Randolph Huerst en Shella Hamilton-Jones delen al jaren hetzelfde bed, en ze hebben meneer Wright vermoord.

Van: Holly
Aan: Patricia Gillot

O, is dat zo?

Van: Patricia Gillot
Aan: Holly

Ja, en ze hebben een kind gekregen, en nu komt het leukste deel, het is mijn taak je dit te vertellen schat, dat ben jij.

Van: Holly
Aan: Patricia Gillot

Ik ben de liefdesbaby van Shella en meneer Huerst?

Van: Patricia Gillot
Aan: Holly

Ja.

Van: Jason GrangerRM
Aan: Holly
Onderwerp: WERK WERK WERK

Heb nauwelijks tijd gehad om te roddelen, druk geweest, aangezien Aisha weg is en er ook nog twee ziek zijn.
xxx

Van: Patricia Gillot
Aan: Holly
Onderwerp: De waarheid is

Oké, ik lieg.

Van: Holly
Aan: Patricia Gillot

Hè wat jammer, ik wilde pappie net wat geld gaan vragen.

Van: Patricia Gillot
Aan: Holly

Hoe dan ook, Shella moet iets verschrikkelijks weten, een of andere duister geheim dat niet uit mag komen.
En nog wat, ik dacht dat jij had gezegd dat James in Richmond woonde?

Van: Holly
Aan: Patricia Gillot

Dat is zo (wil je hem voortaan alsjeblieft tuig noemen – daar word ik blijer van).

Van: Patricia Gillot
Aan: Holly

Maar wie woont er dan in Islington – zijn ouders?

Van: Holly
Aan: Patricia Gillot

Nee, zijn ouders wonen in Chelsea – ik ben er ooit geweest – mooi huis, tuig ouders (heb ze niet ontmoet).
(Maar zijn het waarschijnlijk wel.)
Waarom, wie woont er in Islington?????

Van: Patricia Gillot
Aan: Holly

Ik heb hier een brief, De heer James Lawrence – 140 Elgin Drive, Islington.

Van: Holly
Aan: Patricia Gillot

Weet je dat zeker??????

Van: Patricia Gillot
Aan: Holly

Ja. Ik denk dat hij je wat op de mouw heeft gespeld.

Van: Patricia Gillot
Aan: Holly
Onderwerp: Als je terugkomt

Hoop dat jij en Shella het leuk gehad hebben samen. Ik heb zitten nadenken over dat adresgedoe, en er moet een reden zijn dat hij een liegende kleine schooier is geweest.

VRIJDAG

Van: Patricia Gillot
Aan: Holly
Onderwerp: Tandafdrukken

Hoe ging het gisteren met Shella?
Je ziet er blij uit, waarom mis je geen tanden?
En ik zie ook geen tandafdrukken op je armen?

Van: Holly
Aan: Patricia Gillot

We hebben gepraat over alles wat ik bij elkaar heb gezocht. Shella heeft ernaar gekeken.
Gaf helemaal geen commentaar, zei dat ze er nog eens goed naar zou kijken en het me vanmorgen zou laten horen.
Dus.... aaaaaaaaaaaaarg er kan elk moment een serptentmail komen.

Van: Jason GrangerRM
Aan: Holly
Onderwerp: Een stralende vrijdag voor u juffrouw Hilton

Leuk om Trisha vanavond te zien.
Waar gaan we eigenlijk heen?

Van: Holly
Aan: Jason GrangerRM

Geen idee, ik dacht aan Henry's Bar in Covent Garden?

Van: Holly
Aan: Charlie Denham
Onderwerp: Nachtclub

Ik heb al een tijdje niks meer van je gehoord, is alles oké met de club?
Holly

Van: Patricia Gillot
Aan: Holly
Onderwerp: Ik zal voor je duimen schat

Laat het me weten als Shella die hatemail stuurt, dan haal ik wat chocoladetaart bij de catering.
Nu wat belangrijker zaken:
De heer James Lawrence
140 Elgin Drive
Islington
dus Islington en NIET Richmond
Hoe zit dat dan?

Van: Holly
Aan: Patricia Gillot

Hij woont écht in Richmond, het halve huis zit verpakt in bouwplastic, enorme uitbouw aan de achterkant.
Misschien is dat het adres van een vriend?

Van: Patricia Gillot
Aan: Holly

Hoe weet je dat hij in Richmond woont?

Van: Holly
Aan: Patricia Gillot

Dat heeft hij me verteld.

Van: Patricia Gillot
Aan: Holly

Ja, maar misschien heeft hij dat wel gelogen.

Van: Holly
Aan: Patricia Gillot

Oké, maar waarom zou hij liegen?

Van: Patricia Gillot
Aan: Holly

Daar moeten we achter zien te komen.
Dus je hebt zijn enorme huis in Richmond nooit gezien en ook geen foto's van die gigantische uitbouw?

Van: Holly
Aan: Patricia Gillot

Nee, ik wilde er op een avond heen maar toen zei James iets over dat het te ver buiten de stad was – in Richmond? Denk jij dan dat hij in een piepklein flatje in Islington woont en dat andere gewoon heeft verzonnen?

Van: Patricia Gillot
Aan: Holly

Ik vind het verschrikkelijk om haar ter sprake te brengen, maar waar woont Jennie?

Van: Holly
Aan: Patricia Gillot

Nee, zij woont niet in Islington.

Van: Patricia Gillot
Aan: Holly

Richmond is te ver, maar als hij had gezegd dat hij in Islington woonde, had je daar in een vloek en een zucht kunnen zijn.

Volgens mij liegt hij. Hij vertelt meisjes dat hij in een of ander chic paleisje in Richmond woont, terwijl hij in werkelijkheid een armoedig leven leidt in een of ander rattenhol in Islington.

Van: Holly
Aan: Patricia Gillot

Maar Islington is toch ook behoorlijk duur?

Van: Patricia Gillot
Aan: Holly

Kan toch een hol zijn.

Misschien doet hij zelfs wel een accent na, ik vermoed dat hij net zo praat als ik.

Als hij bij jou is, is het gewoon een en al 'geef mij maar een gin en wat kaviaar' en thuis is het 'doemmij moar een pils en wat kaantjes moppie!'

Van: Holly
Aan: Patricia Gillot

Hou op, ik pies in mijn broek van het lachen!

Van: Patricia Gillot
Aan: Holly

Het is waarschijnlijk niet eens zijn echte naam, hij heet waarschijnlijk Jimbo, waarschijnlijk heeft hij ergens een tweedehands Escort verborgen staan.

Van: Holly
Aan: Patricia Gillot

Hoezo?

Van: Patricia Gillot
Aan: Holly

Vraag dat maar aan hem, zeg de volgende keer als hij langsloopt maar: 'Oi Jimbo! Ken je me de volgende keer dat ik in je landhuissie ben een proefritje geve met dat tweedehansie van je?'

Van: Holly
Aan: Patricia Gillot

Het is zover – je hebt het voor elkaar – ik heb de slappe lach – ik ben weg voordat er ongelukken gebeuren.

xx

Van: Toby Williams
Aan: Holly
Onderwerp: Wil graag praten

Hai.

Van: Charlie Denham
Aan: Holly
Onderwerp: Waarom ik niets heb laten horen

Ik ben de club kwijt.
Charlie

Van: Holly
Aan: Charlie Denham

Hè? Waarom heb je me dat niet verteld – alles goed met je?

Van: Shella Hamilton-Jones
Aan: Holly
Onderwerp: Jaarverslag; jouw research

Holly
Ik wil dolgraag volgende week nog een keer bij elkaar komen, laat me weten welke middag jou het beste uitkomt.
Nu ik jouw verslaglegging wat beter heb kunnen bekijken, moet ik zeggen dat ik danig onder de indruk ben en je me behoorlijk nieuwsgierig hebt gemaakt, omdat ik nergens op je cv iets kan ontdekken wat met een opleiding in evenementenorganisatie of projectmanagement te maken heeft.
Groeten
Shella

Van: Holly
Aan: Toby Williams
Onderwerp: Praten

Waarom mail je me?

Van: Toby Williams
Aan: Holly

Ik wil met je praten.

Van: Holly
Aan: Toby Williams

Nee Toby, alsjeblieft niet.

Van: Toby Williams
Aan: Holly

Ik weet dat je getrouwd bent geweest.

Van: Holly
Aan: Toby Williams

Hè?

Van: Toby Williams
Aan: Holly

Ik weet dat hij een schoft was en dat je geen enkele reden hebt om mannen te vertrouwen, maar alsjeblieft Holly.
Ik wil gewoon alles uit de wereld helpen, kunnen we vanavond iets afspreken?

Van: Holly
Aan: Toby Williams

Toby, doe dit niet. Alsjeblieft. Ik wil niet meer terug.
Alsjeblieft Toby, laat het rusten.

Van: Toby Williams
Aan: Holly

Ga vanavond mee uit en laat het me uitleggen. Alsjeblieft.

Van: Patricia Gillot
Aan: Holly
Onderwerp: Pijn

Ik krijg pijn aan mijn reet op deze stoel. Ik ga een peuk roken, alles oké?

Van: Holly
Aan: Patricia Gillot

Prima.
x

Van: Patricia Gillot
Aan: Holly

Leuk om jouw Jason vanavond te zien – ben zo terug.

Van: Holly
Aan: Shella Hamilton-Jones
Onderwerp: Jaarverslag: jouw research

Shella
Ik kan volgende week elke dag – ik moet het alleen even met Judy en Trisha overleggen enz.
Betr. – evenementen & projectmanagement opleiding – ik heb gewoon op het internet gekeken enz.
Vriendelijke groet
Holly

Van: Shella Hamilton-Jones
Aan: Holly

Holly
Even voor alle duidelijkheid: jij bent op het internet gegaan en je hebt dat allemaal in een week geleerd?
Shella

Van: Holly
Aan: Shella Hamilton-Jones

Ja.

Van: Holly
Aan: Patricia Gillot
Onderwerp: Shella

Zou het kunnen dat Shella een kopie van mijn cv heeft?

Van: Patricia Gillot
Aan: Holly

Natuurlijk. Hoezo? En heb je al besloten wat je aan James' goocheme adresgedoe gaat doen?

Van: Holly
Aan: Patricia Gillot

Helemaal niets – wat zou ik moeten doen?

Van: Toby Williams
Aan: Holly
Onderwerp: Vanavond

Je hebt me nog geen antwoord gegeven, ik blijf niet aandringen, ik zou het gewoon erg fijn vinden als je meekwam zodat ik met je kan praten.
Zo niet, dan is dat goed en dan beloof ik dat je nooit meer wat van me zult horen.
Toby

Van: Shella Hamilton-Jones
Aan: Holly
Onderwerp: Internet

Holly
Ik kan het nauwelijks geloven, maar je werk is erg goed, en dat is het belangrijkste.
Ik zal je nog het tijdstip mailen waarop we volgende week weer bij elkaar komen.
Shella

Van: Holly
Aan: Toby Williams
Onderwerp: Hallo

Ben je daar?

Van: Toby Williams
Aan: Holly

Ja.

Van: Holly
Aan: Toby Williams

Ik wilde gewoon niets schrijven dat door iedereen daarboven gelezen kan worden, als jij aan het lunchen bent of zo.

Van: Toby Williams
Aan: Holly

Nee, ik ben hier, niemand in de buurt. Ik denk dat de meesten van hen nog in de bar zitten.

Van: Holly
Aan: Toby Williams

Bedankt voor afgelopen vrijdag.

Van: Toby Williams
Aan: Holly

Graag gedaan.

Van: Holly
Aan: Toby Williams

Ik deed het allemaal niet zo best.

Van: Toby Williams
Aan: Holly

Je deed het prima.

Van: Holly
Aan: Toby Williams

Niet waar.

Ik dacht dat dat soort dingen makkelijker zou worden, maar het wordt juist steeds lastiger naarmate ik ouder word. Ik ben veel dingen kwijtgeraakt.

Van: Toby Williams
Aan: Holly

Dat denk ik niet.

Van: Holly
Aan: Toby Williams

Wel waar. Weet je nog dat wij het altijd opnamen tegen al die groepjes en bendes en ze met gelijke munt terugbetaalden?

Van: Toby Williams
Aan: Holly

Natuurlijk.

Van: Holly
Aan: Toby Williams

Toen ik daar afgelopen vrijdag stond, had ik opeens het gevoel weer terug te zijn in die kantine, en jij was daar bij me, en we betaalden ze met gelijke munt terug. Het was eng. Heel raar.

Van: Toby Williams
Aan: Holly

Voor mij ook. Ik wil je gewoon terug Holly, geef me een kans.

Van: Holly
Aan: Toby Williams

Dat kan ik niet.

Van: Toby Williams
Aan: Holly

Ik ben altijd van je blijven houden Holly, altijd. Geef me gewoon een kans. Alsjeblieft.

Van: Holly
Aan: Toby Williams

Ik hield ook van jou, heel erg veel.
Maar ik kan echt niet terug, begrijp dat alsjeblieft.
Toen jij wegging was het allemaal zo moeilijk. Te moeilijk. Ik wil nu sterker worden en ik wil nooit meer op jouw schouder leunen, of op die van iemand anders.
Te veel ups en downs, ik kan dat allemaal niet aan, sorry Toby.
xx

Van: Toby Williams
Aan: Holly

Ik kom naar beneden Holly, ik ga het niet opgeven.

Van: Holly
Aan: Patricia Gillot
Onderwerp: Ik ga naar buiten

Ik ga naar buiten, als je Toby ziet zeg dan nee.
Sorry.
x

Van: Patricia Gillot
Aan: Holly

Nee wat? Wat is er aan de hand, heb je me nodig moppie?

Van: Aisha
Aan: Holly; Jason GrangerRM
Onderwerp: Ik

werd erg dronken, ben getrouwd.
zie foto

Maand 5, week 1

Van: Holly
Aan: Jason GrangerRM
Onderwerp: Huwelijk???

Hoihoi
Geef even een seintje als onze gestoorde vriendin binnen is!!!
xxx

Van: Jason GrangerRM
Aan: Holly

Ze komt niet.

Van: Holly
Aan: Jason GrangerRM

Dus je hebt haar gesproken???

Van: Jason GrangerRM
Aan: Holly

Ze heeft zich ziek gemeld, uiteraard.

Van: Holly
Aan: Jason GrangerRM

En, wat deed ons ondeugende nestje nou in een trouwjurk?

Van: Jason GrangerRM
Aan: Holly

De vraag is, was het wel een trouwjurk?

Van: Holly
Aan: Jason GrangerRM

Hou op met dat getreiter, weet je het of niet?

Van: Jason GrangerRM
Aan: Holly

Nee.

Heb haar zelf niet gesproken, en nu neemt ze de telefoon niet op, ik zal je op de hoogte houden wat betreft mevrouw – hoe ze ook heet.

Maar dit is in ieder geval wel iets waarvan ik me kan voorstellen dat ze dat op haar huwelijk zou dragen.

Van: Holly
Aan: Jason GrangerRM

Ja, totaal ongepast, echt een volslagen sloerie, iets waarvan ik alleen maar zou kunnen dromen dat ik ermee weg kon komen (op een gekostumeerd bal).

Ben dol op haar.

Van: Charlie Denham
Aan: Holly
Onderwerp: Huur

Tenzij we doorkomen met de achterstallige huur laten ze ons niet meer in de club.

Charlie

Van: Holly
Aan: Charlie Denham

Heb ik gehoord. Hoe lang heb je?

Van: Charlie Denham
Aan: Holly

Een paar weken misschien, hoop ik.

Van: Holly
Aan: Charlie Denham

Als ik je kon helpen, zou ik dat waarschijnlijk doen (hoe ik me er ook tegen zou verzetten). Sorry Charlie

xx

Van: Holly
Aan: Patricia Gillot
Onderwerp: Vrijdagavond

Mogge dronkenlap. Vond het geweldig vrijdagavond, bedankt.
xxxxx

Van: Patricia Gillot
Aan: Holly

Het was leuk hè en we zijn dol op beeldschone Jason.
Hij is zo grappig, Les en ik lagen de hele avond in een deuk. Mijn Vikki viel op hem en ze zou hem maar wat graag bekeren!

Van: Patricia Gillot
Aan: Holly
Onderwerp: Jouw ex

Maar wat gaan we nou doen aan dat adresgedoe van James?

Van: Holly
Aan: Patricia Gillot

Niets?

Van: Patricia Gillot
Aan: Holly

Wil je niet weten waarom hij gelogen heeft?

Van: Holly
Aan: Patricia Gillot

Het gaat beter met me als ik helemaal niet aan hem noch aan Jennie denk.

Van: Patricia Gillot
Aan: Holly

Nou, ik laat het er niet bij zitten, ik ben een echt nieuwsgierig aagje en ik wil het weten.

Van: Jason GrangerRM
Aan: Holly
Onderwerp: Jouw referentie

Ene Hillary van 'PZ van Huerst & Wright' belde net voor een referentie voor jou.

Toen ik probeerde er een te geven, klonken ze niet erg onder de indruk, ze wilde het bijvoorbeeld checken met onze PZ-afdeling enz.

Ik heb hun dit toch al maanden geleden gegeven?

Van: Holly
Aan: Jason GrangerRM

Ik durf te wedden dat Shella iets in gang heeft gezet, ze klonk erg wantrouwig vorige week.

Van: Jason GrangerRM
Aan: Holly

Dat is dan je eigen schuld, ik heb tegen je gezegd dat je je niet beter moest voordoen dan je bent.

Van: Holly
Aan: Jason GrangerRM

Dat deed ik ook niet, wilde het gewoon goed doen, trouwens, wat heb ik hieraan? Wat zal jullie afdeling PZ zeggen als ze ze direct benaderen voor een referentie?

Van: Jason GrangerRM
Aan: Holly

Ze zullen de data waarschijnlijk bevestigen, dat je hier twee weken bent geweest en niet twee jaar...

Van: Holly
Aan: Jason GrangerRM

O hoera. Super, dat is echt heel fijn.

Van: Jason GrangerRM
Aan: Holly

Je zult nu waarschijnlijk open kaart moeten spelen.

Van: Holly
Aan: Jason GrangerRM

Dat kan toch niet, dan gaan ze me zeker ontslaan.

Van: Jason GrangerRM
Aan: Holly

Als je Trisha de waarheid zou vertellen, kon je het haar vragen.
(Holly! Zit me niet zo boos aan te kijken.)

Van: Holly
Aan: Jason GrangerRM

Het is nu een beetje laat, maar ik weet het, ik weet het.
Moet ervandoor, weer dat conferentiegedoe met Shella.
x

DINSDAG

Van: Jason GrangerRM
Aan: Holly
Onderwerp: Ik heb zitten denken

Ik wil een baby.

Van: Holly
Aan: Jason GrangerRM

Ik ben er nog niet klaar voor Jason, en trouwens, ik ben jouw type niet (ik heb gemene borstjes).

Van: Jason GrangerRM
Aan: Holly

Weet ik, behoorlijk afstotelijk.
Ik ben een beetje weemoedig.
☹

Van: Holly
Aan: Jason GrangerRM

Krijg je weer vaderlijke gevoelens?

Van: Jason GrangerRM
Aan: Holly

Ja.

Van: Holly
Aan: Jason GrangerRM

Nou, ik heb iets gelezen in ons receptionistenblaadje, je zou een kind kunnen sponsoren, dan krijg je een brief van hem en schoolrapporten en zo, kijk maar even op http://www.frontofhousemagazine.co.uk/loveachild. asp

En als dat niets is, kan ik vragen of zwangere Pam je even belt, dan zou je wel van gedachten veranderen.

xxxxx

Van: Jason GrangerRM
Aan: Holly

Dank je.

x

Van: Shella Hamilton-Jones
Aan: Holly; Judy Perkins
Onderwerp: Holly

Beste Judy

Zou ik Holly deze week nog een paar middagjes mogen lenen? Ik wil haar graag betrekken bij andere terreinen wat betreft het plannen van deze conferentie. (Ik heb Holly deze e-mail ook gestuurd.)

Groeten

Shella

Van: Alice en Matt
Aan: Holly
Onderwerp: Oma

Hoi Holly

Ik sprak Mam vandaag en zij vertelde me dat oma de laatste tijd steeds vaker naar de kerk gaat.

Volgens Mam komt dat omdat oma nadenkt over het hiernamaals en wat haar daar te wachten staat.

☹

Van: Holly
Aan: Oma
Onderwerp: Daar komen de schutters

Ha Oma

Hoe gaat het met u? Hier gaat alles nog steeds zijn gangetje.

Heeft u die videobanden van Daar komen de schutters al gekregen die ik gestuurd heb?

Liefs Holly xxx

Van: Oma
Aan: Holly

Holly

Heel erg bedankt voor die video's, ik heb ze nog niet ontvangen, maar je weet hoe het is met de post.

Heb jij met je moeder gesproken?

Ik weet dat ze geneigd is flaters te slaan maar meestal bedoelt ze het goed. Je kunt beter niet te lang stil blijven staan bij dit soort dingen, want op een dag is het te laat om het weer goed te maken.

Het is natuurlijk jouw beslissing en je mag je bemoeizieke oma best zeggen dat ze op moet sodemieteren als je dat wilt.

Liefs Oma

xxx

Van: Holly
Aan: Oma

Bedankt Oma, ik zal vandaag contact met haar opnemen.

Natuurlijk hou ik hartstikke veel van haar, wilde haar gewoon eerst een beetje laten zweten.

En wat betreft dat goedmaken voordat het te laat is – u heeft toch geen zwartgallige gedachten hè? Alice vertelde dat u veel naar de kerk gaat?

Holly

Van: Oma
Aan: Holly

Holly

Ik heb echt geen zwartgallige gedachten schat, ik vind gewoon dat ruzies niet te lang moeten duren.

Ja, ik ga inderdaad vaak naar de kerk, niet omdat ik zo dichter bij God kan zijn, zoals je moeder denkt, maar om dichter bij de miswijn te komen, want ik kan behoorlijk lazarus worden als het me lukt die kelk lang genoeg vast te houden. Helaas rukt de priester hem op een gegeven moment altijd uit mijn handen om hem aan de volgende arme zondaar te geven. Maar goed, hij doet ook alleen maar zijn werk.

Als ik als een volwassene zou worden behandeld in plaats van als een kind, hoefde ik niet naar de kerk te gaan.

Altijd jouw Oma

Elizabeth

xxx

Van: Holly
Aan: Oma

Oma

op de een of andere wonderlijke manier weet u me altijd aan het lachen te maken!

xxxx

Trisha's inbox

Van: Les
Aan: Trisha
Onderwerp: Ik wacht

En, heb je al iets gehoord?

Van: Trisha
Aan: Les

Ik zit nog steeds te wachten Les, hij heeft nog niet gemaild.

Van: Les
Aan: Trisha

Geef me een seintje als hij dat wel doet oké?

Van: Trisha
Aan: Les

Ik heb toch gezegd dat ik dat zal doen?

Van: Les
Aan: Trisha
Onderwerp: Hallo

Nog nieuws?

Van: Trisha
Aan: Les

Nee Les.

Van: Les
Aan: Trisha
Onderwerp: En?

Nog nieuws?

Van: Trisha
Aan: Les

Wil je alsjeblieft oprotten en me met rust laten Les? Zoek iets anders om te doen!

Van: Les
Aan: Trisha

Rustig, ik vraag het alleen maar, vind jij dat ik met hem mee moet gaan?

Van: Trisha
Aan: Les

Weet ik niet, dat merk ik wel als hij mailt oké?

Van: Dokter Goth
Aan: Trisha
Onderwerp: Testen

Beste Patricia
We moeten nog een afspraak maken voor meer testen. Kun je alsjelieft contact opnemen met de praktijk als je even tijd hebt?
Kelly C
Admi

Van: Jason GrangerRM
Aan: Trisha
Onderwerp: Pssssssssssssss ben je daar?

Ben er klaar voor, ik ga er om 6 uur vanavond heen... Wachten... Spannend!

Van: Trisha
Aan: Jason GrangerRM

Eindelijk, ik dacht al dat je er op het laatste moment tussenuit zou knijpen. Heb je alles wat je nodig hebt?

Van: Jason GrangerRM
Aan: Trisha

Alles wat onontbeerlijk is voor de moderne agent of homospion. Ik heb onze chef-kok wat lekkers bij elkaar laten scharrelen en dat heb ik in een koelbox gestopt, er is genoeg voor als Les het van me over komt nemen.

Van: Trisha
Aan: Jason GrangerRM

O, dat zal hij fijn vinden, moet hij nog iets meenemen?

Van: Jason GrangerRM
Aan: Trisha

Ik hoop dat ik het allemaal al gezien heb tegen de tijd dat hij het overneemt (hoewel ik gisteravond twee uur lang geen barst heb gezien dus wie weet).
Ik heb: een camera, digitaal met zoom, uiteraard, en ten slotte ben ik niet alleen een supercoole agent, maar ook een meester in vermommingen!!!
Ik heb de perfecte outfit gevonden, een soort van Lily Savage* ontmoet Inspector Clouseau... (in feite een snor, een regenjas en een rode pruik die ik geleend heb van een travo vriendje van me).
Ik ben zo opgewonden, ik kan geen adem meer krijgen.

* De Britse komiek en acteur Paul O'Grady, die beter bekend is als zijn alter ego in travestie, Lily Savage.

Van: Trisha
Aan: Jason GrangerRM

James weet toch niet hoe jij eruitziet?

Van: Jason GrangerRM
Aan: Trisha

Nee...?

Van: Trisha
Aan: Jason GrangerRM

Waar ben je dan mee bezig?

Van: Jason GrangerRM
Aan: Trisha

Je moet het goed aanpakken Trisha. Je gaat niet in een auto iemands huis in de gaten zitten houden in je gewone kleren, daar is niks aan.

Van: Trisha
Aan: Jason GrangerRM

Maar als je verkleed gaat als clown, word je gearresteerd moppie.

Van: Jason GrangerRM
Aan: Trisha

Je hebt gelijk, verdomme, oké ik ga als mezelf.

Van: Trisha
Aan: Jason GrangerRM

Heb je Holly al gesproken?

Van: Jason GrangerRM
Aan: Trisha

Ja, ik heb net gedaan alsof ik de hele morgen al chagrijnig ben om haar op een dwaalspoor te brengen, heb gezegd dat ik een baby wilde.
Stuurt ze me vijf minuten later iets over het sponsoren van een kind, de schat – misschien doe ik het nog ook.
Dit is zo leuk!! Jammer dat Aisha het moet missen.

Van: Trisha
Aan: Jason GrangerRM

Holly zou het nooit goedvinden als ze het wist.

Van: Jason GrangerRM
Aan: Trisha

Vertel het haar niet, wat er ook gebeurt.

Van: Trisha
Aan: Jason GrangerRM

Hoe laat ga je op pad?

Van: Jason GrangerRM
Aan: Trisha

Over een uurtje of 3... Mijn hart gaat al als een razende tekeer.

Van: Trisha
Aan: Jason GrangerRM

Zorg dat je niet betrapt wordt, wil je dat mijn Les daarnaartoe komt? Misschien is het goed om wat spierkracht als dekking te hebben.

Van: Jason GrangerRM
Aan: Trisha

O Trisha, als je dat in een homoclub zou zeggen... Ik doe nu ECHT mijn best om geen toespelingen te maken.
Als ik morgenochtend nog steeds niets gezien heb, kan hij het overnemen, ik heb je nummer.

Van: Trisha
Aan: Jason GrangerRM

Oké schat, bel me zodra je iets ziet, hoe laat het ook is.
xxxx

Van: Jason GrangerRM
Aan: Trisha

Doe ik, mijn mooie samenzweerster.

Van: Holly
Aan: Trisha
Onderwerp: Waarom zo vrolijk?

Hoe komt het dat jij er zo zelfvoldaan uitziet?

Van: Trisha
Aan: Holly

Zomaar.

Van: Holly
Aan: Trisha

Kom op Trisha, vertel, waarom zit je zo te giechelen?

Van: Trisha
Aan: Holly

Een meisje mag toch zeker weleens in zichzelf giechelen?

Van: Holly
Aan: Trisha

Glimlachen oké, maar echt onvervalst gelukkig zijn is waarschijnlijk niet toegestaan, ik zal het even in het handboek opzoeken.

Van: Trisha
Aan: Holly

Blllllluuuuuuu

Van: Holly
Aan: Trisha

Patricia Gillot, stak jij net je tong naar mij uit????

Van: Trisha
Aan: Holly

JA Ha ha.
O, en ik vind het helemaal niet fijn dat je steeds door Shella weggekaapt wordt van mijn receptiebalie, het is niet eerlijk, ik wil niet met een inval werken.

Van: Holly
Aan: Trisha

Sorry.

Van: Trisha
Aan: Les
Onderwerp: Nieuws

Hij heeft alles geregeld, hij had zelfs een snor en een pruik.

Van: Les
Aan: Trisha

Waar heeft hij die nou voor nodig?

Van: Trisha
Aan: Les

Hij is er gewoon opgewonden over, hij heeft eten voor je en zo, maar je hoeft er vannacht niet heen, je kunt morgenochtend gaan als hij nog niets gezien heeft.

Van: Les
Aan: Trisha

O oké, wat eten we vanavond?

Van: Trisha
Aan: Les

Kreeft met sinaasappelsaus, gevolgd door kokostruffels, tevreden?

Holly's inbox

Van: Holly
Aan: Patricia Gillot
Onderwerp: Waarom zo vrolijk?

Hoe komt het dat jij er zo zelfvoldaan uitziet?

Van: Patricia Gillot
Aan: Holly

Zomaar.

Van: Holly
Aan: Patricia Gillot

Kom op Trisha, vertel, waarom zit je zo te giechelen?

Van: Patricia Gillot
Aan: Holly

Een meisje mag toch zeker weleens in zichzelf giechelen?

Van: Holly
Aan: Patricia Gillot

Glimlachen oké, maar echt onvervalst gelukkig zijn is waarschijnlijk niet toegestaan, ik zal het even in het handboek opzoeken.

Van: Patricia Gillot
Aan: Holly

Blllllluuuuuuu

Van: Holly
Aan: Trisha

Patricia Gillot, stak jij net je tong naar mij uit????

Van: Patricia Gillot
Aan: Holly

JA Ha ha.
O, en ik vind het helemaal niet fijn dat je steeds door Shella weggekaapt wordt van mijn receptiebalie, het is niet eerlijk, ik wil niet met een invaller werken.

Van: Holly
Aan: Patricia Gillot

Sorry.

Van: Holly
Aan: Mam en Pap
Onderwerp: Wapenstilstand?

Zullen we weer vriendjes zijn?
Holly

Van: Mam en Pap
Aan: Holly

Ja Holly, dat zou ik heel fijn vinden.

Van: Holly
Aan: Mam en Pap

Ik vind het helemaal niet leuk om ruzie met je te hebben Mam, echt niet.

Van: Mam en Pap
Aan: Holly

Ik ook niet, de afgelopen weken waren echt afschuwelijk.

Van: Holly
Aan: Mam en Pap

Bemoei je er dan alsjeblieft niet meer mee Mam.
Ik weet dat het allemaal met de beste bedoelingen gebeurt, maar meestal heeft niemand er iets aan.

Van: Mam en Pap
Aan: Holly

Wil je me alsjeblieft bellen?
Ik wil alleen maar weer een keer met mijn dochter praten.
Kun je me nu alsjeblieft bellen?
Mam

Van: Holly
Aan: Mam en Pap

Ik vraag het even aan Trisha en dan bel ik je uit een vergaderzaal.
houvanje
xx

WOENSDAG

Van: Jennie Pithwait
Aan: Holly
Onderwerp: Postkamer?

Holly
Toen ik afgelopen vrijdag langsliep viel het me per ongeluk op dat jullie
daar beneden als gekken enveloppen zaten te vullen.
Je moeder zal wel ontzettend trots op je zijn!
Ik durf te wedden dat je er wel twintig per minuut kunt vullen als je heel
goed je best doet!
Ik heb gehoord dat ze voor de conferentie zijn waar ik naartoe ga, dus zorg
er alsjeblieft voor dat ik die van mij op tijd krijg schat.
x
J

Van: Patricia Gillot
Aan: Holly
Onderwerp: Oi Parttimer!

Mag ik jou voor de rest van de dag houden?
Of ga je boven weer aan de boemel?

Van: Holly
Aan: Patricia Gillot

Sorry Trish, hoe was jouw ochtend?

Van: Patricia Gillot
Aan: Holly

Eerlijk gezegd k*t schat. Ik ben gewend geraakt aan jouw gezicht, hoe triest dat ook klinkt.

Van: Holly
Aan: Patricia Gillot

Ik kreeg net een e-mail van gemene Jennie, zij is het meest verachtelijke kreng aller tijden! Ik had verwacht dat ze sinds onze schooltijd wel veranderd zou zijn maar...

Holly
Toen ik afgelopen vrijdag langsliep viel het me per ongeluk op dat jullie daar beneden als gekken enveloppen zaten te vullen.
Je moeder zal wel ontzettend trots op je zijn!
Ik durf je wedden dat je er wel twintig per minuut kunt vullen als je heel goed je best doet!
Ik heb gehoord dat ze voor de conferentie zijn waar ik naartoe ga, dus zorg er alsjeblieft voor dat ik die van mij op tijd krijg schat.
x J

Van: Patricia Gillot
Aan: Holly

Ik zou haar voor iets minder dan de prijs van een nieuwe Mercedes kunnen laten verdwijnen?

Van: Holly
Aan: Patricia Gillot

Zoveel heb ik niet.
Wat dacht je van de prijs van een tweedehands Mini met motorproblemen?

Van: Patricia Gillot
Aan: Holly

Daarvoor kan ik een van haar nagels scheuren?

Van: Holly
Aan: Patricia Gillot

Echte of valse?

Van: Patricia Gillot
Aan: Holly

Echte, ik zal je een telefoonnummer geven, hij zit altijd in The Gun.
(Grapje – ik weet wel wat je bedoelde.)
En, ga je dat kreng van boven nog terugschrijven?

Van: Holly
Aan: Patricia Gillot

Ik denk dat ik er haar wel een terugstuur ja.
Ik wil echt dat hier een einde aan komt – ik ben het echt zat en eerlijk gezegd trek ik het niet zo lang meer.
Ik word er zo gespannen van en mijn hart gaat tekeer en ik raak opgefokt en boos. Zo wil ik me niet voelen op mijn werk, ik wil erboven staan, maar ze is zo goed in gemeen zijn. Ze is echt een vals kreng.

Van: Patricia Gillot
Aan: Holly

Boontje komt om zijn loontje, alleen zou ik graag willen dat het wat sneller ging.
PS – Waag het niet om mij in de steek te laten!
xxx
Vooruit, schrijf iets terug, ze verdient het, ik daag je uit...

Van: Holly
Aan: Patricia Gillot

Ze ondertekent nu zelfs met J – net als hij... grrrrrrrrrr

Van: Holly
Aan: Jennie Pithwait
Onderwerp: Belangrijk

Jennie
Mijn ouders zijn erg trots op me, omdat ik opgegroeid ben tot een zeer evenwichtig mens, met normen en waarden; geen psychotische trut met grootheidswaan.
Liefs
H??
xx

Van: Holly
Aan: Jason GrangerRM
Onderwerp: Aisha

Nog iets gehoord van onze afvallige vriendin?
Haar telefoon staat nog steeds uit.

Van: Jason GrangerRM
Aan: Holly

Niente.

Van: Holly
Aan: Jason GrangerRM

Alles goed met je?

Van: Jason GrangerRM
Aan: Holly

Ja, gewoon moe.

Van: Holly
Aan: Jason GrangerRM

Ik zat te denken: zal ik Trisha de waarheid vertellen?

Van: Jason GrangerRM
Aan: Holly

Succes liefie.
xxxx

Van: Holly
Aan: Patricia Gillot
Onderwerp: Het spijt me...

Ik heb tegen je gelogen.

Van: Patricia Gillot
Aan: Holly

Waarover schat?

Van: Holly
Aan: Patricia Gillot

Nogal veel, maar dat is niet mijn schuld.

Van: Patricia Gillot
Aan: Holly

Je gaat me toch niet vertellen dat je lesbisch bent hè?
Als je op het punt staat uit de kast te komen, dan ben ik blij en zo voor je schat, maar je bent niet mijn type. Ik heb liever wat meer vlees in de kuip.

Van: Holly
Aan: Patricia Gillot

Ik meen het serieus Trisha.
Trouwens, hoeveel vlees zou je willen?

Van: Patricia Gillot
Aan: Holly

Veel meer dan jij hebt. Maar wat is er dan?

Van: Holly
Aan: Patricia Gillot
Onderwerp: Leugentjes om bestwil

In het begin, toen ik hier net werkte, kende ik je niet goed genoeg om je de waarheid te vertellen. En toen leerde ik je wel beter kennen, maar tegen die tijd was het te laat om je de waarheid te vertellen. Dus heb ik dat niet gedaan.
Het is dus niet echt mijn fout, snap je Trishy?

Van: Patricia Gillot
Aan: Holly

Jullie kakkers weten echt niet hoe je die dingen aan moet pakken hè?
Kom op vuile gluiperige sloerie, vertel het je tante Trisha!!!

Van: Holly
Aan: Patricia Gillot

Ik heb maar twee weken als receptioniste in een hotel gewerkt.

Van: Patricia Gillot
Aan: Holly

Ja, dat had ik je ook wel kunnen vertellen. Ik ben heel wat slechte receptionistes tegengekomen in mijn leven, maar jij spande toch wel de kroon. Ik
vermoedde al dat je loog over het feit dat je dit werk al jaren deed. Óf je was
zo stom als het achtereind van een varken.
Maarre, wat heb je dan gedaan?
Toch niet getippeld hè?

Van: Holly
Aan: Patricia Gillot

Nee, Trisha, dat niet. Ik runde een klein evenementenbureau met mijn
man.

Van: Patricia Gillot
Aan: Holly

Weet ik. Ik heb gehoord dat hij een verschrikkelijke klootzak was, dat hij je
altijd sloeg en zo. Ik had ook zo'n man voor Les, nu we het daar toch over
hebben, hij belde net, moet naar hem toe.
Het is trouwens toch stil, tot morgen.
xxx
Ha ha, hou van je,
gore leugenaar.

Van: Patricia Gillot
Aan: Holly
Onderwerp: PS....

Je moet eens een hartig woordje met die vrienden van je praten, die zijn
totaal niet te vertrouwen. Die Jason bijvoorbeeld kan echt geen geheimen
bewaren.
ha ha

Van: Holly
Aan: Patricia Gillot

Ik vermoord hem!!! Fijne avond.

Van: Jason GrangerRM
Aan: Holly
Onderwerp: Stoute meisjes!!!!

Ik heb net Aisha gebeld en ik weet zeker dat ik een buitenlandse kiestoon hoorde voordat de verbinding werd verbroken, ik denk dat ze nog steeds op Ibiza is, of in Rusland, of Egypte. Eigenlijk heb ik geen idee waar ze uithangt, maar ze is niet in dit land en niet in dit hotel.

Ik ga een heeeeeeeeeeeel hartig woordje met die dame spreken als ze weer boven water komt.

DONDERDAG

Van: Jason GrangerRM
Aan: Holly
Onderwerp: Niemand de deur uit!!!

Aisha komt binnen!!!! Het wordt vandaag met de minuut spannender.

Van: Holly
Aan: Jason GrangerRM

Eindelijk!! Wat is er nog meer zo spannend??

Van: Jason GrangerRM
Aan: Holly

O zoveel Holly, wat leven we toch in een rare wereld hè?

Van: Holly
Aan: Jason GrangerRM

Hoezo rare wereld? Heb ik iets gemist qua beroemdhedenroddels?

Van: Jason GrangerRM
Aan: Holly

Nee. Echt niet.

Van: Patricia Gillot
Aan: Holly
Onderwerp: Wat een geweldige dag

Mogge Holly.

Van: Holly
Aan: Patricia Gillot

Mogge. En waarom zit jij zo te stralen?

Van: Patricia Gillot
Aan: Holly

O, zat ik te stralen?

Van: Holly
Aan: Patricia Gillot

Ja en dat vind ik eng, hou er alsjeblieft mee op.
Wat is er aan de hand, heb je weer iets plakkerigs op mijn stoel gelegd?

Van: Patricia Gillot
Aan: Holly

Nee.

Van: Holly
Aan: Patricia Gillot

Mijn rok zat toch niet in mijn onderbroek gepropt hè?

Van: Patricia Gillot
Aan: Holly

Ik ben gewoon gelukkig. Het leven is een grote verrassing toch?

Van: Holly
Aan: Jason GrangerRM
Onderwerp: Ibiza chick

Is ze er al? Ik kon haar gisteravond nog steeds niet te pakken krijgen. Waar zit dat asootje?

Van: Jason GrangerRM
Aan: Holly

Ze zit ongeveer vier meter van me af, sniffend en snuivend en hopend dat het iemand opvalt dat ze verkouden is, ze doet haar best er erg meelijwekkend uit te zien.

Van: Holly
Aan: Jason GrangerRM

Trap jij erin?

Van: Jason GrangerRM
Aan: Holly

Wat dacht je?

Van: Holly
Aan: Jason GrangerRM

Kan ik haar mailen of negeert ze iedereen?
En hoe zit het nou? Is het nou waar of niet?

Van: Jason GrangerRM
Aan: Holly

Tja, daar is nog steeds geen duidelijkheid over, ik heb geen idee.
Ze zei dat het een lang verhaal was en zich nog niet goed genoeg voelde
om het te vertellen. Ze weet dat wij allebei razend nieuwsgierig zijn dus ze
doet er alles aan om het net zo lang te rekken tot ik aardig voor haar ben.
Ze probeert mensen uit te checken zonder haar mond open te doen.

Van: Holly
Aan: Jason GrangerRM

Och die arme schat, misschien is ze wel ziek???

Van: Jason GrangerRM
Aan: Holly

Ze is niet ziek, tenzij dokters tegenwoordig whisky voorschrijven tegen
verkoudheid – ze ruikt als een dronken zwerver uit het park, ze heeft gewoon een kater. Ik zit nu naar haar te kijken en ze weet dat ik naar haar
kijk en ze probeert er zo zwakjes mogelijk uit te zien.
Oeps daar gaat ze, hoofd omhoog, en eindelijk heeft ze me gezien.

Van: Jason GrangerRM
Aan: Aisha; Holly
Onderwerp: Aan de zieke

Aan de zieke:

Hallo liefie, je voelt je niet zo goed hè?

Een week lang in bed om te herstellen van levensbedreigende ziektes?

Zeg eens dag tegen je vriendinnetje Holly, zij maakt zich ook zorgen over je!

Van: Aisha
Aan: Holly; Jason GrangerRM

Holly

Ha moppie, hoe is het?

Heb je gehoord hoe afschuwelijk Jason tegen me doet?

Ik probeer te herstellen van de griep en hij laat me al die mensen uitchecken, hij houdt niet meer van me.

☹

Van: Holly
Aan: Aisha; Jason GrangerRM

Volgens mij heeft hij ontzettend veel geduld met je gehad Aisha.

En ik heb de neiging je Aisha Peters te noemen, maar ik heb geen idee of dat je echte naam is – is dat zo of niet?

Van: Aisha
Aan: Holly; Jason GrangerRM

Voor jou zal ik altijd Aisha Peters blijven Holly, hoewel Jason me gewoon 'de zieke' noemt, arme ik.

☹

Van: Holly
Aan: Aisha; Jason GrangerRM

Hou op met die gezichtjes – Jason zegt altijd tegen me dat het noch leuk noch slim is. En ben je nou getrouwd met je baas?

Van: Aisha
Aan: Holly; Jason GrangerRM

Nee.

Van: Jason GrangerRM
Aan: Holly; Aisha

Holly
Ik zie dat ondeugende lachje op haar gezicht verschijnen.
Ze probeert het te verstoppen achter haar hand, maar ik zie het toch.

Van: Aisha
Aan: Jason GrangerRM; Holly

O, jij moet me wel echt hebben hè meneer Jason, arme Aisha en nog wel op haar huwelijksreis. ☹

Van: Jason GrangerRM
Aan: Aisha; Holly

VERTEL!!!!!!!!!

Van: Aisha
Aan: Holly; Jason GrangerRM

Oké, zitten jullie goed?

Van: Holly
Aan: Aisha; Jason GrangerRM

JA!

Van: Jason GrangerRM
Aan: Aisha; Holly

JA!

Van: Aisha
Aan: Jason GrangerRM; Holly

Dan zal ik beginnen.
Ten eerste, mag ik even pauzeren Jason? Ik ben zo koortsig en ik heb zo'n dorst en mijn arme hoofdje gloeit zó dat ik volgens mij zeker doodga.

Van: Jason GrangerRM
Aan: Aisha; Holly

Oké oké, wat je maar wilt, je mag hierna naar huis, vertel het gewoon!

Van: Aisha
Aan: Jason GrangerRM; Holly

Oké, het was gewoon een gekostumeerd bal.

Dankjewel Jasie, bel je morgen Holly.

Ik zal tegen Maria zeggen dat ze het over moet nemen Jason.

Tot morgen.

Liefs en kusjes

Aishy

Van: Jason GrangerRM
Aan: Holly

Ik heb een borrel nodig.

Van: Patricia Gillot
Aan: Holly
Onderwerp: Tijd voor een verhaaltje

Vertel eens wat over dat bedrijf?

Van: Holly
Aan: Patricia Gillot

We deden evenementen, trouwerijen, feesten, ontzettend leuk in het begin.

Van: Patricia Gillot
Aan: Holly

Wat is er gebeurd? Waarom is het over de kop gegaan?

Van: Holly
Aan: Patricia Gillot

Wie zegt dat het over de kop is gegaan?

Van: Patricia Gillot
Aan: Holly

Maar waar is het dan? Wat is er met je huis gebeurd?

Van: Holly
Aan: Patricia Gillot

Ik schaam me een beetje om het toe te geven, maar ik was er nogal slecht aan toe toen hij vertrok. Hij maakte me bang, hij liet me het bedrijf aan hem overmaken en haalde het actief vermogen uit het huis dat we hadden.

Ik heb er echt een zooitje van gemaakt, kon de rekeningen niet betalen en liet het allemaal op zijn beloop, kon het gewoon niet opbrengen om dingen te regelen.

Jason was geweldig, zo'n lieve schat, hij lette op me, heeft me er weer bovenop geholpen enz. Hij is gewoon de allerbeste vriend die je je maar wensen kunt.

Van: Patricia Gillot
Aan: Holly

Jij hoeft je nergens voor te schamen. Waar is Sebastian nu?

Van: Holly
Aan: Patricia Gillot

Weet niet waar hij woont. Ik weet wel dat het bedrijf goed loopt, het zit in Canary Wharf.

Van: Patricia Gillot
Aan: Holly

Hoe goed?

Van: Holly
Aan: Patricia Gillot

Erg goed.

Van: Patricia Gillot
Aan: Holly

Bijvoorbeeld?

Van: Holly
Aan: Patricia Gillot

Nou ze hebben bijvoorbeeld pas de muziekprijzen gedaan, ze doen alle grote shows, Jason baalt er echt van, hij wil al die beroemdheden ontmoeten.

Hoe dan ook, het is weg, het is voorbij.

Ik ben nu erg gelukkig.

☺

Van: Patricia Gillot
Aan: Holly

Dat zou ik niet zijn, ik zou me ontzettend genaaid voelen, kun je het niet terugkrijgen?

Van: Jason GrangerRM
Aan: Holly
Onderwerp: Aisha

Ze liegt.
Ik weet dat ze getrouwd is en echt Holly, ik deed het niet expres, maar ik belandde toevallig in een telefoongesprek dat ze met haar dochter voerde en ze vertelde haar erover.
Weet alleen niet met wie.

Van: Holly
Aan: Jason GrangerRM

???
Maar waarom zou ze tegen ons liegen?

Van: Holly
Aan: Mam en Pap
Onderwerp: Toby

Mam ik denk de laatste tijd steeds vaker aan Toby.
Wat vond jij nou echt van hem?

Van: Mam en Pap
Aan: Holly

Holly
Fijn om wat van je te horen schat.
Maar waarom vraag je mij naar Toby?
Liefs Mam

Van: Holly
Aan: Mam en Pap

Ik vraag het aan jou, omdat jij er misschien nog iets over kunt vertellen. Jij hebt hem een paar keer ontmoet, ik ken niemand anders die hem kent.

Van: Mam en Pap
Aan: Holly

Hij was best aardig, slechte manieren, ik weet nog dat hij lelijk haar had, verschrikkelijk haar Holly.

Maar ik snap niet waarom je dat wilt weten, je bent toch niet van plan om weer iets met hem te beginnen schat?

Je praatte toch niet meer met hem?

Mam

Van: Holly
Aan: Mam en Pap

Het zal je deugd doen om te horen dat zijn haar nu beter zit Mam. Hoe is hij weer vertrokken die dag dat hij langskwam? Wat heeft hij tegen je gezegd?

Van: Mam en Pap
Aan: Holly

Holly

Ik zei tegen hem dat jij erg van streek was en dat jullie allebei eigenlijk te jong waren om al een relatie te hebben die zo overduidelijk seksueel was. We kregen ruzie, hij vertrok. Zie je hem weer Holly?

Van: Holly
Aan: Mam en Pap

Hij heeft blauwe ogen, ik heb er in die tijd niet veel aan gedacht, maar ze zijn blauw. James heeft bruine ogen.

Nee Mam, dat doe ik niet. Geen zorgen.

Zit gewoon na te denken.

VRIJDAG

Van: Jason GrangerRM
Aan: Aisha; Holly
Onderwerp: Bruiloft

Maar waar was dat gekostumeerde bal dan, Aish?

Van: Aisha
Aan: Holly; Jason GrangerRM

Dùhhhhhh – Ibiza?

Van: Holly
Aan: Aisha; Jason GrangerRM

En het thema was bruiloften?

Van: Aisha
Aan: Holly; Jason GrangerRM

Ja, dat zei ik al.

Van: Jason GrangerRM
Aan: Aisha; Holly

Ik neem aan dat er ook iemand als priester of dominee verkleed kwam?

Van: Aisha
Aan: Jason GrangerRM; Holly

Ja...?

Van: Jason GrangerRM
Aan: Aisha; Holly

En heeft die priester of dominee jou op die avond wat beloften laten herhalen?

Van: Aisha
Aan: Holly; Jason GrangerRM

Misschien wel.

Van: Holly
Aan: Aisha; Jason GrangerRM

En werden er op een bepaald moment ringen uitgewisseld schat?

Van: Aisha
Aan: Holly; Jason GrangerRM

Misschien wel.

Van: Jason GrangerRM
Aan: Holly; Aisha

Dat was geen feestje. Dat gebeuren dat jij bijwoonde was wat wij een 'huwelijk' noemen Aisha, en het lijkt er verdacht veel op dat jij de 'bruid' was.

Van: Judy Perkins
Aan: Holly; Patricia Gillot
Onderwerp: Dringend

Beste Trisha en Holly

Ik kreeg net een zeer boos telefoontje van Adam Yastovich met betrekking tot ons beleid om GEEN cliënten met de lift naar boven te begeleiden als we de betreffende gastheer of -vrouw niet te pakken kunnen krijgen.

Mij was niets over dat beleid bekend – kan iemand mij uitleggen waar dit over gaat?

Groeten

Judy

Van: Aisha
Aan: Jason GrangerRM; Holly
Onderwerp: MIJN BRUILOFT

Oké.

Ik heb het gehad met dit schijnwerpergedoe, dit kruisverhoor.

Ik ben getrouwd met een miljonair, hij is knap en rijk en het was een fantastische bruiloft, ik wilde gewoon niet dat jullie jaloers zouden zijn oké?

Van: Holly
Aan: Aisha; Jason GrangerRM

Dat is geweldig lieverd, waarom zou je ons dat niet willen vertellen? Ik ben echt heel blij voor je.

Vertel eens wat over hem, waar heb je hem ontmoet, heb je nog meer foto's?

Van: Aisha
Aan: Holly; Jason GrangerRM

Nee, ik ben verschrikkelijk over mijn toeren, de camera is gestolen.

Maar het was echt fantastisch, ik heb jullie niet uitgenodigd omdat ik dacht dat jullie het me kwalijk zouden nemen. Omdat we elkaar nog niet zo lang kenden.

Dus ik wilde het geheim houden.

Hij heet Julian en hij is ontzettend aardig, zorgzaam en lief.

Het was ongelooflijk, ik had die jurk aan van die foto die ik jullie gestuurd heb en het was in een enorme, prachtige oude kerk.

Na afloop was er een grandioze receptie, ik kwam er aan in een koets met paarden. De gasten dronken champagne in de zon, overal bloemen, het was zo mooi.

Van: Jason GrangerRM
Aan: Aisha; Holly

Alles goed met je Aisha?

Van: Aisha
Aan: Holly; Jason GrangerRM

Ik ben gelukkig, erg gelukkig oké?

Van: Jason GrangerRM
Aan: Aisha; Holly

Neem maar even pauze Aisha, hup.

Van: Aisha
Aan: Jason GrangerRM; Holly

Ik wilde die bruiloft, ik wilde het precies zo, echt.
Het is allemaal gelogen, willen jullie weten waarom ik getrouwd ben?????

Van: Holly
Aan: Jason GrangerRM
Onderwerp: Wat gebeurt daar Jason?

Alles goed met Aisha?

Van: Jason GrangerRM
Aan: Holly

Ik probeerde een arm om haar heen te slaan en toen rende ze hevig jan-kend weg. Ik heb een van de andere meisjes achter haar aan gestuurd, ze is naar de wc's gerend.

Van: Holly
Aan: Jason GrangerRM

Wat is er toch met haar? Zal ik kijken of ik wat eerder met lunchpauze kan en dan naar jullie toe komen?

Van: Jason GrangerRM
Aan: Holly

Oké, wacht even, ze komt terug. Ik hou je op de hoogte.

Van: Holly
Aan: Jason GrangerRM

Als het je lukt haar een knuffel te geven, geef er dan ook een van mij!!!
xxxx
en heel veel kusjes

Van: Aisha
Aan: Holly; Jason GrangerRM
Onderwerp: Sorry

Sorry, ik heb gelogen.
Ik ben getrouwd in Spanje – met Shona's vader.

Van: Holly
Aan: Aisha; Jason GrangerRM

Wat, die man die ervandoor is gegaan en jullie heeft achtergelaten?
Je gaat me toch niet vertellen dat jullie weer bij elkaar zijn Aisha????

Van: Aisha
Aan: Holly; Jason GrangerRM

Ik ben niet terug bij hem. Ik moest hem betalen om te komen oké.

Van: Jason GrangerRM
Aan: Aisha; Holly

Dat begrijp ik niet?

Van: Aisha
Aan: Holly; Jason GrangerRM

Er was geen gigantische bruiloft, geen koets, geen bloemen, hij kwam dronken opdagen.
Ik heb hem betaald om op vakantie naar Ibiza te gaan anders zou hij het niet gedaan hebben, dat was de voorwaarde.
Ik heb die verdomde man van me betaald om met me te trouwen oké. Er was geen prachtige kerk, ik heb gewoon wat dingen getekend, hij sodemieterde weer op.

Ik droom mijn hele leven al over de perfecte bruiloft, Holly, weet je nog dat jij en ik altijd zeiden dat die perfect moest zijn?
het was verdomme niet perfect
ik ben ehct echt inde war okkkkkke
enmag ik nu naar huis jaspn.

Van: Jason GrangerRM
Aan: Aisha; Holly

Alleen als ik je mag knuffelen, waarom ben je met hem getrouwd Aisha?

Van: Aisha
Aan: Holly; Jason GrangerRM

Voor Shona, ze zit op scholl en ik wilde dat ze kon zeggen dat ze een vader heeft, stom, dat weet ik, maar het isi zo.

Van: Jason GrangerRM
Aan: Aisha; Holly

Ga naar huis liefie.
xxx Holly, ik geef haar kusjes van jou.

Van: Holly
Aan: Aisha

We houden allemaal van je Aish.
Geen zorgen.

Van: Patricia Gillot
Aan: Holly
Onderwerp: Cliënten

Maak je geen zorgen over Judy's mail als je maandag terugkomt, ze probeert gewoon haar eigen hachie te redden.
Als het cliënten van Jennie zijn, breng ik die wel naar boven, dan hoef jij die boeventronie van haar niet te zien.
Trish

Trisha's inbox

Maand 5, week 2

MAANDAG

Van: Jason GrangerRM
Aan: Les; Trisha
Onderwerp: Psssssssssssssssst

Ik heb gehoord dat het Russische ballet deze tijd van het jaar goed is, maar waarom draag je een tutu?

Van: Les
Aan: Jason GrangerRM; Trisha

Hè?

Van: Jason GrangerRM
Aan: Les; Trisha

Ik zei 'Ik heb gehoord dat het Russische ballet deze tijd van het jaar goed is, maar waarom draag je een tutu?'

Van: Les
Aan: Jason GrangerRM; Trisha

Omdat het koud is en mijn ballen eraf vriezen. Luister Jason, ik wil 'De Vis' niet meer zijn, dat klinkt sh*t, kan ik niet 'De Jakhals' of 'De Wolf' zijn?

Van: Trisha
Aan: Les; Jason GrangerRM

Doe normaal, Les. En wat gaan we nu doen?

Van: Les
Aan: Jason GrangerRM; Trisha

Zullen we bij elkaar komen?

Van: Jason GrangerRM
Aan: Trisha; Les

Hoe heet die pub waar we de laatste keer waren?

Van: Les
Aan: Jason GrangerRM; Trisha

De Prince Arthur in Eversholt Street?

Van: Jason GrangerRM
Aan: Trisha; Les

Ik kan er rond zes uur zijn?

Van: Trisha
Aan: Les; Jason GrangerRM

Klinkt goed, ik zie jullie daar en dan gaan we een plan maken.

Van: Jason GrangerRM
Aan: Trisha; Les

Oké, ik neem Aisha mee, die kunnen we volgens mij goed gebruiken.
Nu ik een tijdje met haar gewerkt heb kan ik instaan voor haar onoprecht-
heid en vermogen tot liegen.

Van: Trisha
Aan: Jason GrangerRM; Les

Afgesproken en Les, jij bent aan de beurt voor een rondje.

Van: Toby
Aan: Trisha
Onderwerp: Holly

Hai Trisha
heeft ze het ooit over mij gehad?
Toby

Van: Trisha
Aan: Toby

Al een tijdje niet meer lieverd. Als ik dacht dat ik haar op andere gedachten zou kunnen brengen had ik wel weer iets gezegd. Ik heb het een paar keer voor je geprobeerd.

Van: Toby
Aan: Trisha

Dat weet ik Trish, bedankt.

Van: Trisha
Aan: Toby

En wanneer ga je nou weg?

Van: Toby
Aan: Trisha

Morgen laatste dag, ik begin maandag met die baan in Frankrijk.

Van: Trisha
Aan: Toby

Succes schat.
Trisha

Van: Holly
Aan: Trisha
Onderwerp: Een brief voor mij?

Ik heb hier een brief die is geadresseerd aan Holly Denham, Afdeling Nietjes en Paperclips.

Van: Trisha
Aan: Holly

Sorry moppie, ik zei toch dat ik me verveelde, je moet niet meer zoveel tijd daarboven doorbrengen.

Toby's inbox

Van: Trisha
Aan: Toby
Onderwerp: Holly

En wanneer ga je nou weg?

Van: Toby
Aan: Trisha

Morgen laatste dag, ik begin maandag met die baan in Frankrijk.

Van: Trisha
Aan: Toby

Succes schat. Trisha

Van: Toby
Aan: Steve
Onderwerp: Naar huis

Ik verwacht dat er morgenavond om elf uur op een tafel buiten tegenover het plein in Deauville een biertje op me staat te wachten.

Van: Steve
Aan: Toby

Ik zal een rijtje voor je neerzetten maat, zullen we gewoon een paar biertjes drinken en vrijdag flink gaan stappen? Ik heb een meisje aan wie ik je wil voorstellen.

Van: Toby
Aan: Steve

Wie, Elise? Die heb ik toch ontmoet?

Van: Steve
Aan: Toby

Niet voor mij, voor jou, ze is een vriendin van Elise. Zij heeft dat onafhankelijke dat jij zo graag ziet bij een vrouw. Ze is net als Holly, zeker weten.

Van: Toby
Aan: Steve

Jij hebt Holly nooit ontmoet, hoe dan ook, onafhankelijk in de zin van dat ze niet de hele avond bij jullie twee wil blijven?

Van: Steve
Aan: Toby

Jaja, zoiets, ik probeer iets leuks voor je te regelen. Dus dat meisje dat ik voor je gevonden heb is iemand van jouw soort (tenzij je genoeg hebt van aardige meisjes en weer terug wilt naar de foute????)

Van: Toby
Aan: Steve

Ik wil gewoon op het strand liggen en alles vergeten.

Van: Steve
Aan: Toby

Het strand is een goede plek om te beginnen, als je die Franse vrouwen eenmaal gezien hebt, vergeet je alles om je heen.
Ik zei al dat je je tijd in Londen zat te verspillen. Dat heb ik echt gezegd maat.

Van: Toby
Aan: Steve

Iedereen denkt aan zijn eerste vriendinnetje, jij hebt het ook over de jouwe gehad.

Van: Steve
Aan: Toby

Ja, maar ik heb geen baan genomen om alleen maar bij haar te zijn hè??????
Heb je het haar uiteindelijk nou nog verteld?

Van: Toby
Aan: Steve

Wat?

Van: Steve
Aan: Toby

Dat jij daar alleen bent gaan werken om bij haar te zijn?

Van: Toby
Aan: Steve

Nee, zij denkt nog steeds dat het toeval was, het had niet zoveel zin om het te vertellen.

Van: Steve
Aan: Toby

Goed, want dan had je jezelf nog meer voor schut gezet (neem me niet kwalijk dat ik eerlijk ben). Je hebt nu tenminste iets van je trots behouden, soort van.

Ik zou lekker aan de zwier gaan maar ik vermoed dat jij er nogal ondersteboven van bent, dus ik zal je een paar dagen met rust laten.

Van: Toby
Aan: Steve

Ik had niet gedacht dat ze nog steeds boos op me zou zijn.

Van: Steve
Aan: Toby

Gék is het juiste woord, het is maar goed dat je niet bij haar terug bent, je hebt er toen alles aan gedaan om haar weer terug te krijgen.

Je zat in Frankrijk verdomme, op een kostschool, je hebt haar geschreven, gezegd dat je er spijt van had.

Het was trouwens niet eens jouw schuld, jouw ouders hebben je daarin gestopt en zij heeft je nooit teruggeschreven, niet één keer.

Hoeveel brieven waren het ook alweer?

Van: Toby
Aan: Steve

Weet ik niet meer.

Van: Steve
Aan: Toby

Veel, je hebt haar f*cking veel brieven geschreven.

Van: Toby
Aan: Steve

Een paar.

Van: Steve
Aan: Toby

Precies, dus vergeet haar nou maar.

Van: Toby
Aan: Steve

Ik zie je morgen.
Toby

Holly's inbox

Van: Holly
Aan: Patricia Gillot
Onderwerp: Een brief voor mij?

Ik heb hier een brief die is geadresseerd aan Holly Denham, Afdeling Nietjes en Paperclips.

Van: Patricia Gillot
Aan: Holly

Sorry moppie, ik zei toch dat ik me verveelde, je moet niet meer zoveel tijd daarboven doorbrengen.

Van: Jennie Pithwait
Aan: Holly
Onderwerp: Cliënten

Receptioniste
Ik heb gehoord dat ik je binnenkort met mijn cliënten langs zal zien dribbelen.
Goed zo meisje, zo mag ik het zien, alleen erg jammer dat het zover heeft moeten komen...
Het was echt niet mijn bedoeling je zo te kleineren, maar ik denk dat je je plaats nu wel kent?

Van: Holly
Aan: Jennie Pithwait

Helaas zul je mij niet met jouw cliënten langs zien komen, want Trish is zo vriendelijk om de jouwe te doen (in de zeldzame gevallen dat jij niet te bereiken bent).

liefs

Holly

Van: Jennie Pithwait
Aan: Holly

Trouwens, mocht je het nog niet geraden hebben...

De avond voordat jullie naar Spanje vertrokken lag ik bij James in bed, hij was toen laat op het werk... omdat hij het nog een keer wilde doen.

Misschien dat ik hem iets gaf waar jij niet zo goed in was???

PS Ik was daar ook in Spanje, had een vlucht na die van jullie genomen, hij heeft mijn familie in Marbella ontmoet voordat hij die van jou zag.

PPS We zijn verschrikkelijk verliefd en hij heeft me eindelijk verteld dat hij er klaar voor is, inderdaad Holly, we overwegen om te gaan trouwen.

Kusjes

Fijne dag.

Van: Patricia Gillot
Aan: Holly
Onderwerp: Alles in orde?

Je ziet er niet zo best uit, kan ik iets voor je doen?

Van: Holly
Aan: Patricia Gillot

Niks aan de hand.

Van: Patricia Gillot
Aan: Holly

Heb je soms weer een hatemail van Jennie gekregen?

Van: Holly
Aan: Patricia Gillot

Zoiets.

Van: Patricia Gillot
Aan: Holly

Forward je het even?

Van: Holly
Aan: Patricia Gillot

Gaat niet, ik ben misselijk.

Van: Patricia Gillot
Aan: Holly

Hou je taai schat.
xxxx

Van: Roger Lipton
Aan: Holly
Onderwerp: Jouw referenties

Beste Holly
Het is ons niet gelukt om een accurate referentie te krijgen voor de periode dat jij volgens jou gewerkt hebt bij de LHS-Hotelgroep.
Kun je mij uitleggen hoe dat zit?
Hoogachtend
Roger Lipton

Van: Holly
Aan: Roger Lipton

Beste Roger
Ja, het spijt me, ik werkte als zelfstandige.
Mijn man en ik hadden een evenementenbureau in de periode dat ik in het hotel zou hebben gewerkt.
Ik heb wel in dat hotel gewerkt, maar dat was maar voor twee weken.
De enige verklaring die ik heb is dat ik hier echt graag wilde werken en mezelf bewijzen. Mijn cv zou niet opgevallen zijn als er geen receptionistenervaring op had gestaan. Ik hoop dat ik de afgelopen maanden heb aangetoond dat ik over de toewijding, loyaliteit en alertheid beschik die jullie van een lid van het receptieteam verwachten.
Vriendelijke groet
Holly

Van: Holly
Aan: Jason GrangerRM
Onderwerp: Ze hebben me door

Denk dat Shella me in de problemen heeft gebracht... Ik ben op het matje geroepen bij PZ en ze klinken niet blij. Ik heb de waarheid verteld, dat was volgens mij het verstandigste om te doen.

Van: Roger Lipton
Aan: Holly
Onderwerp: Jouw referenties

Holly
Dus je geeft toe dat je gelogen hebt op je cv en dat je geen ervaring als receptioniste hebt?

Van: Holly
Aan: Roger Lipton

Ja, afgezien van die twee weken in het hotel.
Holly

Van: Roger Lipton
Aan: Holly

Holly
Sinds je bij ons in dienst bent, zijn we ervan overtuigd geraakt dat je een toegewijde arbeidskracht bent die hier goed past, je voert de zaken waarvoor je verantwoordelijk bent uit op het niveau dat wij van onze werknemers eisen.
Huerst & Wright is een financiële instelling en onze cliënten vertrouwen ons een enorme verantwoording toe als het gaat om het regelen van hun financiële zaken.
Betrouwbaarheid staat bij ieder van ons derhalve hoog in het vaandel en tegen werknemers die hun werkervaring, opleidingsniveau, adressen of dergelijke details uit de duim hebben gezogen, wordt volgens de regels van het bedrijf opgetreden. Dit is iets wat we heel serieus nemen.
Voor deze functie van receptioniste zijn altijd referenties nodig geweest en jij zit nog steeds in je proeftijd van een half jaar. Derhalve spijt het mij zeer om je te moeten meedelen dat jouw contract met Huerst & Wright per vandaag zal worden beëindigd.
Ik verzoek je vriendelijk om je pasje en alle andere eigendommen van Huerst & Wright om vijf uur aan Judy Perkins te overhandigen.
Hoogachtend
Roger Lipton

Van: Holly
Aan: Patricia Gillot
Onderwerp: Vertrokken

Het is zover, ik ben weg. Ze willen van me af Trisha.

Van: Patricia Gillot
Aan: Holly

Wat?????

Van: Holly
Aan: Patricia Gillot

Iets met betrouwbaarheid en dat ik gelogen heb op mijn cv.

Van: Patricia Gillot
Aan: Holly

Ja ja, heel grappig.

Van: Holly
Aan: Patricia Gillot

Kijk me aan Trish.

Van: Patricia Gillot
Aan: Holly

Ze lachen zich VERD*MME een f*cking breuk!!!!

Van: Holly
Aan: Patricia Gillot

Het is mijn eigen stomme schuld.

Van: Patricia Gillot
Aan: Holly

O lieverd, wat ga je nu doen???

Van: Shella Hamilton-Jones
Aan: Holly
Onderwerp: Vermist?

Holly
Je zou om 12 uur op me wachten in vergaderzaal 5, en daar zit ik nu.
Ben je het vergeten???
Zit je nog op de receptie of ben je ontslagen?

Van: Holly
Aan: Shella Hamilton-Jones

Ja, ik ben ontslagen.
Ik vermoed dat iemand met PZ over mij gepraat heeft en dat ze van me af
willen (goed gedaan Shella??).
Dus nee, ik heb geen zin om naar boven te komen voor een vergadering,
want ik hoef helemaal niks meer van jouw sh*t te slikken.
Holly

Van: Jason GrangerRM
Aan: Holly
Onderwerp: Wat is er gebeurd????

Hebben ze al gereageerd?

Van: Holly
Aan: Jason GrangerRM

Ja, ik ben weg, pleite.

Van: Jason GrangerRM
Aan: Holly

Maak je een geintje?

Van: Jennie Pithwait
Aan: Holly
Onderwerp: O gutteguttegut

Ex-receptioniste
Het ziet ernaar uit dat ik uiteindelijk toch WIN.
Toen ik ontdekt had dat je tegen ons allemaal had gelogen, waren een paar
telefoontjes genoeg om alles in gang te zetten...
Dus het is vaarwel van mij en vaarwel van James.
Tatarataaaa

Van: Shella Hamilton-Jones
Aan: Holly
Onderwerp: Vermist?

Zoiets belachelijks heb ik nog nooit gehoord, waarom zou ik blij zijn?
Nu moet ik iemand anders vinden die hier goed in is, waarom sturen ze
jou in hemelsnaam de laan uit?
Shella

Van: Holly
Aan: Shella Hamilton-Jones

Jennie heeft hun verteld dat ik heb gelogen op mijn cv. (Ik heb nooit als receptioniste gewerkt.)

Van: Shella Hamilton-Jones
Aan: Holly

Maar wat heeft Holly dan uitgespookt?

Van: Holly
Aan: Shella Hamilton-Jones

Ik leidde een evenementenbureau met mijn man.

Van: Shella Hamilton-Jones
Aan: Holly; Roger Lipton
Onderwerp: Holly Denham

Roger
Ik moet zeggen dat ik de manier waarop jij het bedrijfsbeleid binnen
Huerst & Wright hebt veranderd nogal verfrissend vind.
Jouw vermogen om de 'rotte eieren' uit het bedrijf te verwijderen ge-
schiedt altijd met zo weinig heisa en jouw beslissingen op dit gebied zijn
altijd juist.
Ik sta echter versteld van de knoeiboel die je van het geval Holly Denham
gemaakt hebt.
Om welke reden ontsla je haar?
Shella
PS Laat Holly weten wat jij antwoordt, aangezien ik wellicht wat feiten bij
haar moet verifiëren.

Van: Roger Lipton
Aan: Holly; Shella Hamilton-Jones

Shella

Ik vind het spijtig dat jij er zo over denkt, maar Holly heeft gelogen op haar cv en wat dat betreft is ons bedrijfsbeleid zeer duidelijk en ondubbelzinnig.

Van: Shella Hamilton-Jones
Aan: Holly; Roger Lipton

Wat deed ze dan in plaats van receptiewerk Roger?

Van: Roger Lipton
Aan: Holly; Shella Hamilton-Jones

Shella

Ik denk dat het beter is dat we morgen op mijn kantoor even over deze zaak praten, maar ik geloof dat Holly als zelfstandige werkte.

Roger

Van: Shella Hamilton-Jones
Aan: Holly; Roger Lipton

Ze leidde een evenementenbureau met haar man, Roger, en aan welk project werken wij momenteel samen?

Van: Roger Lipton
Aan: Holly; Shella Hamilton-Jones

De jaarresultaten.

Van: Shella Hamilton-Jones
Aan: Holly; Roger Lipton

De jaarresultaten, heel goed. Het lijkt wel alsof jij het grootste evenement op onze agenda over het hoofd hebt gezien.

Holly Denham runde een evenementenbureau en laat dat nou net het soort ervaring zijn dat ik nodig heb om deze conferentie in zo'n korte tijdspanne op poten te zetten.

Zou je die contractbeëindiging onmiddellijk ongedaan willen maken; ik wil er niets meer over horen.

Ik weet dat je het goed bedoeld hebt Roger, maar ik zit tot over mijn oren in het werk voor die conferentie en de tijd dringt.

Mail me alsjeblieft niet meer, tenzij het om iets anders gaat.

Groeten

Shella

PS Wellicht zou je eens willen nagaan waarom Jennie Pithwait het op zich genomen heeft om op eigen houtje naar referenties te gaan vragen?

Van: Shella Hamilton-Jones
Aan: Holly
Onderwerp: Werken

Nou, je zult dus nog meer sh*t van dit 'serpent' moeten slikken, hè?

O en als je weer lastiggevallen wordt door die vrouw – degene die ik van-daag binnen heb zien komen in een rokje waar een prostituee zich voor zou schamen, laat het me dan weten.

Ik ben de enige in dit bedrijf die gemeen mag zijn tegen mensen.

Shella 'Cruella'

PS Ik denk echt dat je achter Toby aan moet, hij is veel knapper.

Van: Holly
Aan: Shella Hamilton-Jones

Weet niet zo goed wat ik moet zeggen!!!!

Ontzettend bedankt Shella, je hebt mij zojuist heel blij gemaakt!

Holly

xxx !!!

(Sorry van dat serpentgedoe.)

Van: Holly
Aan: Patricia Gillot
Onderwerp: Triest nieuws

Grapje! Ik ben weer TERUG!!!

JIPPIEEEEEEEEEEEEEE ha ah aha aha ha ha

Trisha ik hou van je 'Schat'!!! hi hi hi

!! Ik wil je een dikke pakkerd geven, maar eerst moet ik een belangrijk be-richt aan iemand sturen.

Van: Patricia Gillot
Aan: Holly

Wat???
Hoe?
Vertel het nu!!!!!!

Van: Holly
Aan: Patricia Gillot

Ze wist het!! Ze heeft die e-mail tóch gelezen!!!
En toch is ze aardig??? ?? Hè?
Volgens mij staat de wereld vandaag op zijn kop.
O ja, moet een e-mail sturen, tatarataa.

Van: Patricia Gillot
Aan: Holly

???

Van: Holly
Aan: Patricia Gillot

Ga nou niet beginnen met die vraagtekens trishywishy.
Hi hiiiii
☺

Van: Holly
Aan: Aisha; Jason GrangerRM
Onderwerp: Wakker worden

Stinkerd en stinkerd??
Ik moet jullie iets vertellen!

Van: Holly
Aan: Jennie Pithwait
Onderwerp: Vertrek

O, nou dan ga ik maar.

Van: Jennie Pithwait
Aan: Holly

Ben je hier nou nog?
Zou je het leuk vinden om je pasje aan MIJ te geven voordat je vertrekt?

Als je wilt kan ik wel een pak cornflakes voor je legen waar je je pennen en potloden in kunt zetten?

Snif snif

☹

Het is het einde van een vergissing.

Van: Holly
Aan: Jennie Pithwait

Doe niet zo stom; ik bedoelde alleen maar dat ik even aan de overkant koffie ging halen...

Ze hebben me niet ontslagen, het was gewoon een afschuwelijke vergissing (je had gelijk), kreeg een verontschuldigend telefoontje van Roger Lipton.

Wat ontzettend sneu nou voor jouw rancuneuze persoontje... SNIF SNIF HA HA HA HA

Dit voelt lekker nènè nè nè nèèè –

net zo lekker als ik dacht

Liefs en kusjes

mwa mwa

Holly

PS......... Shella zegt dat je op je hoede moet zijn.

Oeps stoute stoute Jennie

Van: Jennie Pithwait
Aan: Holly

Is dat waar???

NOU DAN ZAL IK JE ZO EENS WAT LATEN ZIEN WAARVAN HOLLY'S ARME HARTJE BREEKT!!

Van: Holly
Aan: Jennie Pithwait

Wat zou dat kunnen zijn?

O MIJN GOD!!!

Je gaat me toch niet... laten zien dat je je borsten weer hebt laten vergroten???

Je hebt gelijk, dat zou IN en IN triest zijn.

☹

Of misschien ga je wel onthullen dat je verkering hebt met Mr. Big, dat zou mijn hart ECHT breken.

O nee, was vergeten dat dat niet kan, je gaat nog steeds met mijn afdanker-tje.
Zonde.

Van: Holly
Aan: Jason GrangerRM; Aisha
Onderwerp: Hier

Jullie zullen gewoon niet geloven wat hier allemaal gebeurd is!!!!!!!
Zijn jullie daar?????
Holly
x

Van: Holly
Aan: Patricia Gillot
Onderwerp: Jennie

Wat zou ze in haar schild voeren? Ze zei net dat ze naar beneden kwam om, ik citeer, 'mijn hart te breken' – gestoord???
Desalniettemin – het was echt superleuk om met haar te mailen.

Van: Patricia Gillot
Aan: Holly

Ik hoop dat het niet is wat ik denk dat ze gaat doen.

Van: Holly
Aan: Patricia Gillot

Wat?????

Van: Jason GrangerRM
Aan: Holly; Aisha; Patricia Gillot
Onderwerp: VERTEL!!!

Wat gebeurt er dan Holly???????

Van: Holly
Aan: Aisha; Jason GrangerRM; Patricia Gillot

Nou:
Ik hoorde van Jennie dat zij al die tijd met James was toen ik met hem op vakantie was.

Zeg maar niks, probeer dat een beetje te vergeten.

Toen werd ik ontslagen (niet bepaald een goed begin van de dag).

Toen weer aangenomen.

Jippppieeee (omdat Shella gezegd had dat ze dat moesten doen, overigens: ze had die e-mail waarin ik haar een serpent noem dus wel gelezen) (en ze heeft gevoel voor humor, zeer verwarrend?!)

Toen stuurde ik een paar ha ha e-mails naar Jennie.

Nu komt ze naar beneden om mijn hart te breken (zegt ze).

O daar komt ze al.

Met James? O, ik hoop dat het niet waar is

Van: Jason GrangerRM
Aan: Holly; Aisha; Patricia Gillot

WAT????

Van: Jason GrangerRM
Aan: Holly; Aisha; Patricia Gillot
Onderwerp: WAT NIET WAAR IS?

WAT is er aan de hand?????????

Van: Holly
Aan: Jason GrangerRM; Patricia Gillot; Aisha

Ze staat midden op de receptie met James te zoenen.

Van: Patricia Gillot
Aan: Holly; Jason GrangerRM; Aisha

Wat een dommertje, die schrikt zich straks het lazerus.

Van: Holly
Aan: Aisha; Jason GrangerRM; Patricia Gillot

Hè?

Van: Patricia Gillot
Aan: Holly; Aisha; Jason GrangerRM

Zie je die cliënt daar die de krant neerlegt?

Van: Patricia Gillot
Aan: Holly; Aisha; Jason GrangerRM
Onderwerp: Dat is...

Dat is zijn vrouw.

Van: Jason GrangerRM
Aan: Holly; Aisha; Patricia Gillot

Sh*t.

Van: Holly
Aan: Patricia Gillot; Jason GrangerRM; Aisha

Hè? Hoe wist je dat? Welke vrouw????

Van: Patricia Gillot
Aan: Holly; Jason GrangerRM; Aisha

O, tja, dan zou ik uit de school klappen.

xxxx

Van: Judy Perkins
Aan: Holly; Patricia Gillot
Onderwerp: DRINGEND

Wat gebeurt er allemaal daar beneden?
Ik kreeg net berichten over een veiligheidsrisico en geschreeuw uit de receptie? Wie het ook zijn, laat de veiligheidsmensen hen uit het gebouw verwijderen, desnoods met geweld.
NU!!!!

Van: Patricia Gillot
Aan: Holly
Onderwerp: Wil jij het doen of zal ik?

Zal ik het hun vertellen of wil jij het doen?

Van: Holly
Aan: Patricia Gillot

Ooo, ik denk dat ik dit varkentje wel kan wassen, misschien vraag ik Ralph om ondertussen even op wat voeten te trappen.

Van: Mam en Pap
Aan: Holly
Onderwerp: Vergeef het me alsjeblieft

Holly

Na ons laatste gesprek heb ik eens lang en streng naar mezelf gekeken.

Hoe groot de kans ook is dat je me hierdoor gaat haten, ik moet je dit vertellen.

Toby heeft je wel geschreven. Hij heeft je zelfs heel vaak geschreven, ik heb het tegen niemand in de familie gezegd, zelfs niet tegen je vader. Ik was zo boos op hem, ik heb de meeste brieven verscheurd.

Ik heb er een bewaard, de laatste, en die heb ik met de hulp van je zus gescand en ga ik je nu sturen.

Liefs Mam

Van: Patricia Gillot
Aan: Holly
Onderwerp: Tevreden???

Ik had gedacht dat je zou springen van de pret en in een deuk zou liggen, wat is er aan de hand?

Van: Holly
Aan: Patricia Gillot

Weet ik niet, dat vertel ik je zo. Wanneer zei je dat Toby wegging?

Van: Patricia Gillot
Aan: Holly

Vandaag, hij is er tot 5 uur, hoezo?

Van: Holly
Aan: Patricia Gillot

Vertel ik je zo.

Van: Holly
Aan: Mam en Pap
Onderwerp: Brief

Waar is die brief??????

En nog wat, hoe kan hij nou geschreven hebben? Op school heb ik niks ge-kregen, waarom zou hij naar jou schrijven???

Van: Mam en Pap
Aan: Holly

Hij schreef niet naar mij, het spijt me, maar ik heb de conciërge alle post uit Frankrijk laten onderscheppen.
Sorry Holly.
Zijn brief is als bijlage.
Mam xxxx

Holly Denham
Rosemont School
Guildford
Engeland

22 oktober 1994

Holly
Het is 6 uur 's ochtends. Ik zit op mijn bed in mijn slaapzaal.
Ik heb weer de hele nacht wakker gelegen met hetzelfde beeld voor ogen dat ik de laatste tijd steeds voor ogen heb.
Het was anders toen ik hier net was. Ik heb bijna alleen maar zitten den-ken aan alle grappige, gekke dingen die we samen deden. Zelfs als ik cha-grijnig was en je me niet met rust wilde laten, je bent zo godvergeten sexy Holly, zelfs als ik boos op je wilde zijn kon ik dat niet.
Toen ik je schreef had ik er alle vertrouwen in, ik wist zeker dat we hier sa-men doorheen zouden komen. Ik wist wat ik voor je voelde en ik nam blindelings aan dat jij hetzelfde voor mij voelde. Ik dacht dat ik hier een jaar zou blijven en dat we weer bij elkaar zouden komen, ook als het er twee werden, we zouden elkaar in de zomer weer zien. Wat was ik toen ze-ker van mezelf en dat is pas twee maanden geleden.
Ik zag weer voor me hoe je me aankeek toen je zei dat je van me hield. Ik probeer die blik te onthouden omdat ik, hoe mooi je ook bent, alleen moet denken aan je gezicht, je ogen, hoe die eruitzagen, of je het net zo meende als ik.
Toen gisteren de post werd uitgedeeld, stond ik er weer, in de hoop dat er een van jou bij zou zijn. Dan zie ik een postzegel uit Engeland en dan rea-liseer ik me dat het niet jouw handschrift is, maar dan, heel stom, ga ik ho-

pen dat ze iets in hun brief over jou zeggen. Als het maar iets is waaruit blijkt dat je mij net zo mist als ik jou. Als ik wist dat dat zo was, zou ik nu weglopen, ik zou op een trein springen, ik zou zelfs lopen als het moest. Ik zou naar je toe komen Holly, als je me alleen maar zou laten weten wat je voelt.

Ik ga niet nog een brief schrijven. Ik weet dat ik, als jij inderdaad zwanger was, de gelukkigste man op aarde zou zijn geweest, maar dat heeft niet zo mogen zijn. Ik weet dat ik nu de gelukkigste man op aarde zou zijn als ik een brief van je kreeg waarin je schrijft dat je aan me denkt.

Ik hou van je Holly en ik hoop alleen maar dat je op een dag ook van mij zult houden.

Ik ga nu naar het veld achter de school. Ik doe dit bijna elke morgen voordat iedereen opstaat, daar ben ik het verst van iedereen vandaan. Ik luister naar de stilte. Ik geniet van de stilte en dan schreeuw ik zo hard als ik kan Holly, ik schreeuw de longen uit mijn lijf, ik weet niet waarom, ik moet het gewoon doen.

Ik hou van je Holly,
Toby.

Van: Holly
Aan: Patricia Gillot
Onderwerp: O mijn god

O mijn god, ik moet weg.

Van: Patricia Gillot
Aan: Holly

Waarheen? Waarom?

Van: Holly
Aan: Patricia Gillot

Omdat ik me net iets gerealiseerd heb.
Ik ga naar boven.
xxx wens me succes.

Van: Patricia Gillot
Aan: Holly

Ga hem nu halen!!!!! Huphup!!!!

Trisha's inbox

Van: Les
Aan: Trisha
Onderwerp: En?

Wat gebeurt er nu?

Van: Trisha
Aan: Les

Holly is naar boven gegaan om het hem te vertellen.

Van: Les
Aan: Trisha

Hem wat te vertellen? Hij weet het toch, de hele bank weet het nu toch zeker?

Van: Trisha
Aan: Les

Doe niet zo dom Les, niet James, Toby.

Van: Les
Aan: Trisha

En wat gaat ze Toby dan vertellen?

Van: Trisha
Aan: Les

Dat het fotokopieerpapier halverwege de klus op was.

Van: Les
Aan: Trisha

Nou en?

Van: Trisha
Aan: Les

En dat Leslie Grantham* in de receptie op hem zit te wachten.

* Brits acteur die het meest bekend is van de serie *EastEnders*.

Van: Les
Aan: Trisha

Leslie wie?

Van: Trisha
Aan: Les

Ze gaat hem vertellen dat ze van hem houdt eikel!

Van: Les
Aan: Trisha

En hoe zou ik dat moeten weten? Als jij mij niks vertelt, kan ik toch niet weten dat je het daarover hebt? En, wat heeft hij gezegd?

Van: Trisha
Aan: Les

Weet ik niet, ze is nog niet terug.

Van: Les
Aan: Trisha

Er is een brief van de dokter gekomen, zal ik hem openmaken?

Van: Trisha
Aan: Les

Mag als je dat wilt, waarschijnlijk staat er toch in dat alles goed is. Wacht even, daar komt ze, het ziet er niet goed uit.

Holly's inbox

Van: Holly
Aan: Patricia Gillot
Onderwerp: Hij is weg

Hij is er niet, ze zeiden dat hij 10 minuten geleden vertrokken was, hij moet de brandtrap genomen hebben.

Van: Patricia Gillot
Aan: Holly

Tja, jij zou hier ook niet nog een keer langs willen lopen toch? Arme kerel, en wat ga je eraan doen?

Van: Holly
Aan: Patricia Gillot

Niets, toch? Ik denk dat ik zijn nummer of adres moet zien te krijgen.

Van: Patricia Gillot
Aan: Holly

Ja, stuur hem gewoon een brief, of een e-mail, of een sms of wat dan ook.

Van: Holly
Aan: Patricia Gillot

Denk je?

Van: Patricia Gillot
Aan: Holly

Nee, dat denk ik niet!!! Ik ga echt niet naast iemand zitten met zo'n natte, treurige liefdesverdrietuitdrukking op haar gezicht, kom als de sodemieter van die stoel af en ren achter je man aan! Je houdt toch van hem??

Van: Holly
Aan: Patricia Gillot

Ja, heel veel.

Van: Patricia Gillot
Aan: Holly

Ga dan achter hem aan, hij neemt de Eurostar, die is niet zo moeilijk te vinden toch? Hij gaat vanaf Waterloo!

Van: Holly
Aan: Patricia Gillot

Red jij het hier dan wel in je eentje?

Van: Patricia Gillot
Aan: Holly

O, rot toch op! Weg, voordat ik je eruit gooi!

Van: Patricia Gillot
Aan: Holly
Onderwerp: En nu is het afgelopen!

Ik kom naar je toe!

Van: Holly
Aan: Patricia Gillot

Ik ga al, ik ga al. Geef hem mijn mobiele nummer als hij belt.
xxx

Van: Patricia Gillot
Aan: Holly

Hij gaat je niet bellen schat, dus rennen!!!!!!!!!!!!!!!!!

Trisha's inbox

WOENSDAG

Van: Patricia Gillot
Aan: Jason GrangerRM

Iemand iets gehoord?

Van: Jason
Aan: Patricia Gillot

Nee, en ik maak me ongerust over haar.

Van: Patricia Gillot
Aan: Jason GrangerRM

Ze mag daar niet gaan zitten mokken, we moeten haar dat huis uit krijgen.

Van: Jason
Aan: Patricia Gillot

Als ik tussen de middag nog niets van haar gehoord heb, ga ik naar haar flat.

Van: Holly
Aan: Patricia Gillot
Onderwerp: Ziek

Sorry Trisha
Ik weet dat ik niet tegen je kan liegen, dat zou ik nooit kunnen, ik was van plan om te zeggen dat ik vandaag ziek was, een griepje of virus of zo. Maar ik weet dat je me niet zou geloven, het enige virus dat ik heb is het liefdesvirus, ik ben zo verliefd dat het pijn doet. Dus ik kom niet werken, ik kom pas als ik over hem heen ben en ik ga echt echt proberen hem uit mijn hoofd te zetten Trisha.

597

Het probleem is dat dat wel erg moeilijk is als hij naast me ligt!!! Hi hi.

xxxxx

Ik haalde hem in op het station, ik zag hem staan bij de kaartcontrole toen ik binnenkwam. Ik schreeuwde, hij draaide zich om, ik wist niet wat ik moest zeggen. Ik zei dus: 'Waarom heb je me in HEMELSNAAM niet verteld dat je me geschreven had!!!!'

Hij gaf geen antwoord, dat hoefde hij ook niet te doen.

Ik rende naar hem toe en zag dat hij nog steeds verliefd op me was, en ik durf best toe te geven dat ik mezelf in zijn armen wierp. We kusten en kusten en op een bepaald moment lagen we kussend op de grond midden in Waterloostation, terwijl er mensen langsliepen, we lagen daar in feite tot we weggestuurd werden. Toen ik opstond was ik helemaal vies, absoluut niet chic, er zat een McDonald's papiertje aan mijn kont geplakt, en nu vind ik het jammer dat ik dat niet bewaard heb, als souvenir.

Ik schrijf je dit nu vanaf het strand in Frankrijk. We liggen hier samen en ja, ik schrijf je om je te vertellen dat ik verliefd ben en vandaag dus niet kom werken. Ik ben ziek. Hi hi hi. Geen idee wat we nu gaan doen, maar ik moet ervandoor, er ligt daar een borstkas waar mijn hoofd op moet.

Xxxxxxx

Hou van je Trishy

Holly

PS Ik ga zo Jason (of Pap) bellen om te zeggen dat hij zich ook niet ongerust hoeft te maken. Stoute Holly.

PPS In de volgende mail die ik je stuur zit een foto van mij en Toby. (Volgens mij worden mijn vakantiekiekjes dit jaar een stuk beter!)

Xxx

Lieve lezer,

Dat is dus het eind van mijn verhaal... tot nu toe! Ik hoop echt dat je ervan genoten hebt. Op mijn site www.hollysinbox.nl wil ik nog een paar stukjes en beetjes die ik verzameld heb over mijn gekke vrienden en familie (en een paar tenenkrommende documenten van mezelf) met je delen - ik hoop dat je ze leuk vindt!

Veel liefs,

Holly x x x

PS Ik kom snel terug!

Dankwoord

Mam, omdat ze zo liefdevol en aardig is, hard werkt en gewoon geweldig is.

Pap, omdat hij de grappigste persoon is die ik ooit gekend heb.

Zus, omdat ze een heldin is en alles en iedereen weet te inspireren.

Broer, omdat hij onder alle omstandigheden grappig is!

De schoonouders – omdat ze altijd zo hulpvaardig zijn.

Broo, mijn agente – omdat ze mijn e-mail beantwoordde toen niemand anders dat deed!!! En zo aardig is; een soort vrouwelijke Jerry Maguire, maar dan grappiger.

Sherise, mijn redacteur (ik kan er nog steeds niet over uit dat ik kan zeggen dat ik een agente en een redacteur heb; het is net of ik in een film zit) – voor het weghalen van de stukjes die ik had moeten weghalen (maar dat veel te eng vond) en omdat ze hier zo belachelijk hard aan heeft gewerkt (in zo'n enorm korte tijd).

Alle mensen bij Headline met wie ik zo heb gelachen en die mijn droom hebben vervuld!

Dr. Ash Alom van Fluent2 voor het maken van mijn website en omdat hij dat met hart en ziel gedaan heeft.

Neil, Julie en George.

Tom voor al zijn adviezen.

Oma, omdat ze mij zoveel herinneringen heeft gegeven xxxx

Dikke kussen en knuffels voor...

Katy Stardust, Joyby, Tim O, Janey, Juleigh, Tigger, Dobby21, Manisha, Seliji, OnixLou, Karin, Vicki, Lexiloucs, Rina, Media Chick, Azure, Agatha, Sallyb, Nicole, Sammi, Pickle, Leannev84, Wishingangel, Dearbarbie, Daxz, Sophicoast, Dryadwombat, Fifitrixi, Laney, Emilyp, Jazzij, Mg1983, Queen of Chaos, Princess Smiley, Jenny20, City Angel, Flounder78, Samie, Dignity, Innocent, Sofie, Sylar, Mummy2CandL, RooRoo, Bristolmary, Shiny, Hkdkat, Mike Manic, Harvey, Emma, Atenea, Lavinia, Lulubellxxx, Rhiannon, Michelle, Deadgirl, Louisebw, Ciara22, Kate007, Xkaighbe, Mrs Weasley, Shany, Jade, Vicychopra, Lauricha, Daniella, Jeditinkerbell7, Trish, Ekatgirl, Ann Marie, Romeo, Voyeur, Geeklady, Jack, Emeralokies, Aaron, Inges, Cinders284, Chrissywissy, Kaymoo, Elliejc, Queenool, Pinkycat, BadHairDay en Chandleo.

De leraar Engels uit de buurt van Brighton die me echt heeft geïnspireerd en me een zetje deze richting op heeft gegeven.
Monkey en Grettal – omdat ze me hielpen te slapen, de stress wegnamen en zo lekker knuffelig en harig zijn (katten).

Als laatste jeweetwelwie, de liefde van mijn leven, mijn kreeft, voor het sturen van de 'Ara' naar mijn hart xxxxx

Ook de serie *De VIP*lijst*, die bol staat van de razendsnelle actie en het blitse leven van de mooie, rijke en glamoureuze jetset van Beverly Hills, mag je niet missen!

'Echt zo'n lekker wegleesboek!' Girlz

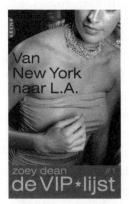

Anna Percy is mooi, rijk, intelligent, en ze heeft een kledingkast om jaloers op te zijn. Omdat haar moeder met een vriendin op wereldreis gaat, verhuist Anna naar haar vader in Los Angeles, waar ze begint op Beverly Hills High. De populaire meisjes die in L.A. op de VIP-lijst staan, zitten niet te wachten op concurrentie van de mooie Anna…

ISBN 978 90 6974 683 8

Anna is net van New York naar het zonnige, luxueuze Beverly Hills verhuisd. Ze heeft helemáál geen zin om naar Beverly Hills High te gaan, waar ze met de drie grootste bitches van de school in de klas zal komen. Ze weet inmiddels genoeg van de omgangsvormen in L.A. om ze voor geen meter te vertrouwen.

ISBN 978 90 6974 699 9

Sinds haar verhuizing naar L.A. heeft Anna een wereldtijd. Dankzij haar baan bij een hotte nieuwe tv-show kan ze naar hartenlust cocktails drinken op het strand, in gezelschap van de knappe jonge cast. Het is alleen jammer dat ze maar niet van haar grote rivale Cammie af kan komen; overal waar Anna is, is zij ook.

ISBN 978 90 6974 700 2

Heel L.A. is jaloers op de wonderschone Anna (en dan met name de meiden uit haar klas). Wanneer ze naar Las Casitas in Mexico moet voor een uiterst geheime missie voor haar übermachtige vader, lopen de zaken echter in het honderd.

ISBN 978 90 6974 986 0